COLLECTION FOLIO

Franz-Olivier Giesbert

Belle d'amour

Gallimard

Franz-Olivier Giesbert est né en 1949, à Wilmington, dans le Delaware, aux États-Unis, d'un père américain et d'une mère française. Il arrive en France à l'âge de trois ans. Après avoir collaboré à la page littéraire de *Paris-Normandie*, il entre au *Nouvel Observateur* en 1971. Il devient successivement directeur de la rédaction du *Nouvel Observateur* (1985-1988) puis directeur de la rédaction du *Figaro* (1988-2000) et, enfin, directeur du *Point* (2000-2014) où il est actuellement éditorialiste.

Il a publié de nombreux romans, dont *L'affreux* (Grand Prix du roman de l'Académie française 1992), *La souille* (prix Interallié 1995), *Un très grand amour, La cuisinière d'Himmler, L'arracheuse de dents, Belle d'amour, Le Schmock*, ainsi que des essais, comme *La dernière fois que j'ai rencontré Dieu*, et des biographies : *François Mitterrand ou la tentation de l'histoire* (prix Aujourd'hui 1977), *Jacques Chirac, Le président, François Mitterrand : Une vie, La tragédie du président.*

À Tiphanie
et à toutes celles qui lui ressemblent

« La vie, ce n'est pas d'attendre que l'orage passe, c'est d'apprendre à danser sous la pluie. »

SÉNÈQUE

PROLOGUE

MARSEILLE, 2016. À côté de chez moi, à Marseille, les cloches de la basilique Saint-Victor viennent de sonner. Au premier tintement, j'ai été jeté dans le monde d'aujourd'hui, comme si je tombais de la terrasse d'un gratte-ciel, alors que, depuis mon lever, à quatre heures du matin, je vivais en plein XIIIe siècle, au temps de l'amour courtois, dans un royaume envahi par les porcs qui, parfois, mangeaient les enfants et que l'on jugeait ensuite en grande pompe avant de les exécuter en place publique.

Même si je suis en train d'écrire un roman, je me considère comme un peintre : je raconte la toile comme elle se compose sous mes yeux. En ce moment, Tiphanie, mon héroïne, s'esclaffe en interprétant une chanson de troubadour et je me demande comment elle peut rire après tout ce qu'elle a vécu, les croisades, le froid, les défaites, la prison. Elle a bien de la chance : les personnes de ce genre meurent toujours vivantes, vieilles et vivantes.

Professeur à l'université d'Aix-en-Provence, spécialiste de l'Islam et du Moyen Âge, j'ai toujours été passionné par les croisades. Rarement l'humanité aura déployé autant de ferveur et d'abnégation que pendant cette période. Souvent l'appel de Dieu était si fort que les croisés vendaient tous leurs biens avant de partir. Ce romantisme, pardonnez l'anachronisme, me subjugue depuis la petite enfance.

Ayant toujours plus vécu que travaillé, j'ai tardé à écrire sur les croisades. À plus de cinquante ans, je n'ai publié qu'un seul livre, un petit essai sur l'esclavage en terre d'islam, sujet tabou et assez peu étudié. Bien que rigoureux, cet ouvrage avait fait l'objet d'une campagne de presse insensée qui, pour confidentielle qu'elle fût, me déprima. Mon crime avait été de rappeler que l'esclavage s'était beaucoup développé dans les pays arabes : au moins dix-sept millions de Noirs et de Blancs y furent asservis au cours des derniers siècles. Des chiffres bien supérieurs à ceux des traites négrières de l'Occident. On me reprocha d'avoir souligné cette différence.

Après cet épisode qui reste douloureux, j'ai donné quelques gages au Parti du Bien qui nous gouverne. Ainsi, j'ai exclu un étudiant qui avait terminé son exposé par une citation de Mustafa Kemal Atatürk, fondateur et premier président de la république de Turquie de 1923 à 1938 : « L'islam, cette théologie absurde d'un Bédouin immoral, est un cadavre putréfié qui empoisonne nos vies. »

« C'est inadmissible ! m'écriai-je. Sortez tout de suite ! »

L'étudiant ne bougeant pas, je me suis approché de lui :

« Fasciste ! »

Je sais qu'il n'y avait aucun rapport entre le fascisme et la citation d'Atatürk mais cette insulte met toujours les gens de votre côté. Il y a eu des huées dans la salle et l'étudiant consentit enfin à sortir. Peu après, j'ai fait virer ce malappris de la faculté en l'accusant, entre autres choses, d'islamophobie, de trouble à l'ordre public ou d'incitation à la haine raciale. L'incident fit quelque bruit dans mon université, d'autant que l'étudiant était un Algérien, d'origine kabyle.

Après la mort de mes parents, à quelques mois d'intervalle, je devins propriétaire de plusieurs appartements sur le Vieux-Port de Marseille. Terrifié par la perspective de donner jusqu'à ma retraite des cours à la faculté d'Aix-en-Provence, je décidai de prendre une année sabbatique : la jeunesse serait la plus belle des choses, s'il n'y avait les jeunes, et je supportais de moins en moins mes étudiants et leur mélange de nonchalance, de tyrannie, d'ingratitude. En outre, ça me prenait un temps fou de ne pas faire grand-chose.

J'ai décidé d'écrire enfin le livre sur les croisades que je portais en moi. Au bout de quelques jours, j'ai compris qu'il ne fallait pas que ce soit un essai mais un roman. J'avais déjà mon personnage dans la tête : Tiphanie Marvejols. Elle vivait en moi. « J'en ai assez des calembredaines, me murmurait-elle. Il faut que tu m'aides à raconter la véritable histoire des croisades. »

Au petit matin elle me tirait de mon sommeil pour me dérouler le fil de l'histoire que vous allez lire. Je croyais avoir découvert son nom au hasard d'un paragraphe de *La Vie de Saint Louis* que Jean de Joinville, sénéchal de Champagne, écrivit à la demande de Jeanne de Navarre, la femme de Philippe le Bel, petit-fils du roi pieux. Un chef-d'œuvre auquel je dois ma passion pour l'histoire du Moyen Âge.

Depuis, je me suis souvent plongé dans *La Vie de Saint Louis* pour y chercher le paragraphe où Tiphanie était mentionnée. En vain. Je suis pourtant sûr de n'avoir pas rêvé. Eussé-je été pompette lors de ma première lecture, je n'aurais pas pu inventer ce personnage. J'en conclus que j'étais tombé sur elle chez un autre auteur et j'ai cherché son nom dans les livres écrits par des contemporains de Jean de Joinville. Sans plus de succès. Peu doué en matière de numérique, j'ai alors demandé à mon voisin du rez-de-chaussée, Samir la Souris, de la retrouver sur Google, en passant au crible toutes les universités, notamment américaines, auxquelles mon anglais faiblard m'empêchait d'accéder.

Mozart du Net, Samir la Souris est un homoncule d'une vingtaine d'années. Il voyage beaucoup, parle six langues et fait payer très cher ses services. Un homme d'affaires, dans son genre. Depuis quelque temps, pour le plus grand malheur de sa mère, il se laisse pousser une barbe de salafiste.

Mais la barbe ne fait pas le salafiste. Samir la Souris est musulman et vomit les islamistes. « Partout, affirme-t-il, le malheur a commencé de la même façon : d'abord, tu vois de plus en plus de femmes voilées et d'hommes barbus dans la rue et puis, un jour, c'est foutu, les attentats se multiplient et il ne te reste plus qu'à faire tes valises ! Le choix est clair : la valise ou la chahada[1]. À moins que ce ne soit la chahada ou le cercueil.

— Que doit-on faire, l'asticot ?

— Si vous ne voulez pas que notre pays devienne un jour comme la Syrie ou le Liban, il faudra vous battre, *wallah* ! Avec tout, même avec vos ongles. »

Devant mon expression de perplexité, Samir a commencé à s'échauffer :

« Les ongles, ce sont des armes de guerre qu'Allah nous a données pour crever les yeux des islamistes. Sinon, tu prends tout ce que tu as sous la main : tournevis, crayons, ciseaux, cutters, fourchettes. *Al Hamdoulillah.* »

J'ai une confiance totale en Samir la Souris

1. La profession de foi qui permet la conversion à l'islam : « J'atteste qu'il n'y a pas de divinité excepté Dieu, et j'atteste que Mahomet est le messager de Dieu. »

mais mon voisin de palier et ami, un instituteur communiste, Léon Zimmermann, ne croit pas un mot de ce qu'il dit et me traite de « naïf » : à l'en croire, mon geek pratiquerait la « tromperie religieuse » (*al taqîya*) qui serait consubstantielle à l'islam.

Le Coran interdit le mensonge, c'est un fait, reconnaît Léon, mais la sourate III-28 autorise une exception : « Que les croyants ne prennent pas pour alliés des infidèles, sauf pour se protéger d'eux. » Et mon voisin rappelle l'injonction d'un grand maître du XIVe siècle, Ibn Kathir, l'un des commentateurs préférés des salafistes : « Nous leur sourions par-devant mais, par-derrière, nous les maudissons. »

Le sourire de Samir a souvent quelque chose d'artificiel, je le reconnais. Mais, en dehors de son âpreté au gain, c'est la seule chose qui me dérange chez lui. Pourvu d'un humour ravageur, il a un charme inouï et je dois avouer que j'éprouve pour lui une vraie tendresse.

Il sait tout sur tout, Spinoza, la dernière Ferrari, le langage des arbres ou l'art de réussir le mojito, mon cocktail préféré. Il répare ou résout la plupart des problèmes informatiques avec une incroyable rapidité. Revenu bredouille d'une traque de deux jours sur le Net, il m'a réclamé une rallonge.

« J'ai des frais », se justifia-t-il.

J'ai négocié, il était redoutable, mais j'étais prêt à tout pour la retrouver. Je ne sais après quelles pérégrinations l'âme de Tiphanie a fini par atterrir sous mon crâne, où elle habite désormais, mais je sens en permanence sa présence qui me ramène à ce merveilleux Moyen Âge, quand régnait cet esprit d'enfance qui nous manque tant aujourd'hui.

C'est à elle que je dédie ce livre écrit sous sa dictée, même si je me suis inspiré de temps en temps des chroniqueurs ou des historiens comme Joseph-François Michaud, auteur, au XIXe siècle, d'une monumentale *Histoire des croisades* en sept volumes, puisée à d'abondantes sources arabes.

I

LA BELLE ET LES BÊTES

1246-1247

1

La fille à la sansonnette

Anjou, 1246. C'est l'une des dernières images que je garde d'eux : mes parents gisant dans la gadoue, les poignets et les chevilles liés comme des chèvres au marché aux bestiaux. J'avais passé une partie de la journée à essayer de les raisonner :

« Pourquoi n'abjurez-vous pas, coquefredouille ?

— Pardonne-moi, dit mon père, mais je suis incapable de mentir.

— Y a pas plus facile, objectai-je. La vie est quand même une farcerie…

— Pas pour nous, murmura ma mère. Notre foi est notre béquille et elle nous interdit les mentements. Toi, tu as toujours été plus forte que nous, Tiphanie. »

Pour rire, un soldat affligé d'une verrue qui lui faisait un second nez avait vidé un pot d'aisances sur mes parents. Les nettoyant avec soin, j'étais si près d'eux que mon père a pu me souffler sans être entendu :

« N'avoue jamais et fuis loin, le plus loin possible, Tiphanie. Y a plus rien à faire ici. Les gens comme nous n'ont rien à attendre du royaume des Francs. »

La mauvaise odeur persistant, je suis allée chercher un autre seau d'eau. Quand je suis revenue, mes parents étaient debout : après avoir dénoué la corde qui attachait leurs chevilles, les soldats les faisaient avancer en les menaçant de leurs épées.

« Où les emmenez-vous ? m'écriai-je.

— Au ciel.

— Vous disiez qu'ils ne le méritaient pas.

— Eh bien, alors, ils vont aller au feu. »

J'étais tout près d'eux. Mon père a fait semblant de tomber et je me suis précipitée pour le soutenir, le temps qu'il me glisse à l'oreille quelque chose que je n'ai pas envie de répéter et qui allait changer ma vie : j'y pense au moins une fois par jour.

C'est depuis ce jour-là que j'ai les yeux morts. Cherchez bien, vous ne trouverez jamais rien dedans, ni haine, ni remords, ni désir de vengeance. J'ai le regard inexpressif de ceux qui se sont retranchés du monde après avoir trop souffert, trop pleuré, trop vécu. Mais ne vous y fiez pas. C'est une ruse, celle des survivants qui ont décidé de passer inaperçus sur cette terre de brutes.

*

C'était un temps à brouée[1] et à corbeaux. Depuis plusieurs jours, le soleil vivait caché, il pleuviotait souvent, le ciel bas suintait la tristesse des fins d'automne. Les forêts et les champs soupiraient en songeant à ce qui les attendait.

Je suis belle de nuit le jour
et belle de jour la nuit.
On m'appelle Belle d'amour
Parce que je suis belle toujours.

C'était ce que je chantonnais sous mon ramas de vieilles hardes, en marchant comme une somnambule sur la route boueuse. Répandant autour de moi une odeur aigre, j'avais le sentiment de trébucher à chaque pas. Quand je passais devant les gens, ils n'avaient qu'une envie : détourner les yeux.

Mais n'était-ce pas précisément ce que je recherchais, dissimulée sous mes chiffons et coiffée d'un ridicule bonnet en peau de chien ? Je jetais sans cesse des regards furtifs par-dessus mon épaule parce que je redoutais d'être suivie par la maréchaussée, l'Inquisition, des meutes de loups, des mâles en chaleur. En somme, par le Mal.

Je portais un sac en drap sur le dos et, dans ce sac, il y avait un luth, un couteau, une gourde d'eau, quelques défroques, mais pas de quoi se

1. Brume.

changer vraiment. S'il m'arrivait de me laver, on aurait dit que c'était à la terre, à en juger par le gris de ma peau. Chez moi, n'étaient propres que les dents, blanches comme du lait.

Il y a longtemps que j'étais sur les routes : au moins quatre mois. Parfois, j'avais l'air pressée mais je n'accélérais jamais longtemps, une lieue ou deux, pas plus, puis ralentissais le pas avant de me traîner en cherchant toutes les occasions de m'arrêter et de m'asseoir, par exemple quand je rencontrais quelqu'un ou quelque chose sur mon chemin. Une fleur, un enfant, une rivière, un mendiant.

Ce jour-là, ce fut d'abord un escargot. Un gros bijou humide, glissant, au corps luisant et au toit nacré, qui s'était empégué dans des cailloux en traversant la route. Après l'avoir écrasé sans le faire exprès, je m'assis près de lui, le pris délicatement entre le pouce et l'index, le portai à ma bouche et lui murmurai à l'oreille :

« Pardonne-moi. »

Je restai un moment dans la même position, comme si j'attendais une réponse. L'escargot reprit confiance. Le réflexe de rétraction passé, il commença à se détendre et à s'étirer, avant de darder ses yeux dansants au bout de ses tentacules. La coquille cassée, il bavait une mousse blanche en cherchant éperdument ma bouche, comme s'il voulait m'embrasser.

Je posai un baiser sur ses petites lèvres tremblantes, mais ce baiser tourna mal : soudain, écoutant ma faim, j'arrachai ce qui restait de la coquille et gobai l'escargot d'un coup, de la tête au muscle, sans le mâcher.

« Pardonne-moi », répétai-je en léchant le mucus qu'il avait laissé sur mes lèvres.

J'avais honte. Dans la journée, je m'arrêtais souvent pour manger. Des racines, des feuilles, de l'herbe, des pommes ou des poires sauvages. Je dormais dans les champs, au milieu des vaches, pour me protéger des loups ou des chiens errants. Je me réfugiais dans les étables quand il pleuvait. J'aurais été bien incapable de dire quel jour on était, mais je sentais venir l'hiver au froid qui me mordait la peau, le matin, quand il ne me rongeait pas les os et les sangs.

Un après-midi, entre Loudun et Saumur, une petite neige dentue tomba, qui m'aurait transformée en statue de glace si je ne m'étais retrouvée, comme par miracle, devant le portail d'une abbaye. Tremblant et claquant des dents, je fus accueillie par les moniales qui m'allongèrent sur une couche, près d'une cheminée, avant de me donner, quand je fus réchauffée, mon premier repas depuis longtemps.

C'était une sorte de purée noire, très épicée, qui aurait cuit pendant des années : elle laissait dans la bouche le goût de sciure humide du rutabaga. Après l'avoir avalée, j'ai failli m'évanouir en apprenant que c'était du ragoût de chien. Je ne mangeais jamais de « blessures sanglantes ». Ni du bœuf ni du chien.

Je fus émue par la compassion des sœurs qui, pendant plusieurs jours, furent aux petits soins.

Des saintes. Après m'avoir retapée, elles assurèrent ma pitance, en échange de menus travaux. Dommage qu'elles fussent si peu causantes. J'aurais bien aimé leur parler, mais elles me fuyaient comme elles fuyaient tous les êtres vivants. Impossible d'accrocher leur regard, toujours tourné vers le ciel dans lequel il volait, bien plus haut que les oiseaux. Je fus affectée, entre autres, au ramassage des ordures, au curage des latrines, ainsi qu'à la récupération des peaux et des cornes à la boucherie.

Cette abbaye était Notre-Dame de Fontevraud, haut lieu de la royauté et du christianisme. Y avaient notamment été enterrés, quelques années auparavant, Richard Cœur de Lion et Aliénor d'Aquitaine. D'où la gravité sépulcrale qui y régnait, troublée de temps en temps par des meuglements, des cocoricos ou des sonneries de cloches. Ici, personne ne fatrouillait[1], sauf en pensée, quand on était seul avec soi.

Fondée par l'ermite Robert d'Arbrissel, l'abbaye de Notre-Dame de Fontevraud avait longtemps permis aux hommes et aux femmes de cohabiter en tout bien tout honneur, les uns et les autres surmontant leurs tentations charnelles. Après quoi, sur la pression de l'Église, les sexes furent séparés et elle avait été divisée en plusieurs monastères, notamment pour les lépreux et les pécheresses repenties.

1. Bavardait.

Mon travail m'obligeant à aller sans cesse d'un monastère à l'autre, je rencontrai beaucoup de moines qui devinrent entreprenants dès que j'eus retrouvé mes formes et mes couleurs. Je répondais à leurs avances par des soupirs appuyés. S'ils insistaient, je leur hurlais dessus.

Un jour, l'un d'eux réussit à échanger quelques phrases avec moi. Un grand haricot, la peau sur les os, qui parlait comme s'il priait, les yeux baissés, la voix mourante. Après les présentations, il fronça les sourcils :

« Tiphanie est un prénom qui ne sonne pas français.

— Mon vrai prénom est Tiphaine, mon père. Mes parents m'ont surnommée Tiphanie à cause de ma grand-mère maternelle qui était anglaise.

— Quelle horreur ! Du sang anglais ! N'est-ce pas à cause de lui que vous semblez avoir si peur ?

— Je n'ai pas peur, mon père. Je fuis quelque chose qui me rattrape toujours. J'ai vécu l'enfer. »

Je n'avais pas envie de poursuivre cette conversation. Je secouai la tête et retournai à mon travail pendant que le moine marmonnait, la gorge serrée :

« Vous êtes si belle, je suis sûr que vous êtes éternelle. »

Une nuit printanière, alors que les jardins commençaient à se réveiller, l'herbe à reverdir et les bosquets à pépier, le grand haricot me sauta dessus en me mettant la main sur la bouche. Je lui ai fait la surprise du bélier : un coup de genou dans les pices[1].

« Verrat ! Maroufle ! Coquebert ! » ai-je hurlé pendant qu'il prenait ses coilles[2] à pleines mains comme si elles allaient tomber.

Après quoi, je me suis affublée de nouveau de guenilles pour dégoûter les hommes, avant de reprendre la route d'une démarche incertaine.

En chemin, j'adoptai un étourneau sansonnet blessé à l'aile. Une sansonnette, pour être précise : son plumage était moucheté de blanc et elle avait les yeux clairs. Pendant plusieurs jours, elle resta perchée sur mon épaule. Quand elle s'est remise, elle me suivait en voletant. Nous parlions beaucoup et, de temps en temps, elle m'embrassait sur la bouche.

C'était une époque où tout, en ce bas monde, inclinait au fatalisme, sauf à se gaver de soleil et à observer, comme je le faisais, les herbes et les branches s'élancer vers le ciel. Chaque fois que je m'étais sentie plus bas que terre, prête pour la tombe, il m'avait suffi, pour me redonner courage, de regarder ma sansonnette, de respirer un bon coup, d'entendre un rire d'enfant ou de m'oublier dans une rivière qui, au fond des bois, s'enfuit entre les branches en emportant vos yeux.

1. Testicules.
2. *Idem.*

2

Sur le Petit Pont de Paris

PARIS, 1246. Enjambant la Seine dans un équilibre précaire, non loin de la cathédrale Notre-Dame encore en construction, le Petit Pont de Paris était comme un arbre dont les branches ploient sous le poids des étourneaux qui, en l'espèce, étaient des gens, des échoppes, des marchandises.

Reliant la rive gauche et l'île de la Cité, le Petit Pont était le cœur palpitant du royaume. Très étroit, il semblait assez facile à défendre contre les barques de Normands ou de brigands qui, parfois, remontaient la Seine pour leurs voleries, leurs pillements[1]. C'était comme un joyeux paradis, à l'ombre de l'imposante forteresse du Petit Châtelet.

En ce temps-là, Paris, qui soupait à six heures, se couchait tôt : pour éviter les incendies, il était interdit de travailler dans le noir, à la bougie.

1. Pillages.

Après le couvre-feu, il était également défendu de faire la fête, à moins d'en avoir obtenu l'autorisation du prévôt. À la brune, comme on disait, la capitale devenait un grand corps mort. De temps en temps, pendant la nuit, la sentinelle du Châtelet sonnait du cor ou un grand cri troublait le silence : c'était quelqu'un qui se faisait occire ou dépouiller.

Paris se réveillait toujours au son des trompettes, et, jusqu'à la tombée du soir, les cloches des églises ne cessaient de sonner pour une raison ou une autre. Dans le tintouin général, le Petit Pont se distinguait : c'était l'un des endroits les plus bruyants de la capitale. Une volière.

En plus des odeurs de latrines et de mangeaille, le Petit Pont répandait dans le ciel une joie pleine de cris et de rires. La joie du monde. S'élevait aussi du matin au soir un parfum grisant de pain chaud. Ça sentait le petit Jésus en personne. À cause de la Halle de Beauce, pleine à craquer de blé et de farine, tous les boulangers semblaient s'être donné rendez-vous là, jusqu'à la rue de la Juiverie[1] qui traversait l'île de la Cité et passait devant la synagogue.

Ce jour-là, au milieu de la foule en crue, je m'avançais comme un bateau qui coule, avec l'air foutimassé[2] des personnes qui n'ont pas dormi depuis leur naissance. Portant un sac de

1. Elle est devenue la rue de la Cité en 1834.
2. Fatigué.

voyage et m'arrêtant souvent, pour reprendre mon souffle, je regardais les échoppes du Petit Pont, le museau fouineur.

Mes pas ont fini par me mener devant la tenancière d'une oblayerie[1]. Une dame bien en chair et sans menton, avec un nez très large. C'était ma tante. Elle ne m'a pas reconnue, mais le contraire eût été surprenant : nous ne nous étions jamais rencontrées.

« Dieu est comme un enfant qui nous regarde. »

C'était le mot de passe de la famille Espinasse. Son visage s'éclaira et elle se jeta dans mes bras en pleurant et en transpirant.

« Ma petite fille, a-t-elle marmonné, comme tu es grande ! »

Elle avait couvert mon visage d'un mélange de larmes et de suées. C'était très salé et ça collait. Je me dégageai et m'essuyai.

« Comment va ta mère ?

— Mes parents m'ont donné un trésor et ils veulent que tu en profites. »

Quelque temps avant de mourir, ils m'avaient dit que, s'il leur arrivait malheur, je devrais aller déterrer une petite boîte sous le chêne de leur jardin qui donnait sur le lac d'eau de source des Ferricres, non loin de Montségur, en Occitanie : j'y trouverais des sous d'or, des deniers d'argent et des bernardins de la seigneurie d'Anduze. De quoi vivre longtemps sans rien faire et, surtout,

1. Pâtisserie.

rejoindre ma tante, à l'autre bout du pays, sur le Petit Pont de Paris où elle tenait son commerce.

Pour éviter que les pièces n'attirent l'attention en sonnant, mes parents m'avaient invitée à les enfouir dans un sac rempli de terre humide que j'accrocherais à une ceinture et porterais entre mes cuisses, sous ma robe. Pendant le voyage qui me mena du fond de ma province à la capitale, mon chargement me donna une allure si disgracieuse qu'elle découragea les obsédés de la bête à deux dos, déjà refroidis par mon affreux chapeau en peau de chien enfoncé jusqu'aux sourcils.

Sans me vanter, mes grands yeux ressemblaient à ces saphirs qui, sous les rayons du soleil, font scintiller des étoiles à six branches, parfois douze. Tant qu'on ne regardait qu'eux, je semblais très belle. Le reste n'était pas à la hauteur mais j'avais une excuse : avec mon trésor dans mon entrejambe, je marchais d'un pas lourd, les pieds écartés, comme une fille de joie après qu'une armée de soldats lui est passée dessus.

Prenant ma tante à part, au fond de l'échoppe, j'ai soulevé ma blouse et lui ai montré le sac. Elle resta un moment la bouche ouverte, le regard effrayé :

« Qu'est-il arrivé à tes parents ? »

Il y eut un silence et elle a répété la question d'une voix stridente.

« Ils sont morts », ai-je répondu.

Ma tante s'est mise à genoux :

« Seigneur Dieu, raconte-moi.

— Je n'ai pas envie d'en parler mainte… »

Les mots s'embourbèrent dans ma bouche et elle a serré pendant longtemps mes jambes dans ses bras. Je n'avais pas l'air cloche. Une cliente est arrivée. Ma tante s'est levée et, avant de la servir, m'a soufflé à l'oreille :

« Ne t'en fais pas. Tu vas travailler avec moi dans la boutique, j'ai besoin d'aide, et je vais bien m'occuper de toi, je serai une mère pour toi. »

C'est à ce moment-là qu'entra dans l'échoppe la sansonnette qui, pendant les présentations, était restée perchée sur le toit. On aurait dit qu'elle riait.

*

Éléonore Espinasse, la sœur de ma mère, vivait seule et dormait dans un réduit, derrière sa boutique. Ses trois enfants étaient morts en bas âge et, quelques mois plus tôt, son mari avait succombé des suites de ses brûlements après avoir contribué à éteindre l'incendie de l'échoppe d'à côté, un bonnetier.

Telle était la malédiction du Petit Pont de Paris : tout en bois, il était toujours menacé par les incendies et plus encore par les crues de la Seine qui l'emportaient régulièrement[1].

1. Des inondations le détruisirent en 1205 et, plus tard, en 1296, 1325 et 1393. Il était toujours reconstruit, la dernière fois grâce à l'argent de Juifs fortunés qui avaient été mis à l'amende.

Une allégorie de la vie que Dieu nous donne et peut nous reprendre à tout moment, selon son bon plaisir. C'est pourquoi Éléonore allait le prier une fois par jour à Notre-Dame de Paris ou, parfois, au bout de l'île de la Cité, face au vent d'ouest qui courait sur la Seine. Elle prétendait qu'elle sentait le Tout-Puissant au-dedans et que, parfois, il lui disait des choses qu'elle ne pouvait répéter parce qu'elle n'était pas sûre de les avoir bien comprises.

« Comment m'as-tu reconnue ? demanda Éléonore.

— Je ne t'ai pas reconnue. C'est l'odeur de farine chaude qui m'a dit que c'était toi. Maman me disait toujours que tu faisais les meilleures oublies du monde. »

Éléonore m'offrit une oublie, autrement dit une gaufre.

« Maman avait raison », constatai-je, après avoir mangé la première bouchée.

En quelques semaines, je repris des forces et de la chair, notamment dans la poitrine : avec mon sourire retrouvé, je devins rapidement l'attraction de la boutique d'Éléonore. Un client me surnomma un jour « la Déifique » sous prétexte que la beauté de mon visage n'était pas humaine, mais surnaturelle.

« Elle est naturelle, corrigeai-je. C'est à cause de tout l'amour dont je déborde. Quand j'étais petite, mon père m'appelait "Belle d'amour". »

Plus je retrouvais le goût de la vie auprès d'Éléonore, moins je pouvais freiner les ardeurs et les frémisons[1] des mâles en chaleur. Je les tenais à distance. Pourquoi passer le reste de sa vie à se laisser tripoter, chevaucher ou désosser par l'une de ces bêtes velues qu'on appelle les hommes ? Si c'était ça, l'amour, je ne l'aimais pas. J'attendais l'époux qui m'emmènerait au ciel.

1. Frémissements.

3

La reine des gaufres

PARIS, 1246. Le mari d'Éléonore appartenait à la confrérie des oblayers et, après sa mort, sa veuve avait naturellement repris les rênes de la boutique. Qu'une femme tienne commerce, ce n'était pas bien vu dans le métier, mais elle se fichait des us, des coutumes et des mauvais coucheurs.

À la tête d'une armée de commis, Éléonore Espinasse n'arrêtait jamais. Tout le monde adorait ses pâtisseries, la menuaille[1] comme la seigneuraille. Le soir, ses étals étaient toujours vides. Même après une journée de pluie. Quand on lui demandait si elle ne devait pas se reposer, elle partait d'un grand rire : « J'aurai toute la mort pour me remettre. »

De son échoppe émanait un parfum moelleux qui attirait les passants comme les guêpes. Éléonore était la papesse des oublies, qu'elle

1. Petit peuple.

fabriquait avec une pâte aux œufs, à la farine, au sucre, à l'huile et au vin blanc sucré. Sans oublier une pincée de sel. C'était la pâtisserie préférée des moines, nombreux dans le quartier.

Même si elle mettait les gaufres au sucre au-dessus de tout, Éléonore proposait un grand choix de garnitures qui changeaient au gré des saisons : avant de rabattre les deux bords de l'oublie, elle pouvait la tartiner avec du fromage râpé, des fraises fraîches, de la crème d'amande, de la pâte de châtaigne, des coulis de fruits rouges, des noix confites au miel, de la compote de poires cuites au sirop.

C'était le carnaval des douceurs. Outre les gaufres, il y avait les « merveilles » : des biscuits secs au beurre, aux œufs et à la cannelle. Il y avait aussi les « darioles » : des tartes à la pâte brisée garnies de crème d'amande au sucre et aux œufs. Éléonore faisait également de l'hypocras qu'elle vendait en petits tonneaux. Un vin rouge au sucre, à la cannelle et au gingembre, avec un peu de poivre noir.

De sa croisade en Terre sainte, son beau-père était revenu avec deux des grandes spécialités des mahométans, qu'il avait transmises à son fils et à sa bru : les confitures et les bonbons. À la pomme, à la groseille ou à la framboise, ces derniers faisaient le bonheur des enfants qui tournaient sans cesse autour de l'étal et en chapardaient parfois avant de disparaître entre les jambes des gens.

Le frère d'Éléonore élevait des lapins. Elle en recevait une dizaine tous les deux ou trois jours et ils partaient, si j'ose dire, comme des petits pains. C'est l'animal le plus facile au monde à tuer, à vider, à dépouiller, à transporter. Du prêt à manger. Avec ça, fataliste et silencieux, du moins jusqu'au sacrifice qui tenait de la formalité, n'était le cri aigu de nourrisson contrarié qui clôturait sa vie.

L'Hôtel-Dieu était à quelques pas du Petit Pont de Paris, avec ses salles de gisants qui laissaient échapper des plaintes à fendre les cœurs de pierre. C'est pourquoi Éléonore vendait des potions d'herbes. Sous le manteau, pour éviter les embrouilles avec les autorités. Un métier que lui avait jadis appris mon père, mari de sa sœur.

*

Lors de ma première journée de travail chez Éléonore, j'eus une révélation qu'on peut qualifier de divine : mes yeux tombèrent en extase devant le spectacle des flammes en train de lécher la pâte vivante qui levait en dorant. J'avais trouvé ma vocation.

Dieu est partout. Dans le vent qui court entre les arbres, soulève les feuilles et emporte les graines. Dans les silences, les grondements, les cris d'oiseaux du ciel. Dans la lumière qui inonde tout. Dans les odeurs chaudes et grisantes des pâtisseries après la cuisson.

« Je serai oblayère », décrétai-je. Même si je me passionnais aussi pour l'apothicairerie, l'herboristerie et la théologie, domaines auxquels mon père m'avait initiée.

Après que ma tante m'eut appris les rudiments du métier d'oblayère, je me mis à inventer des douceurs de toutes sortes. Des tartes aux prunes. Des biscuits aux fruits rouges. Du blanc-manger aux zestes d'orange confite. Des petits choux à la crème, aromatisés au lait d'amande ou au coulis de fraise. D'après ma tante, j'avais l'esprit des grands pâtissiers : précis et méthodique, comme les joailliers ou les alchimistes.

À intervalles réguliers, mes créations apparaissaient sur les étals d'Éléonore, avec un succès croissant. Les queues commencèrent à serpenter devant la porte de la boutique, comme si la famine régnait de nouveau à Paris.

La demande devint telle que ma tante décida d'agrandir son affaire. Grâce à une grosse part de mon magot, elle put ouvrir deux autres échoppes, la première rue Saint-Sauveur, la seconde rue de la Grande-Truanderie. Elle embaucha un régiment de livreurs pour fournir tous ses clients parmi lesquels figuraient quelques-uns des plus grands noms de la noblesse française.

« Je te rendrai l'argent, disait Éléonore.

— Je n'en veux pas, tantine. Tu es ma seule famille. »

Je me tuais au travail. Après le calvaire que j'avais vécu avec mes parents, je me sentais de nouveau heureuse : tant que je me démenais devant les fours ou la clientèle, je ne laissais pas au passé le loisir de me tourmenter et à la mélancolie celui de me mordre le fond des tripes.

Un soir, alors que nous venions de nous coucher dans le réduit et que nous attendions, après avoir éteint la bougie, la visite du sommeil, j'ai murmuré à propos de la construction de la cathédrale qui n'était toujours pas terminée :

« Dieu en a assez des merdailles[1] et des mentements[2]. S'il aimait vraiment le pape et son Église, il y a longtemps que Notre-Dame serait terminée.

— Seigneur ! s'exclama ma tante affolée. Ne dis plus jamais ça. Jamais ! »

C'était déjà un temps où il valait mieux surveiller son langage. Philippe Auguste, le grand-père de Louis IX, avait ainsi décrété dans un édit de 1181 que serait noyée dans un sac fermé par une corde toute personne de la roture ayant proféré des jurements comme corbleu, morbleu, sacrebleu, ventrebleu ou têtebleu. Même si le nom de Dieu était remplacé par le mot bleu, cela n'excusait rien, le châtiment royal devait être terrible.

Sous le futur Saint Louis, toujours soucieux d'égalité, les nobles ne furent plus seulement condamnés à une amende, conséquente il est vrai. Comme tous les contrevenants, ils auraient

1. Gens méprisables.
2. Mensonges.

la langue trouée, à moins d'être punis selon un procédé de son invention, la « cuisson » des lèvres : un anneau de fer rougi au feu appliqué sur la bouche du jureur, formant ainsi sur le visage un o infamant qui restait à vie.

Choqué par cette pratique, le pape avait adressé à Louis IX une bulle, où il lui demandait de mettre en œuvre des peines moins barbares contre les blasphémateurs.

Qu'importe, le roi pieux continua à se déchaîner contre les femmes de mauvaise vie dont, à ses yeux, l'odieux grouillement, comme celui des Juifs, souillait le royaume de France. Dans un premier temps, il ordonna qu'elles fussent chassées de partout et que tous leurs biens, y compris les vêtements, fussent confisqués. Après le fiasco de cet édit, Louis IX se résolut à reléguer les bordelières dans des emplacements réservés, à l'intérieur de logettes où les clients n'avaient pas le droit de passer la nuit.

Éléonore Espinasse avait en horreur la pudibonderie bondieusarde de Louis IX, un cul-cousu qui ne souffrait pas que le monde fût une fête. Il avait certes des qualités mais n'était-il pas temps, à son âge, qu'il découvrît les joies de l'amour ?

« Si, un jour, je n'ai plus rien, me dit-elle, qui me donnera à manger ? Le roi ? Je n'aime pas le commerce honteux des godinettes mais, franchement, j'aime bien l'idée qu'elles existent : le monde des affaires n'étant pas fait pour nous, les femmes, je pourrais m'adonner à cette autre forme de commerce si les choses tournaient mal pour moi. »

Elle rit en tapant sur ses hanches et en tortillant son potron[1]:

« Mais qui voudra de moi ? »

L'échec fatigue mais le succès plus encore. Parfois, ce dernier est même dangereux pour la santé. Observez comme il prend les têtes et alourdit les silhouettes. Plus ses affaires marchaient, plus Éléonore allait mal. Soufflant comme un bœuf, elle semblait se traîner, comme aux abois dans un monde hostile, alors même que tout lui réussissait.

1. Postérieur.

4

La giguedouille des Jean-Bon père et fils

PARIS, 1246. Un matin d'août, après une nuit à moustiques et à suées, ma tante ne se leva pas la première, contrairement à son habitude. Elle resta dans le réduit jusqu'à ce que, venue la réveiller, je découvre qu'elle était bleue.

Il y a des gens à qui la mort réussit. C'était le cas d'Éléonore, qu'elle avait embellie : il émanait de son visage une douceur et une quiétude que je n'aurais jamais soupçonnées. Elle semblait détendue, avec le sourire indéfinissable du devoir accompli.

Je l'embrassai et m'évanouis. Ça m'arrivait souvent, quand j'étais confrontée à une situation qui me dépassait. Comme les oiseaux ou les moutons, je préférais tomber dans les pommes plutôt que de m'enfuir, la pire tactique qui soit si l'on veut empêcher le destin ou la mort de vous attraper.

Je n'ai jamais su ce qui se passa dans la confrérie des oblayers mais, sitôt ma tante enterrée, Charles Jean-Bon déboula dans l'échoppe.

Un courcibaut[1] au nez rouge et à la patte folle, avec les contours des yeux fleuris de verrues. À plus de quarante ans, ce nabot avait retrouvé une seconde jeunesse : en mourant quelque temps plus tôt, sa riche épouse lui avait redonné vie. Il se présenta comme le nouveau propriétaire.

Charles Jean-Bon ne savait ni lire ni écrire, mais il se passionnait pour l'alchimie, qui lui avait fait perdre une grosse partie de sa fortune. Il récupérait aussi le fruit des vols d'une dizaine de détrousseurs qu'il appelait ses « puces » et qui habitaient sous les ponts. Il aimait dire : « Moi, je me fiche pas mal d'être riche pourvu que je puisse dépenser beaucoup d'argent. »

Alors qu'avec ses trois fils il commençait à visiter les lieux, je me suis écriée :

« Mais l'échoppe est à moi, saperlotte !

— Ah bon, ironisa-t-il, première nouvelle.

— Sortez d'ici, corne de bouc !

— J'ai des soutiens très haut placés. C'est le prévôt qui m'a donné la jouissance de cette boutique.

— Je vais me plaindre à lui.

— Inutile, c'est mon ami et je lui ai donné ce qu'il fallait. Si tu fais des histoires, je te jette à la rue, gourgandine ! Mais si tu es gentille et que tu m'apprennes les secrets de fabrication de ta

1. Petit gros.

tante, alors, là, tu seras la femme la plus heureuse de Paris ! »

À défaut du bonheur, j'allais surtout connaître l'amour. Pas le courtois des chevaliers, non, le brutal, le violent, celui qui fait mal partout, jusque dans la moelle des os : ils appelaient ça la gigue-douille[1].

Après que Charles Jean-Bon m'eut demandé de préparer le souper pour nous cinq, ses trois fils essayèrent d'attraper ma sansonnette qui se jouait d'eux en s'envolant toujours *in extremis*, avec un cri moqueur.

« Cet étourneau, dis-je, j'espère pour vous qu'il ne lui arrivera jamais rien. Sinon, je ne vous le pardonnerai pas : c'est ma seule famille sur cette terre !

— Mais, maintenant, tu as une famille ! » s'exclama Charles Jean-Bon.

*

J'avais commis l'erreur de garder le reste de mon magot dissimulé entre mes cuisses. Dans la journée, rien du comportement de Charles Jean-Bon n'avait laissé présager qu'il me sauterait dessus à l'extinction des bougies. Mais, sitôt que l'obscurité eut envahi la pièce, il vint vers moi comme le chat au fromage, me retourna sur le dos, m'écarta sans ménagement les pattes

1. Danse, gigotement.

arrière et partit à l'assaut de ce qu'on appelle le mont de Vénus, l'engin en avant.

C'est alors que celui-ci se heurta à mon sac de pièces. Après avoir allumé une bougie et évalué le magot, il décida que j'étais sa fiancée et que ce serait sa dot.

« C'est mon argent, m'écriai-je.

— Tout ce qui est à toi est à moi. »

Après avoir demandé à ses fils de compter l'argent, il retourna à son ouvrage :

« J'espère que tu n'as pas cassé ta cruche. »

Je ne répondis rien.

« Es-tu encore pucelle au moins ? » insista-t-il.

Nouveau silence. J'avais la bouche trop sèche pour parler. Je me raclai la gorge, puis, d'une voix tremblante :

« J'attends de me marier pour ouvrir l'écaille et servir mon époux.

— Ça tombe bien, ce sera moi, l'époux, et je vais tout de suite te mettre en perce[1].

— Je suis ici chez moi, c'est ma boutique, hurlai-je en me levant.

— Tu l'as déjà dit et ce n'est pas en le répétant que ça deviendra vrai, catin !

— Je vous ordonne à tous de déguerpir, mordiable ! »

Charles Jean-Bon me gifla et me fit signe de me rasseoir.

« Tes boutiques sont à moi, drôlesse. La

1. Faire une ouverture dans un tonneau pour en tirer le vin.

grande avec les pâtisseries mais aussi la petite, celle que tu as entre les jambes. Figure-toi que j'ai l'intention de la visiter aussi souvent qu'il me plaira pour la planter, l'arroser et la fleurir.

— Et nous ? gémit l'un de ses fils. On n'a pas le droit ?

— J'ai priorité sur vous. »

Il souffla la bougie et se jeta sur moi.

5

Comment je fus débourrée

Paris, 1247. La première fois que le vit de Charles Jean-Bon se fraya un chemin dans mon buissonnet[1], j'ai éclaté en sanglots. « Laisse-moi t'abrayer[2] et te pourfendre[3], murmura-t-il. Quand le pli sera pris, tu en redemanderas, ribaude[4]. »

Je gigotais tellement que Charles Jean-Bon demanda à deux de ses fils de me tenir. L'un m'écarta les mains ; l'autre, les pieds.

« Tudieu ! hurlai-je. Bas les pattes ! Lâche-moi ! »

J'émis des bruits étranges, un mélange de halètements, de reniflements, de sanglots. Tout en me besognant, Charles Jean-Bon indiqua à ses enfants qu'il ne fallait pas s'inquiéter : les femmes, il suffit de les débourrer ; après, elles donnent satisfaction.

1. Petit bois.
2. Broyer.
3. Percer avec une lame.
4. Femme de troupe de mœurs faciles.

C'est ainsi que j'ai perdu ma virginité. À un moment, j'ai crié en essayant de me dégager mais l'un des fils a plaqué sa main sur ma bouche et j'ai abandonné le combat. Quand on est au fond du malheur, rien ne sert de s'égosiller, le Ciel n'entend pas. Tous les misérables, les damnés de la terre vous le diront : mieux vaut accepter son sort quand il est cruel, on perd moins de temps.

Après mon dépucelage, je suis devenue une femme de mon temps, dure au mal et corvéable à merci. Le jour, les Jean-Bon me faisaient suer aux fourneaux. La nuit, j'étais réduite entre leurs bras à l'état de panier à vits, à remplir et fouailler.

Parfois, il me semblait que les quatre Jean-Bon me prenaient en même temps et dans tous les sens avant de me laisser anéantie. J'avais beau me laver, me frotter, je sentais toujours le jus aillé dont ils m'abreuvaient. Il était devenu mon odeur, une odeur entêtante d'huile de reins[1].

« Je n'ai pas envie, ai-je dit un soir.

— Nous, si », ont-ils répondu d'une même voix.

Avec les Jean-Bon, jamais de répit. Après la prière du soir et avant de s'endormir, il y en avait toujours un qui était pris d'une subite montée de fruition. Dès qu'il commençait à m'embrocher, ça excitait les autres qui, dans la surenchère, se succédaient avec rage et gloutonnerie. Il arrivait que

1. Sperme.

le même manège se produise le matin. Ce n'était pas une vie.

En plus de mon nouveau métier de pâtissière, je faisais aussi office de cuisinière pour les Jean-Bon qui avaient tous la panse percée. Comme ils ne se nourrissaient quasiment que de ragoûts, civets ou pâtés, j'avais l'impression de sentir la viande de la tête aux pieds. Un jour que le père me demandait pourquoi je n'en mangeais jamais, je répondis :

« C'est pour vous laisser de plus grandes portions.

— Les bons chrétiens mangent gras tous les jours, sauf le vendredi. Ne serais-tu pas hérétique ?

— Je mange de la viande. »

Charles Jean-Bon me tendit son écuelle pleine de haricot de mouton :

« Eh bien, manges-en maintenant.

— Une autre fois. Je n'en ai pas envie.

— Je crois que tu es une hérétique. Je vais en parler au curé. »

Chaque fois que je montais sur mes grands chevaux, traitais les Jean-Bon de boursemolles ou me prétendais propriétaire de l'échoppe, il renouvelait cette menace et ça me calmait.

Il fallait que je m'enfuie de toute urgence, mais où pouvais-je aller maintenant que je n'avais plus d'argent ? C'était une folie, même si c'était la seule façon de garder la raison. Le jour où je décidai de partir, je fus saisie de nausées et passai la fin de la matinée à vomir, au bord de la Seine. Il me fallut reporter mon projet.

Ce qui m'arrivait était écrit : un calcul rapide permet d'établir que je faisais la chosette une quarantaine de fois par semaine. À force de me lutiner, les Jean-Bon père et fils m'avaient enceintée[1].

Lequel des quatre ? Apparemment, ils se moquaient de le savoir. Que j'eusse attrapé le mal de neuf mois, qui me faisait le ventre en bosse et la blouse levée, cela ne refroidit pas les ardeurs des Jean-Bon qui continuaient de me rembourrer le bas, désormais plein à craquer. Au moment où je commençai à perdre les eaux, j'étais en train de hurler à quatre pattes sous les coups de pioche d'un des fils qui m'avait montée. Des hurlements de douleur, pas de plaisir.

Le bébé qui sortit de mes entrailles ne ressemblait à aucun des Jean-Bon. Tout chez lui était fin. Les traits, les bras, les pieds. Les mains étaient des bijoux. Avec ça, des yeux bleu foncé au milieu d'un visage de petit Jésus.

C'était pitié qu'il fût mort-né.

Le lendemain, je tentai de m'esbigner mais l'un des fils Jean-Bon me rattrapa sur la rive droite. À partir de là, je passai deux semaines à préparer mes pâtisseries dans le réduit, attachée à une chaîne courte avec un collier étrangleur à

1. Engrossée.

maillons et à pointes, lesquelles entraient dans la chair de mon cou dès que je faisais un geste brusque.

Les visiteurs occasionnels ne pouvaient rien remarquer. Vêtue d'une robe de bure qui, descendant jusqu'aux pieds, dissimulait la chaîne, je portais une sorte de foulard de laine qui cachait le collier.

« Ça t'apprendra, avait dit Charles Jean-Bon.

— Quand serai-je libérée ?

— Quand tu commenceras à me considérer et que tu cesseras d'être ingrate avec moi. »

Je levai des sourcils interrogateurs.

« C'est dur, reprit-il, de faire la chosette avec quelqu'un qui ne vous aime pas. »

Cet aveu fut une révélation. Charles Jean-Bon voulait de l'amour ? Pour avoir la paix, je lui en donnerais bien plus qu'il n'en aurait trouvé dans ses rêves. Pour s'envoler, l'amour a toujours besoin de l'amour de l'autre. Sinon, il reste à terre et meurt à petit feu, quand il ne s'aigrit pas dans son fiel.

« Je vais te parler, lui dis-je, comme on ne t'a jamais parlé. »

J'avais trop de travail pour pouvoir composer des chantefables[1], mais je retrouvai dans mon sac un très beau texte de Folquet de Marseille (1160-1231) à la gloire d'Azalaïs de Roquemartine, la femme de son seigneur qu'il courtisait

1. Œuvres où sont mélangés les vers et la prose.

honteusement. Avant de chasser l'hérétique, le futur évêque de Toulouse fut un grand troubadour[1] et un grand amoureux. Je lus son hymne à Charles Jean-Bon :

Amour a bien tort de venir se loger dans mon cœur sans amener Merci[2]. Amour n'est qu'un tourment si Merci ne vient pas à son secours. Amour veut ruiner tout le monde : ne lui serait-il glorieux de se laisser vaincre une fois par Merci ?

Charles Jean-Bon pleura à petites larmes quand je conclus :

Comment contenir l'amour qui est si grand que tout me semble disparaître devant lui ? C'est comme une grande tour représentée dans un petit miroir.

Je décidai de l'appeler Bel-Cavalier et ne lésinai plus sur les baisers ni les câlins. Notre relation changea radicalement, au point que Charles Jean-Bon commença à couler souvent sur moi des regards aimants qui, contrairement aux miens, étaient toujours sincères. Désormais, il me traita avec égards, notamment quand il

1. Poète lyrique de langue d'oc, alors que le trouvère est un poète de langue d'oïl.

2. Amour et Merci étaient deux espèces de divinité pour les troubadours. La première enflammait les hommes. La seconde rendait les femmes réceptives.

me grimpait, et ses fils furent condamnés à me respecter.

Souvent, après l'amour, Bel-Cavalier me demandait : « Comment m'as-tu trouvé ? Ai-je été bien ? » Un jour, je lui répondis : « Je ne connais aucune bête sur terre qui ne soit pas capable de faire ce que tu fais. »

En attendant, je n'avais plus la gorge oppressée ni la tête baissée comme avant. Je m'apprivoisais aux nuits, reprenant vie le soir, quand mon collier étrangleur était retiré et remplacé par une chaîne au pied. Après quoi, je me lavais et mangeais avant de me donner avec moins de déplaisir aux Jean-Bon qui, l'usure aidant, laissaient de temps en temps passer leur tour.

M'habituant à mon sort, je redoutais seulement que les Jean-Bon ne m'engrossassent de nouveau. C'est ce qui se produisit.

6

Le procès du Talmud

PARIS, 1248. Avant même qu'apparaissent les premières nausées et que mon ventre s'arrondisse, Charles Jean-Bon décida de me rendre ma liberté en me retirant le collier.

Quel homme peut résister à une femme qu'il a matée ? Les plus rustres et les plus lettrés trouveront toujours du charme à la soumission, à l'asservissement. En chacun d'eux, il y a un coq qui s'ébroue les plumes en descendant de la poule dont il vient de ravager le dos avec ses ergots. Depuis que l'animal humain est sorti du jardin d'Éden, pourquoi ne songe-t-il qu'à tout dominer, jusqu'aux insectes qu'il écrase par plaisir ?

Charles Jean-Bon, qui éprouvait désormais un grand amour pour moi, ne put cacher son bonheur quand, après m'avoir demandé ma main, il observa que ça m'avait mise en joie.

Alors qu'il pensait m'avoir domestiquée, c'était moi qui le manipulais. À renard, renarde et demie. Dans la foulée, je demandai et obtins que ses trois fils cessassent de besogner nuitamment leur future belle-mère, ce dont ils prirent ombrage.

Débarrassée de ma chaîne et de mon collier, je travaillai davantage encore et, quand j'en avais fini avec la cuisson des pâtisseries, je servais la clientèle avec Charles Jean-Bon, un as du commerce qui hélait les chalands comme personne : ça soulageait les trois fils qui, n'ayant jamais servi à grand-chose, en profitaient pour aller pêcher le goujon ou se la couler douce sur les bords de Seine.

Charles et moi formions un couple indéfinissable. Non seulement à cause de la différence d'âge, mais parce que j'embellissais à mesure qu'il s'amochissait. Il avait le poil sale, le teint terreux, une odeur vinaigrée. Avec ça, la peau huileuse et simiesque. On aurait dit un petit bonhomme taillé dans de la vase chevelue.

Parmi les clients les plus assidus de la pâtisserie, il y avait un angelot maigrelet, habillé comme un prince, qui parlait avec un accent étrange. Tous les jours, il venait acheter des oublies, des darioles ou des tartes. À peine plus âgé que moi, il me regardait toujours avec des yeux de fol dingo[1], que je le serve ou pas. Un boutedieu, autrement dit un Juif.

C'était en tout cas ce que disait Charles Jean-Bon qui prétendait reconnaître les Juifs. « D'abord, disait-il, ils sont très riches et souvent vêtus d'étoffes de qualité. Ensuite, quand ils sont sortis de leur élément, ils marchent vite, comme s'ils fuyaient

1. Fou.

quelque chose, et ne vous regardent jamais dans les yeux. Enfin, ils portent des chapeaux et ont toujours l'air accablé ou tourmenté. »

Charles Jean-Bon avait raison. Moshé, le jeune homme au nom à coucher dehors, était bien un descendant d'Abraham et habitait avec sa famille dans le quartier des Juifs fortunés, rue de la Verrerie, non loin de la place de Grève[1] où s'était déroulé, en 1242, un événement horrifiant : le brûlement de vingt-quatre charretées d'exemplaires du Talmud, au terme du procès de ce livre, suivi de près par Louis IX et sa mère, Blanche de Castille. Douze mille volumes avaient disparu dans ce feu de joie.

Mis en garde par un judaïque converti qui ne supportait pas que ce texte fût devenu l'ouvrage de référence des Juifs au détriment de l'Ancien Testament, le pape Grégoire IX avait émis une bulle qui accusait le Talmud, entre autres vilenies, de blasphémer Jésus et Marie. En conséquence, le souverain pontife avait demandé qu'il fût confisqué et brûlé. Ce qui fut fait après qu'à Vincennes le tribunal mis en place par Louis IX eut décidé que c'était « un livre ignoble qu'il convient d'incinérer ».

*

La chasse aux Juifs n'était pas ouverte tous les ans. Peu après, le pape Innocent IV, successeur

1. Actuelle place de l'Hôtel-de-Ville.

de Grégoire IX, allait décider qu'il n'était pas nécessaire d'interdire ni de détruire le Talmud et qu'il fallait seulement en censurer les passages offensants. Mais ce n'était pas ça qui transformerait les cendres en livres.

Sous le règne du futur Saint Louis, il y eut ainsi, pendant quelque temps, une grande pénurie de Talmud. Il est vrai qu'en ce temps-là il ne faisait pas bon être juif en France comme dans toute la chrétienté. C'était une maladie dont on ne pouvait pas guérir. Une sorte de phtisie[1] qui, parfois, coûtait très cher aux personnes atteintes.

Les Juifs irritaient le futur Saint Louis qui, en bon catholique, prétendait avoir l'usure en horreur. Quand Louis IX ne chassait pas du royaume les boutedieu qui contrevenaient à la loi, il confisquait leurs biens s'il s'avérait qu'ils les avaient amassés indûment, en ruinant des chrétiens.

Toutefois, plus de cinquante ans s'écoulèrent avant que Louis IX daignât se plier aux injonctions de la papauté et appliquer systématiquement dans son royaume les instructions du quatrième concile de Latran : en 1215, pour qu'ils cessassent de se fondre dans la masse, l'Église avait astreint les Juifs à porter un vêtement ou un signe distinctif, comme c'était déjà le cas depuis longtemps en terre d'islam.

Dans son ordonnance de 1269, Louis IX astreignit enfin les Juifs à porter « une roue de

1. Tuberculose.

feutre ou de drap de couleur jaune, cousue sur le haut du vêtement, au niveau de la poitrine et dans le dos, afin de constituer un signe de reconnaissance, dont la circonférence sera de quatre doigts et la surface assez grande pour contenir la paume d'une main ».

C'était ce qu'on appelait la rouelle. Elle était obligatoire : les récalcitrants seraient punis d'une amende et de la confiscation de leurs vêtements jusqu'au-dessous du nombril.

Avant la rouelle, le Juif était déjà traité comme un lépreux, mais un lépreux de l'âme qu'il était recommandé de ne pas regarder ni approcher et encore moins toucher. Par exemple, il lui était interdit d'entrer dans les églises, qu'on craignait qu'il ne contamine. Quand il était condamné à mort, il était enterré vivant afin que le bourreau n'eût pas à le manipuler.

Comme le rat, le Juif pouvait transmettre la peste, la dysenterie et toutes sortes de maladies. De peur d'en attraper une, Charles Jean-Bon ne voulait pas servir le jeune et beau Juif, quand celui-ci venait acheter des pâtisseries. C'était toujours moi qui me dévouais, avec un empressement si fébrile qu'un jour je laissai maladroitement tomber l'oublie au moment de la lui remettre. Nous nous baissâmes tous les deux pour la ramasser, nos têtes se heurtèrent et nos mains s'effleurèrent.

Que se passa-t-il quand nous nous touchâmes ? Moshé rougit et moi aussi. Je m'excusai avec emphase :

« Je ne sais pas ce que je peux faire pour que vous me pardonniez.

— Oh, murmura-t-il, les yeux baissés, il suffirait que vous m'accordiez une petite promenade. »

Je hochai la tête avant de lui proposer, d'une voix blanche, le dimanche suivant : pendant que les Jean-Bon seraient à la messe, je trouverais un prétexte pour rester à la boutique, où Moshé viendrait me retrouver.

Après quoi, je jetai l'oublie crottée à un porc qui passait par là avant de servir une nouvelle gaufre à Moshé.

« Ma mie, je me sens tellement bien chaque fois que je vous vois », souffla-t-il.

Je ne sus quoi répondre et, tandis qu'il s'éloignait, restai longtemps la bouche ouverte avec l'air d'une sainte qui a vu le Christ auquel, il est vrai, Moshé ressemblait. Un front haut, un nez si mince qu'il semblait transparent, des cheveux assez longs, une barbe légère, vaguement cercelée[1], de grands yeux bruns et des lèvres minces. Même s'il gardait la tête légèrement penchée comme les gens modestes, il donnait le sentiment de savoir où il allait. Mais il semblait de nature plutôt sombre et inquiète.

Comment ne pas le comprendre ? En 1180, à la suite d'un édit de Philippe Auguste, tous les Juifs de France furent arrêtés, un jour de shabbat, dépouillés de tout avant d'être chassés du

1. Frisée.

royaume. Dix-huit ans plus tard, conscient du rôle qu'ils jouaient sur le plan économique, le même roi les laissa revenir, à condition qu'ils acquittassent une taxe annuelle. Moshé appartenait à une famille très pieuse, originaire de Strasbourg. Après avoir tout perdu sous le grand-père de Louis IX, elle était revenue pour tenter à nouveau sa chance.

Au début de son règne, Louis IX leur avait un peu resserré le licou. Ses édits les avaient enfermés dans un statut de serf et de justiciable des seigneurs auxquels appartenaient leurs biens et qui pouvaient les saisir s'ils décidaient de se convertir. Juifs ils étaient, juifs il fallait qu'ils restassent, afin de ne pas souiller la chrétienté de leur sang impur. Chacun chez soi. Les israélites n'avaient pas le droit d'utiliser des chrétiens à leur service, et s'unir à eux était considéré comme un crime de bestialité, au même titre que de faire l'amour avec une truie ou un verrat.

Les deux amoureux que nous étions risquaient donc la mort et c'était sans doute ce qui attisait notre passion. Elle bataculait[1] tout en nous, un regard échangé suffisait à nous faire frissonner : les barrières sont les meilleures alliées de l'amour ; plus elles sont hautes, plus il est grand.

1. Basculait.

7

L'amour fou le plus bref du monde

Paris, 1248. Charles Jean-Bon était devenu très jaloux. Quand il me demanda de lui raconter ma conversation avec le Juif, je prétendis qu'il m'avait fait une grosse commande pour le dimanche suivant.

« Mais on ne travaille pas le dimanche ! protesta-t-il. Dieu nous l'a interdit !

— Bel-Cavalier, j'ai dit au Juif qu'on lui vendrait des tartes de la veille et qu'il suffirait de les réchauffer. Il a été d'accord. Je resterai pour les lui donner pendant que vous serez à la messe. »

Le jour dit, il faisait beau : le ciel était un grand lac bleu ; l'air une eau fraîche ; Notre-Dame de Paris une montagne d'amour. Moshé et moi nous retrouvâmes à l'échoppe avant d'aller nous allonger dans l'herbe molle, à regarder la Seine se hâter lentement.

C'était le début de l'été. Le fleuve était en pâmoison : il se plaisait tellement entre ses berges grasses et fleuries qu'il n'avait plus envie de partir ; il s'accrochait aux branches et s'enchaînait aux feuilles ; il foutinait[1].

Je récitai à Moshé l'ode de Folquet à Azalaïs, déjà lue à Charles Jean-Bon. Après quoi, Moshé et moi enchaînâmes les aveux, les serments et les brimborions[2] sans jamais nous regarder : c'était plus facile.

« Dès que je t'ai vue, dit Moshé, j'ai su que tu serais à moi.

— Mêmement pour moi.

— Je pense tout le temps à toi.

— Moi aussi.

— Je veux t'épouser.

— Moi aussi.

— Je te donnerai tout ce que tu voudras.

— Moi aussi. »

C'était, pour être aimable, du radotage amoureux, et il n'aurait mené à rien si, après un silence, Moshé ne s'était jeté sur moi comme pour me manger.

« Je passerais volontiers le reste de ma vie à t'embrasser, murmura-t-il.

— Moi aussi. »

Notre deuxième baiser fut un chef-d'œuvre, quelque chose qu'il semblait impossible de pouvoir jamais surpasser. Le cœur battant, les pupilles dilatées, les lèvres tremblantes, Moshé était encore sous son effet quand je murmurai :

« Il faut que je te dise… j'attends un enfant.

1. Ne faisait rien.
2. Propos futiles.

— Je le traiterai comme si c'était le mien.

— As-tu une idée de ce à quoi il risque de ressembler ? »

Il ne répondit pas aussitôt. Après avoir fermé les yeux un moment, Moshé ne put réprimer une grimace :

« Comme ce sera ton enfant, je suis sûr qu'il sera beau. La beauté, c'est comme la bonté. Elle finit toujours par prendre l'avantage.

— Ce n'est pas ce que m'a appris la vie.

— Non, c'est ce que la vie nous enseigne quand nous prenons le temps d'en tirer les leçons. Toi, comme tous les "gentils[1]", tu veux tout sur-le-champ. Moi, comme mon peuple, je peux attendre des siècles et même des millénaires. Nous avons l'éternité pour nous. »

Le soleil commençait à se voiler, annonçant la montée du soir. Nous décidâmes de retourner à Paris. Moshé me demanda d'attendre devant la maison de ses parents, rue de la Verrerie. Une heure plus tard, il n'était pas redescendu.

Il ne me rejoignit qu'à la nuit tombée. Ses parents lui ayant interdit d'aller me retrouver, il avait dû passer par l'arrière et les jardins. Il avait une miche de pain dans une main, un pichet de bière dans l'autre.

J'avais si soif que je bus la bière d'un trait pendant qu'il m'expliquait la situation :

1. Expression qui, dans le langage biblique, désigne les non-Juifs.

« Mes parents ne veulent pas entendre parler d'un mariage avec une non-Juive.

— Seigneur ! Qu'allons-nous faire ?

— Je suis leur fils unique, c'est moi qui vais reprendre l'orfèvrerie. Je ne veux pas qu'ils me chassent. »

Je commençais à pleurer en maronnant :

« Voilà bien la preuve qu'ici-bas le beau et le bien n'ont pas la place que tu dis. »

Moshé me serra dans ses bras :

« C'est très dur pour moi.

— Et pour moi, alors ? Que vais-je devenir ?

— Je serai toujours là, tu peux compter sur moi. Demain, je n'irai pas travailler à la boutique de mon père et je te conduirai chez un ami qui prendra soin de toi. Il te donnera du travail, il en a tellement qu'il ne sait plus où donner de la tête. »

J'éclatai en sanglots.

8

Vol de corbeaux au-dessus du gibet de Montfaucon

PARIS, 1248. Dormant sous l'escalier de la maison, dans une sorte de cagibi, je faillis me compisser quand je fus réveillée par une bestiole, sans doute un rat, qui se frayait un chemin derrière le mur.

Si inconfortable que fût le placard, j'y passai cependant la meilleure nuit depuis longtemps, avec ma sansonnette, loin des ronflements des Jean-Bon. Pour rien au monde je ne serais retournée à la boutique du Petit Pont. Sans la chose vivante qui poussait dans mon ventre, je me serais même sentie soulagée et heureuse.

Le matin, Moshé m'apporta de la bière et du pain. Il attendit que j'eus fini de tout engloutir pour me demander :

« Es-tu prête à accepter n'importe quel type de travail ?

— Après ce que j'ai déjà vécu, je crois que je peux tout faire, tout voir, tout endurer. »

Comme je me sentais sale, il m'emmena au bord de la Seine où je me rinçai le visage et les mains. Après quoi, remontant vers le nord de la capitale, nous traversâmes un cloaque qui attirait toutes les mouches du pays, avec ses odeurs de sang pourri : elles montaient de la venelle beuglante de la Tuerie, qui deviendrait la rue de l'Écorcherie, et couraient dans tout le quartier, s'immisçant jusqu'au-dedans des pourpoints.

Arrivés place des Pourceaux[1], nous entendîmes des beuglements d'agonie au milieu d'un gros attroupement : c'était l'exécution de quatre faux-monnayeurs condamnés à être bouillis. À en juger par l'intensité de leurs cris, l'eau des chaudrons commençait à frémir.

Attirée par le spectacle du châtiment, la vilenaille[2] était venue nombreuse et insultait les condamnés avec des rictus hideux à effrayer les aveugles. Je pris la main de Moshé et la serrai très fort, en soupirant :

« Les humains me font trop peur, je ne suis pas faite pour eux.

— Un jour, je t'emmènerai loin d'ici.

— Je crains que ce ne soit pareil partout. »

Nous étions comme deux enfants découvrant le monde. En ce temps-là, chaque quartier de Paris avait son gibet, son bûcher et son échelle pour pendre, brûler ou écarteler les criminels.

1. Située dans le quartier des Halles de Paris, à la hauteur de la rue des Déchargeurs, longtemps appelée rue de la Fosse-aux-Chiens.

2. Populace.

Parfois aussi, se dressait une roue avec une croix. Le corps du supplicié était exposé, face au ciel, après que ses membres avaient été brisés à coups de barre de fer, puis amenés derrière le dos et attachés aux quatre branches.

Il y avait beaucoup de gredins à Paris. Il y avait donc beaucoup d'exécutions : place de Grève, dans la cour du Châtelet, devant l'église Sainte-Geneviève, à la croix du Trahoir ou au gibet de Montfaucon.

Il arrivait que le spectacle traîne en longueur, les « tourmenteurs » ayant souvent la main moins sûre que les bouchers, ceux-ci ne pouvant se permettre de rater un taureau, qui eût mis tout le monde en danger.

Les hurlements des ébouillantés de la place des Pourceaux devenant insupportables, je m'indignai :

« Il faudrait quand même achever ces pauvres gens. Dans nos campagnes, on tue toujours les bêtes blessées. Ici, on dirait qu'on se délecte de leur agonie.

— Ne blâme pas les bourreaux, objecta Moshé. Ce ne sont pas de mauvais bougres. Ils ne font que leur travail, qui est très dur. »

Puis il baissa la voix :

« Je ne te l'ai pas dit, mais l'ami chez qui nous allons voir est aide-bourreau du roi. »

Moshé considérait que cet ami, un « gentil » prénommé Enguerrand, lui avait sauvé la vie le jour où une horde de bourgeois avait attaqué au couteau et au gourdin les écoliers juifs, parmi lesquels il se trouvait, qui sortaient de leur institution de la rue Franc-Meurier[1]. Une rue à Juifs et à femmes de mauvaise vie, séparée la nuit par une grille en fer qui interdisait aux deux engeances malfamées l'accès à la partie « pure » de la rue Sainte-Croix-de-la-Bretonnerie.

Les « gentils » du quartier, tous chrétiens, étaient exaspérés par le mauvais esprit des petits Juifs, leurs ricanements, leurs airs supérieurs. Des têtes à claques. De temps en temps, ils leur donnaient une leçon mais les autres continuaient à les narguer, ils avaient la mauvaiseté dans le sang, il fallait toujours les rappeler à l'ordre.

Lors de l'attaque, les bourgeois avaient tué une dizaine de ces petits Juifs. Mais à quoi bon ? Ça revenait à prélever une chope d'eau dans l'océan. Il y en avait tant, ils se reproduisaient comme de la vermine, c'était décourageant, on ne gospillera[2] jamais assez ces gens-là.

Que faisaient le prévôt et sa police ? Qu'attendaient-ils pour chasser de nouveau les Juifs du royaume de France ? À défaut, pourquoi ne pas les occire tous ou les enfermer dans les geôles du Châtelet jusqu'à ce que mort s'ensuive ? Excédés par l'inaction des pouvoirs publics, les bourgeois de Paris étaient à bout. Il n'y avait

1. Située dans le IVe arrondissement de Paris et appelée aussi rue Morier ou rue Mûrier, elle est devenue en 1530 la rue Jean-de-Moussy, du nom d'un ancien échevin de la capitale.

2. Maltraitera.

plus à lantiponner[1], il fallait passer à l'anichilacion[2].

À cette époque, Enguerrand Sauveterre, qui travaillait comme tueur dans une boucherie, habitait rue Sainte-Croix-de-la-Bretonnerie. Attiré par les clameurs, il avait accouru, pris le parti des petits Juifs et porté Moshé, gravement blessé à la tête, jusqu'à la maison de ses parents.

*

La butte de Montfaucon s'élevait au nord-est de Paris, non loin de la porte Saint-Martin[3] et du faubourg du Temple, sur les terres de l'abbaye royale de Saint-Denis. Là, trônait le célèbre gibet des rois de France.

Sous le nom de « Fourches de la grande justice de Paris », c'était le temple des châtiments, une chambre funéraire à ciel ouvert, une cathédrale mortuaire à la gloire de la justice royale. Cet assemblage de poutres et de chaînes permettait de pendre plusieurs personnes en même temps au premier étage, puis de les exposer longtemps au second où leurs cadavres étaient dévorés par les corbeaux. Quand il ne restait presque plus rien sur les os des suppliciés,

1. Tergiverser.
2. Anéantissement.
3. Le gibet de Montfaucon se trouvait entre la place du Colonel-Fabien et la rue de la Grange-aux-Belles dans l'actuel X^e^ arrondissement de Paris.

on faisait tomber les restes dans un grand trou, infesté de rats, au centre du bâtiment.

Composé de seize énormes piliers, il mesurait à peu près dix mètres de haut, vingt de long et quinze de large. Aidés par l'exécuteur, les condamnés grimpaient par de hautes échelles jusqu'à la corde qui leur était nouée autour du cou. Une fois redescendu, le bourreau retirait les échelles.

Même si elles semblaient moins impressionnantes que les décapitations, les pendaisons étaient très courues. Sans doute à cause de la solennité de Montfaucon, haut lieu de promenade et de rapine. Des gardes surveillaient l'endroit en permanence afin d'empêcher les galapiats de profiter de la nuit pour dépouiller les cadavres de leurs vêtements. Quand les suppliciés étaient retrouvés nus, par terre, au petit matin, il fallait les rhabiller, les remonter puis les raccrocher. Même quand ils étaient en voie de décomposition, la justice respectait les morts.

À mesure que nous en approchions, le gibet de Montfaucon nous inspirait un mélange de terreur et de dégoût. Il ne sentait pas la mort mais l'enfer.

Je peinais à respirer et m'appuyais sur le bras de Moshé. La puanteur du site ne décourageait cependant pas les badauds. Il y avait même plusieurs tavernes sur la voie en lacets qui menait aux Fourches.

« Qu'est-ce que ça puit[1] ! m'exclamai-je avec un air effaré.

— Ne sais-tu pas que la malemort[2] puit toujours plus que la douce mort ? » dit Moshé.

Ne serait-ce qu'à cause de l'odeur, le gibet de Montfaucon semblait la version franque de la Géhenne. Lieu maudit pour les juifs, les chrétiens, les musulmans, la vallée de Hinnom, au sud de Jérusalem, était peu à peu devenue un dépotoir pestilentiel, la décharge de tous les malheurs du monde.

Enguerrand Sauveterre, l'ami bourreau de Moshé, avait vingt-neuf ans, les cheveux blonds, les yeux bleu ciel et une voix grave. Il était grand et fort, avec des muscles qui remuaient comme des serpents sous la peau de ses bras nus. Il avait tout pour lui, et je l'aurais trouvé beau s'il avait été mon genre d'homme. Il me semblait trop rustre, trop inculte.

Enguerrand m'expliqua mon nouveau métier qui consisterait à exécuter les femmes. Aux yeux des autorités, dit-il, il n'était pas sain que les hommes les touchassent, Dieu n'aime pas les mêlements. C'est seulement dans le Feu éternel que les uns et les autres peuvent se toucher ou se mélanger : alors, les flammes purifient tout, même les mauvaises pensées. Je n'avais pas le choix.

« Je suis partante, marmonnai-je.

1. Qu'est-ce que ça pue !
2. Mort violente.

— J'en suis très heureux, dit Enguerrand, nous manquons tellement de bras. »

Je ne lui dis pas que j'attendais un enfant et il ne se douta de rien. Il est vrai que je m'habillais large et que mon bedon était encore discret. Deux charrettes de condamnés allaient arriver dans les prochaines heures en provenance du Grand Châtelet, ce ne serait pas un jour à se soleiller en tuant le temps, une feuille d'herbe entre les lèvres.

« Occupe-toi bien d'elle », murmura Moshé à Enguerrand quand il prit congé.

Je rougis de bonheur en lisant dans les yeux du Juif qu'il m'aimait toujours, toute « gentille » que je fusse.

« Je reviendrai bientôt », bredouilla-t-il sans me regarder.

J'étais sur le point de tourner de l'œil. Enguerrand Sauveterre tenta de me rassurer :

« Ne t'en fais pas pour l'odeur de la mortaille[1]. Au bout de quelques jours, tu en seras tellement imprégnée qu'elle ne te gênera plus. »

Je hochai la tête : la vie m'avait appris depuis longtemps qu'il ne fallait pas avoir peur des horreurs du monde, on s'y accoutume toujours plus vite que l'on croit. C'est simplement une habitude à prendre.

1. De la mort.

9

Le métier de tuer

PARIS, 1248. Quand ils avaient été soumis à la question, les condamnés pouvaient arriver très amochés, voire impotents, de leur geôle du Grand Châtelet. Pour faire parler les accusés rétifs, les juges du roi utilisaient au moins trois méthodes.

La « pelote » : les quatre membres des patients étaient garrottés avec des cordes qui finissaient par pénétrer dans leurs chairs saignantes.

Les « brodequins » : les jambes des personnes « interrogées » étaient placées entre des planchettes serrées par des lanières de cuir, sous lesquelles le questionneur introduisait des coins de bois, la pression obtenue allant parfois jusqu'à briser les tibias.

La « corne » : les poings liés par une corde qui passait dans un anneau scellé au plafond et les pieds attachés à une seconde corde qui le tirait vers le sol dans l'autre sens, le sujet, suspendu sur un plan incliné, ingurgitait des seaux d'eau par une corne de bovin percée, introduite dans sa bouche.

Infinie était l'imagination des juges séculiers du Grand Châtelet, capables de faire avouer tout et son contraire aux détenus. Pendant les « interrogatoires », ils improvisaient souvent des tortures, alors que les exécutions, elles, avaient quelque chose de sacré et d'immuable : elles se déroulaient sous le regard de Dieu qui, comme chacun sait, n'aime pas le changement. À l'heure du dernier « tourment », comme on disait, le bourreau se devait d'être à la hauteur en procédant avec tact et rigueur.

Enguerrand Sauveterre était un artiste de la corde, rapide, efficace, perfectionniste. Un magicien. « La mortitude[1] est plus qu'un métier, disait-il. C'est une science, un sacerdoce. »

Ce jour-là, le maître bourreau étant comme souvent réquisitionné avec un autre aide pour exécuter des condamnés dans la cour du Grand Châtelet, Enguerrand Sauveterre, son second, dirigeait les opérations au gibet de Montfaucon.

Il se plaignait de manquer de personnel et on ne pouvait lui donner tort : ça l'empêchait de faire respecter sa règle d'or qui était de ne jamais faire attendre trop longtemps les condamnés devant le gibet.

Avant la première charrette de condamnés, Enguerrand m'enseigna les trois règles de base de sa profession : la gravité, la précision et la promptitude. Il ne souffrait pas les amateurs qui

1. Mort.

gâchaient les supplices par indolence, distraction ou déploration. Ainsi, quand ils retiraient trop lentement l'échelle du pendu, celui-ci, surtout s'il était maigre, pouvait mourir étouffé en gigotant et en glougloutant un long moment, les yeux exorbités, au lieu d'expirer sur-le-champ, la nuque brisée.

« Ta main ne doit jamais trembler, dit-il à Tiphanie. La femme qui t'a précédée à ce poste s'est mise à sangloter pendant une exécution, j'ai dû m'en séparer. Elle tuait le métier. J'ai fini moi-même plusieurs de ses pendues… »

Grâce à Dieu et à Louis IX, la fonction de bourreau était en train de devenir une institution : une ordonnance royale indiquait qu'il devait savoir « faire son office par le feu, l'épée, le fouet, l'écartelage, la roue, la fourche, le gibet, pour traîner, poindre ou piquer, couper les oreilles, démembrer, flageller ou fustiger, par pilori ou échafaud, par le carcan et par telles autres peines semblables ».

En échange de ses services, le bourreau recevait du pain, des têtes de cochon et des bouteilles de vin. Percevant une taxe sur les filles de joie et moult autres avantages en nature, il était devenu un personnage gâté par tout le monde, notamment par les autorités religieuses. Dans le même temps, le condamné aussi était traité avec respect : contrairement à la populace, les représentants du pouvoir royal savaient faire preuve de retenue et même de compassion.

Quand il faisait monter le malheureux en haut de l'échelle pour lui passer la corde au cou, Enguerrand était d'une patience inouïe, écoutant ses jérémiades sans jamais laisser paraître ses sentiments. À peu près aussi expressif qu'une colonne de pierre, il ne lui adressait pas la parole et ne répondait pas à ses questions. La pitié était la mission dévolue à l'Église, pas la sienne.

Amené du Grand Châtelet au gibet de Montfaucon en charrette, à pied ou à cheval, le condamné était toujours accompagné d'un prêtre, en plus du lieutenant criminel avec son cortège de sergents et d'archers. Au bout de la rue Saint-Denis, il tournait souvent au couvent des Filles-Dieu, entrait dans la cour, priait devant le grand crucifix en bois adossé à l'église et l'embrassait après que l'aumônier l'eut aspergé d'eau bénite. Ensuite, il était invité à prendre une petite collation que lui servaient les sœurs : trois morceaux de pain et un verre de vin.

*

Le premier jour, tout se passa bien : il n'y avait pas de femmes parmi les condamnés. Mon seul travail consista à glisser les cadavres des suppliciés dans des sacs de cuir ou en mailles pour qu'ils ne partent pas en morceaux sous les coups de bec des corbeaux.

Après quoi, j'aidai Joachim, l'assistant d'Enguerrand, à suspendre les corps aux chaînes en fer du second étage du gibet : il fallait empêcher les voleurs de les dépouiller de leurs vêtements pendant la nuit, ou les familles des suppliciés de les emporter pour leur donner une sépulture.

C'était une belle nuit d'été. J'avais décidé de dormir dans l'herbe avec Enguerrand et Joachim. Ils s'étaient installés au pied du mamelon, à un endroit où la puanteur, balayée par les vents, était moins forte, à l'abri des archers du roi qui surveillaient le gibet nuit et jour.

Je jouai du luth, récitai mon poème « Belle d'amour », en chantai d'autres et nous terminâmes à trois un petit tonneau de vinasse gouleyante[1]. Enguerrand Sauveterre parla longtemps. Il annonça qu'il voulait changer de vie, d'air, de labeur, de tout. Il le disait avec une énergie, une pétulance, qui transcendait le pétrousquin[2] en lui.

Il ne parlait pas bien, il n'avait pas non plus la manière, mais je suis tombée amoureuse pour la seconde fois en quelques jours. À dix-huit ans, j'étais sûre d'avoir enfin trouvé mon homme et je buvais ses paroles, en respirant très fort. Oubliés, Moshé et les Jean-Bon : quand l'amour vient vous visiter, les mauvais souvenirs se dissipent encore plus vite que la grêle au soleil.

« La seule façon de réussir sa vie, disait Enguerrand, c'est de la donner. À Dieu, à l'amour, à la terre, au monde entier. »

1. Vin de qualité.
2. Le rustre.

Ce que j'aimais surtout chez les hommes, c'était leurs yeux : les siens étaient ordinaires. Mais j'étais fascinée par les mains d'Enguerrand, larges comme des battoirs. J'aurais tant aimé qu'elles me prennent tout de suite, me pétrissent, me touillent, me désossent et me tribolent[1]. Sainte main, ô joie du monde, que ta volonté soit faite, que ton règne arrive, sur la terre comme au ciel, main d'amour, par Jésus-Christ, je serai ton anse pour l'éternité, la pomme que tu croqueras, mon Adam adoré, prends-moi, emporte-moi, bous-moi[2].

Entre nous, la désirance était à son comble et je n'avais d'yeux que pour l'aide-bourreau qui faisait le biau[3] et le mirliflore[4]. Certes, la vanité n'était pas dans la nature d'Enguerrand. Mais son amour débordait. Il était comme un casseron[5] de lait qui bout.

Ce soir-là, Enguerrand me demanda ma main que je lui donnai, et me proposa d'habiter dans la même grange que lui, en tout bien tout honneur, jusqu'à nos épousailles.

1. Remuent, barattent.
2. Du verbe *bouttre* : mettre, bousculer, faire l'amour.
3. Beau.
4. Prétentieux.
5. Casserole.

10

La bourrelle et la petite vieille

PARIS, 1248. Le lendemain, des nuages d'oiseaux funèbres envahirent le gibet de Montfaucon. Ils venaient de partout. Des hordes de corneilles noires au front haut et au vol pataud. Des colonnes de corbeaux freux, grégaires et gracieux, avec de grandes ailes. Les deux adoraient la charogne et s'attaquaient aux cadavres. Ils se perchaient sur le crâne et commençaient leur festin par les globes oculaires.

Je m'étonnais que ma sansonnette ne m'abandonnât pas. Elle avait très peur des corneilles et des corbeaux. Je sentais aussi qu'elle ne supportait pas mon nouveau métier. Mais elle restait fidèle au poste, pour quelque temps encore, perchée sur mon épaule ou faisant le guet près de moi. C'est sous un ciel noir d'oiseaux que je dus commencer mon travail de bourrelle[1] et procéder à ma première exécution. Une petite

1. Féminin de bourreau.

vieille sans oreilles. Arrêtée à deux reprises pour vol, elle avait été chaque fois condamnée à un essorillement en place publique. D'abord, le bourreau lui coupa l'oreille gauche puis, après sa récidive, l'année suivante, la droite.

Jusqu'à présent, la petite vieille n'avait commis que de petits larcins, mais elle refusait de tirer les leçons de ses châtiments et continuait à rapiner avec insolence. Un soir, elle fit malencontreusement tomber dans la Seine une de ses victimes qu'elle menaçait d'un couteau et qui commit l'erreur de se défendre.

« C'est un accident », répétait-elle.

Mais les témoins la contredisaient. Pour faire un exemple, les juges du Grand Châtelet avaient décidé qu'elle irait tête nue et cheveux rasés au gibet de Montfaucon.

De ses oreilles coupées avec soin, il ne restait que les trous, rien des lobes. Mais ça ne l'empêchait pas de toiser son monde du haut de sa charrette en lançant d'abominables blasphèmes contre les autorités.

En attendant son tour, alors que Enguerrand pendait un à un les cinq condamnés mâles, la petite vieille croquait le marmot[1]. Suivant les instructions, je gardais le silence pendant qu'elle parlait toute seule en regardant fixement mes pieds :

« Je suis innocente, c'est une erreur judiciaire, la honte du royaume. Qu'attendait-on de moi,

1. Attendait en se morfondant.

ventredieu ? Que je crève de faim sans rien dire et sans rien faire ? Eh bien, je ne suis pas le Christ, corne de bouc ! »

La petite vieille était indignée par son sort. Quand, après l'avoir fait monter en haut de l'échelle, je lui mis la hart[1] autour du cou, la brigande hurla :

« Je n'ai tué personne, je le jure sur la tête de la Vierge !

— Mais quelqu'un est bien mort, chuchotai-je.

— Il est tombé tout seul dans la Seine, mordieu ! J'ai essayé de le sauver mais je n'ai rien pu faire. Une femme faible comme moi ne peut rien contre le destin, je ne sais même pas nager… »

Alors que je descendais les barreaux de l'échelle, elle m'envoya un crachat qui me rata de peu.

« Je n'ai aucun regret à quitter ce monde quand je pense à ce qu'il est devenu ! hurla-t-elle. Je le maudis comme je te maudis, sacredieu ! »

Arrivée sur la terre ferme, je me mis à trembler. Je ne pouvais plus bouger et mon visage se couvrit de larmes.

Enguerrand vint à ma rescousse. Il retira l'échelle d'un coup sec et la nuque de la petite vieille émit un petit bruit de branche cassée.

« Pardonne-moi, dis-je à Enguerrand.

— C'est normal. La mort s'apprend : à force de la voir, tu finiras par l'apprivoiser. »

Il fallut que j'assistasse à une vingtaine

1. Corde avec laquelle les criminels étaient pendus.

d'exécutions avant de pouvoir enfin exercer mon métier de bourrelle.

*

Observez comme le bonheur inquiète ses élus. Tout en le dissimulant pour ne pas rendre les autres malheureux, ils le surveillent comme le lait sur le feu.

Ils ont raison. Le bonheur repart toujours comme il est venu, il ne fait que passer : le bonheur, c'est quand le malheur se repose, ça ne dure jamais très longtemps. Le mauvais sort finit toujours par se réveiller.

Un jour, le malheur réapparut sous les traits de Charles Jean-Bon et de ses fils. Je les aperçus dans l'assistance alors que Enguerrand procédait à l'exécution des « saigneurs de la Seine », quatre brigands qui, pendant des semaines, avaient mis le Petit Pont de Paris à feu et à sang.

Il y avait un monde fou autour du gibet de Montfaucon : ç'avait été l'une des grandes attractions de l'année. Les Jean-Bon s'y étaient rendus avec deux acolytes à tête de chien méchant. À leur vue, je plongeai dans des herbes hautes et m'éloignai en rampant. M'avaient-ils reconnue ? Étaient-ils venus me chercher ?

Je me cachai tout le reste de la journée dans un petit bois dont je ne sortis qu'à la brune[1].

1. Nuit.

Quand je rentrai à la grange pour retrouver Enguerrand, il était parti me chercher en hurlant mon nom partout à la ronde, jusqu'au bout de la rue Saint-Denis.

La nuit était noire et sentait la vase de la Seine quand Enguerrand rentra à la grange. Dès qu'il m'appela, je m'approchai à tâtons.

« Mais où étais-tu ? s'écria-t-il.

— J'avais des nausées et j'ai marché pour me remettre. »

Il me serra dans ses bras :

« Je vais te soigner, Belle d'amour.

— Inutile. Je suis déjà guérie. »

Après qu'il m'eut embrassée, je soupirai :

« Pardonne-moi de t'avoir abandonné alors qu'il y avait plein de travail.

— J'ai morti moi-même les six femmes que tu devais exécuter. Ça s'est très bien passé. »

Je ne parlais jamais des mauvaises nouvelles avec Enguerrand. Il ne sut rien de l'apparition de Charles Jean-Bon, comme il avait toujours ignoré la présence du corps étranger qui grandissait dans ma tripaille.

Tante Éléonore m'avait appris qu'un mélange de plantes pouvait régler ce genre de problème : de l'armoise, du persil, du thym, de la millefeuille avec de la rue[1], l'ennemi juré des chats, des insectes et des enfants.

1. Appelée « rue des jardins », « rue fétide » ou encore « herbe de grâce », cet arbrisseau a des qualités abortives reconnues. Sa culture est interdite depuis 1921.

Pendant plusieurs jours, je mâchai ces herbes, la rue notamment, jusqu'à ce qu'une nuit la chose gluante décide de quitter mon ventre. Je courus au bord de la Seine et, quand elle glissa dans le fleuve, je sus qu'elle était morte. Elle coula à pic.

Ce fut, si j'ose dire, une renaissance. Ensuite, les mois et les exécutions se suivirent, mais sans se ressembler tant il y a de façons de mourir. Dans la tragédie, la dignité, l'indifférence ou le mépris. Je haïssais mon métier, que je tentais de faire le mieux possible. Je ne disais cependant jamais rien de mes affres. C'était un temps où les humains n'avaient pas encore inventé les états d'âme.

C'était aussi un temps où tout le monde savait, la misère aidant, que le bonheur est gratuit. Enguerrand et moi vivions de rien. De regards, de caresses, de pain noir. Souvent, nous avions froid la nuit, mais notre amour nous réchauffait, qui s'accommodait de tout.

C'était encore le temps de l'amour courtois, le seul qui vaille, celui qui est sacré, qui nous agrandit et nous élève jusqu'en haut des cieux. Il prenait son temps et avançait à pas menus, sans jamais forcer le destin, de peur de faire fuir l'être aimé.

Souvent, Enguerrand me déclarait sa flamme. Il s'agenouillait devant moi et me baisait les pieds, avant que je récite mes poèmes. En attendant notre nuit de noces, nous étions comme les arbres bourgeonnants, pleins de sève et de fruition, pendant les premières chaleurs du printemps.

Notre mariage eut lieu à Chaillot, chez les Sauveterre, les parents d'Enguerrand, des vilenots[1]. Des fermiers au visage noirci par le soleil, aux jambes arquées et au dos cassé par les travaux des champs, propriétaires d'un troupeau de huit vaches. Ils sentaient comme leurs veaux l'herbe verte et le fromage frais.

Le matin des épousailles, trois amis d'Enguerrand nous rejoignirent. Ils avaient des regards exaltés et portaient de grandes croix rouges en drap, cousues sur leurs habits.

« Le grand jour, c'est pour bientôt », dit le premier, un olibrius au regard d'enfant.

Ils ne parlaient pas de notre mariage, mais de quelque chose de plus important qui était en train de faire trembler la terre de France. Une secousse tellurique, une tempête métaphysique.

« C'est le moment de mériter le paradis, déclara le deuxième ami.

— Le Christ a besoin de nous, poursuivit le troisième, il faut aller l'aider, quoi qu'il en coûte.

— J'irai avec vous à Jérusalem, dit Enguerrand. Il y a si longtemps que j'attendais de pouvoir servir à quelque chose ici-bas. »

Moi aussi, je voulais partir, fuir ce royaume moisi. J'avais hâte de vivre, de respirer, de me dépasser, d'accomplir enfin la mission que mon

1. Paysans.

père m'avait assignée. Pourquoi Enguerrand n'avait-il pas dit qu'il m'emmènerait ?

Il était comme éclairé par un soleil intérieur, sa voix même avait changé, elle semblait tomber du ciel. Il remarqua néanmoins mon malaise et saisit ma main pour la baiser avec effusion :

« Je n'irai que si tu viens avec moi. »

Je l'embrassai, les larmes aux yeux. J'étais heureuse de mettre le plus de lieues possible entre moi et les Jean-Bon, les chasseurs d'hérétiques, les seigneurs décadents.

« Il y a des rassemblements partout, à la forêt de Bondy et sur le parvis de Notre-Dame, reprit l'olibrius. La croiserie[1] va bientôt partir. »

Enguerrand déclara que tout le monde en haut lieu était d'accord pour que son adjoint Joachim le remplace au gibet de Montfaucon et assure les pendaisons pendant que nous serions en Terre sainte. Il ajouta qu'il était probable que nous y resterions.

1. Croisade.

11

Un couteau planté dans le cœur

CHAILLOT, 1248. C'était le jour du Seigneur, au lendemain de nos épousailles. Nous étions assis, avec les trois amis d'Enguerrand, dans une clairière herbeuse, au bord de la Seine, où nous mangions leur pêche du matin : cinq brèmes bien en chair et plusieurs goujons qu'ils avaient fait grailler [1] sur un feu de bois avec de l'ail pilé.

« Dieu devrait nous empêcher de mourir tant qu'on n'a pas vu Jérusalem, dit Enguerrand en mâchant.

— Je n'ai pas l'intention de mourir à Jérusalem, protestai-je.

— Pourquoi viens-tu avec nous, alors ?

— Parce que l'air sera meilleur là-bas et que la place de la femme qui aime est à côté de son mari. Mais je hais la mortaille et ça me triste de penser que nous allons là-bas pour tuer des gens. »

Un silence et un malaise passèrent.

1. Griller.

« Pour tuer des gens ou pour mourir nous-mêmes, corrigea Enguerrand.

— Jérusalem, dit l'olibrius, c'est là que je veux mourir. J'ai toujours rêvé d'être enterré près du tombeau du Christ. Je suis sûr que la vie éternelle y est meilleure qu'ailleurs. »

*

Pourquoi Jérusalem était-elle devenue la capitale de l'Occident, l'objet de toutes les pensées et de toutes les convoitises, jusqu'au sein du bas peuple ? Quelle était la force mystérieuse qui poussait alors les Européens, et notamment les Français, à porter leurs regards vers le même coin de terre ? Que l'on me permette de sortir du roman un moment pour tenter de répondre à ces questions.

À l'époque où se déroule cette histoire, les nouvelles de Terre sainte mettaient des mois à parvenir en Europe. Il arrivait souvent qu'elles fussent fausses, mais elles étaient toujours commentées jusque dans les coins les plus reculés des royaumes.

Jérusalem était comme un couteau planté dans le cœur de tous. Franc, Germain, Anglais, Normand, Breton, Flamand, Lombard, Sicilien ou Catalan, chacun saignait de l'intérieur, pressé de se sacrifier pour le tombeau de Jésus-Christ.

La Ville sainte était la grande cause du continent. Édifiants furent les destins de tous ceux qui se donnèrent à elle, corps et âme, pour racheter leurs péchés et gagner la vie éternelle. Mystiques et allumés, ils étaient habités par le Christ en personne et quand, en chemin, ils tombaient à genoux pour prier, on croyait même entendre le souffle de Dieu.

De la première croisade (1096) à la huitième et dernière (1270), des centaines de milliers de personnes ont accouru à Jérusalem en bateau, à cheval, à pied pour se recueillir, se dépasser, se retrouver en Terre sainte et chasser ceux qui se l'étaient accaparée. Beaucoup de nobles et un océan de misérables.

Pendant près de deux siècles, les croisés n'ont pas toujours eu les mêmes ennemis mais, quels que fussent les peuples qu'ils trouvèrent en face d'eux, c'étaient toujours des mahométans. Des soldats de l'Islam, armés jusqu'aux dents, tueurs de chrétiens, casseurs d'églises, briseurs d'autels.

Au moment de la première croisade, contrairement à la légende, les ennemis de l'Occident étaient autant les Arabes que les Turcs seldjoukides, d'obédience sunnite. Guerriers impitoyables, ceux-ci avaient décidé, comme les cavaliers d'Arabie, de devenir les nouveaux maîtres de l'Orient et, un jour, du monde, au nom d'Allah. Du point de vue chrétien, il n'y en avait pas un pour racheter l'autre.

Après avoir conquis l'Égypte, les Fatimides, des Arabes chiites d'ordinaire plus tolérants, multiplièrent les persécutions contre les chrétiens de Jérusalem. En 1009, saisi d'une furie purificatrice, le calife al-Hakîm di-Amr Allah donna l'ordre de détruire toutes les églises de Syrie, d'Égypte et de Palestine, notamment l'église du Saint-Sépulcre, édifiée sur le tombeau du Christ. Privés de lieux de culte, les chrétiens n'eurent plus le droit de se rassembler, de monter à cheval ou de parler arabe, de crainte qu'ils ne souillassent la langue du Prophète. Ils furent condamnés à porter un signe distinctif, comme les Juifs : une ceinture en cuir ou un morceau de tissu coloré.

Les chrétiens d'Orient représentaient pour les musulmans ce que les Juifs incarnaient pour les chrétiens d'Europe. Des parias. Mais leur sort devint plus difficile encore après que les Turcs seldjoukides eurent chassé les Arabes fatimides de Jérusalem.

En 1078, tout en continuant à asservir ou à exterminer ceux qui avaient le malheur de n'être pas mahométans, les nouveaux occupants turcs et sunnites n'hésitèrent pas à interdire la Ville sainte au pèlerinage des chrétiens d'Europe qui, malgré les vicissitudes, n'avait jamais cessé.

Tel fut le *casus belli* qui déclencha la première croisade, moins de vingt ans plus tard. Apparemment, tout est parti de là, dans un climat de peur qu'avaient déjà alourdi les invasions arabes qui se succédèrent, du VIIIe au Xe siècle.

Après avoir envahi l'Espagne au début du VIIIe siècle, les Arabes sunnites entreprirent de conquérir le royaume des Francs de l'autre côté des Pyrénées. Interminable est la liste des villes françaises qu'ils ont fait tomber puis tenues, parfois pendant plusieurs années. Cet envahissement marqua les esprits au fer rouge.

Rafraîchissons les mémoires. En 718, les mahométans s'emparent de Nîmes et, en 719, de Narbonne qui, pendant une quarantaine d'années, sera leur capitale, de ce côté-ci des Pyrénées. L'année suivante, c'est Carcassonne qui est conquise. Suivent, en 725, des incursions en Avignon, à Lyon, Besançon ou Dijon, tandis qu'Autun et Luxeuil-les-Bains deviennent des villes arabes. En 732, Bordeaux est prise à son tour. La légende dit que Charles Martel, le grand-père de Charlemagne, a mis fin à ces invasions incessantes en remportant la bataille de Poitiers, la même année. Billevesées !

Les sarrasins n'ont pas lâché l'affaire. Sitôt vaincus, ils sont repartis à l'attaque, pillant, razziant, incendiant les églises, ravageant Marseille, la Provence, la Corse, le Dauphiné, la vallée du Rhône. En 735, ils conquièrent de nouveau Arles et Avignon.

Ensuite, ils ne font guère parler d'eux pendant plusieurs décennies, à un moment où le royaume a fort à faire avec les raids des Vikings et des Normands, mais, de 890 à 973, ils reprennent de nouveau l'offensive et vivent notamment sur le dos de la Provence qu'ils rançonnent.

En Espagne où ils ont débarqué en 711, les mahométans resteront implantés, avec des fortunes diverses, jusqu'à la chute de Grenade en 1492. Sous leur joug, les chrétiens seront l'objet de sanglantes persécutions, notamment aux IXᵉ et Xᵉ siècles. Nombreux furent les martyrs décapités à l'instar des saintes Liliose, Flora, Lucrèce, et des saints Euloge, Pélage de Cordoue, Étienne de Cardena.

Avant de condamner les croisades, notre tradition historique omet toujours d'évoquer les invasions arabes. Or, elles permettent de mieux expliquer l'élan de la première « guerre sainte » lancée un siècle après que les derniers mahométans eurent été boutés hors du royaume des Francs.

À l'époque, la menace demeurait, les pirates arabes continuant d'opérer depuis leurs repaires montagneux de Corse, de Sardaigne ou de Sicile. Sans parler de leur fief espagnol.

C'est ainsi que Toulon fut détruite, et sa population razziée ou massacrée deux fois de suite par les sarrasins, en 1178 et 1197.

Telle est l'explication de Chateaubriand, qui connaît bien l'Orient qu'il a visité[1]. Un as de la prophétie qui a prédit la mondialisation et la société de communication à la fin des *Mémoires d'outre-tombe*, dès la première moitié du XIXᵉ siècle. À propos des croisades, il assure qu'elles ne furent pas des « folies » et permirent, au contraire, de « sauver le monde d'une inondation de nouveaux Barbares »[2].

« Où serions-nous si nos pères n'eussent repoussé la force par la force ? » demande-t-il. À ses yeux, les croisades furent avant tout une

1. Voir son *Itinéraire de Paris à Jérusalem*, 1806-1807.

2. Les citations qui suivent sont puisées dans *Itinéraire de Paris à Jérusalem*, *Mémoires d'outre-tombe* et *Génie du christianisme*.

réaction défensive ou préventive des Francs après plus de deux siècles d'invasions arabes : « Les croisades, en affaiblissant les hordes mahométanes au centre même de l'Asie, nous ont empêchés de devenir la proie des Turcs et des Arabes. »

« Les Maures ont été plusieurs fois sur le point d'asservir la chrétienté », observe-t-il par ailleurs.

Selon Chateaubriand, les croisades furent de justes représailles contre ceux qui avaient attaqué les premiers : « Les disciples du Coran, ironise-t-il, sont-ils demeurés tranquilles dans les déserts de l'Arabie, et n'ont-ils pas porté leur loi et leurs ravages jusqu'aux murailles de Delhi et jusqu'aux remparts de Vienne ? »

*

Laissons là Chateaubriand. C'est le 27 novembre 1095 que le pape Urbain II lança la mobilisation générale pour la première croisade : juché sur une sorte de trône, il s'adressa à une foule immense, rassemblée sur la grand-place[1] de Clermont, en Auvergne, au terme d'un concile qui avait réuni treize archevêques et deux cent vingt-cinq évêques. Y avaient été dénoncées toutes les petites guerres seigneuriales qui brisaient la trêve de Dieu, tandis que leurs victimes, veuves, orphelins ou laboureurs, étaient placées sous la protection de l'Église apostolique et romaine.

1. Actuelle place de la Victoire à Clermont-Ferrand.

Le souverain pontife était ce que l'Église faisait de mieux, à l'époque. Un homme cultivé, d'une quarantaine d'années, originaire de la noblesse champenoise, ancien archidiacre de Reims. Une belle gueule, un esprit ouvert et une tête politique qui prétendait rassembler la chrétienté. Un orateur de haute volée aussi. Terrifié par les persécutions de l'Islam contre les chrétiens d'Orient, Urbain II déclara ce jour-là :

Vous n'avez pas oublié que la terre que vous habitez a été envahie par les Sarrasins, et que la France aurait connu les lois de Mahomet sans les exploits de Charles Martel et de Charlemagne. Rappelez sans cesse à votre esprit les dangers et la gloire de vos pères ; conduits par des héros dont le nom ne doit pas mourir, ils ont sauvé l'Occident d'un honteux esclavage. De plus nobles triomphes vous attendent sous la conduite du dieu des armées ; vous délivrerez l'Europe et l'Asie ; vous sauverez la cité de Jésus-Christ, cette Jérusalem que s'était choisie le Seigneur, et d'où la loi nous est venue[1].

Les larmes coulèrent dans l'assistance quand, après avoir énuméré les persécutions subies par les chrétiens d'Orient, Urbain II poursuivit :

Guerriers chrétiens qui cherchez sans cesse de vains prétextes de guerre, réjouissez-vous, vous en

1. Voir *Considérations sur les Grecs et les Turcs*, par M. Eugène de Genoude, 1821.

trouvez aujourd'hui de véritables [...]. *Puisqu'il vous faut du sang, baignez-vous dans le sang infidèle; je vous le dis avec dureté parce que mon ministère m'y oblige: soldats de l'enfer, devenez les soldats du Dieu vivant.*

« Deus lo volt[1] ! » s'écria l'assistance enflammée avant qu'Urbain II exhortât tous les croyants en âge de combattre à porter la croix du Christ destinée à rassembler « les enfants dispersés d'Israël » :

Elle deviendra pour vous le gage de la victoire ou la palme du martyre; elle vous rappellera sans cesse que Jésus est mort pour vous, et que vous devez mourir pour lui.

Ou bien tuer pour lui. En 1099, quand les armées de la première croisade arrivèrent enfin devant Jérusalem, les Fatimides chiites l'avaient reprise aux Turcs sunnites. Ça n'empêcha pas les croisés, assoiffés de sang, de massacrer les musulmans, comme les Juifs, quand, après plus d'un mois de siège, ils entrèrent dans la Ville sainte. Il a même été dit que, comme dans le Livre de l'Apocalypse, le niveau du sang monta alors jusqu'à la bride des chevaux.

Après le succès de cette première croisade, furent fondés les quatre États latins d'Orient (Édesse, Antioche, Jérusalem et Tripoli). Les

1. « Dieu le veut ! »

majorités chrétiennes de Syrie et d'Arménie purent enfin relever la tête sans crainte de représailles. Même s'il refusa le titre de souverain, ce fut Godefroy de Bouillon, grand et pieux guerrier, d'une humilité maladive, qui régna désormais sur le royaume de Jérusalem.

Apparemment, Urbain II avait gagné son pari : l'expansion de l'Islam semblait stoppée. Mais ce n'était qu'un répit : l'islamisation de Constantinople, future Istanbul, et de l'Empire chrétien d'Orient étant seulement retardée de quatre siècles.

Ce coup d'arrêt fut l'un des effets des croisades, avec les bienfaits qu'apporta le développement du commerce et des échanges entre les continents. L'Europe découvrit ainsi les bains, le melon, le pêcher, l'abricotier, la cannelle, le girofle, le gingembre. Sans parler des développements dans les domaines du papier, des chiffres, de la teinture, des hôpitaux de qualité.

L'Occident n'avait cependant aucune raison de pavoiser. Les États latins d'Orient, assiégés par l'Islam, ont vite semblé des récifs perdus au milieu d'une mer démontée, à l'image du royaume de Jérusalem qui s'effondra moins d'un siècle après sa création, en 1187, quand la chrétienté rendit les armes devant le sultan Saladin.

C'est cette humiliation de l'Occident que Louis IX voulut laver quand il décida, un siècle et demi plus tard, de reprendre le flambeau d'Urbain II. Pendant une maladie dont il faillit mourir, le roi des Francs avait entendu, sur son lit de souffrances, une voix venue d'Orient, qui lui disait : « Roi de France, tu vois les outrages faits à la cité de Jésus-Christ ! C'est toi que le Ciel a choisi pour les venger ! » À peine guéri, il prit la croix, au désespoir de sa mère et de ses barons.

Aux sommets de la société, la ferveur des premiers temps était retombée : jugeant désastreux le bilan des six croisades précédentes, tous les rois européens étaient aux abris. Sauf Louis IX, dit le « Prudhomme ». Qu'il y crût allait suffire à lever une armée.

Il avait toujours eu le peuple pour lui. Ce n'était que justice. Chez lui, l'esprit de chevalerie privilégiait toujours l'équité : chaque fois qu'il en avait l'occasion, il redressait les torts des plus forts envers les plus faibles.

Certes, la noblesse n'avait que rafarderies[1] pour ces superstitions qui faisaient de Louis IX du gibier de charlatans. Mais n'était-il qu'un couillon dispendieux ou, au contraire, un stratège qui voulait peser plus lourd que les autres monarques européens en amassant davantage de reliques qu'eux ?

En tout cas, il avait acquis à prix d'or auprès d'estropiats le Saint Sang, une fiole du sang de Jésus-Christ, la couronne d'épines, les clous, la lance, l'éponge, la nappe de la cène, un vase

1. Moqueries.

rempli du lait de la Vierge, une partie du saint suaire, le bâton de Moïse et des têtes de saints. Autant de reliques qui furent détruites lors de la Révolution française quand, du passé, il fallait faire table rase. Autant de vestiges de la naïveté d'un grand roi.

Pardonnez cette digression mais il me semble que toutes ces choses devaient être dites pour la bonne compréhension de l'histoire de la vie de Tiphanie, à qui je redonne à présent la parole…

12

« Plus je bois, plus grand est Dieu en moi »

CHAILLOT, 1248. À force de converger sur Paris, les ruis[1] et les rivières des premiers jours avaient rempli un océan humain qui recouvrait maintenant toute la capitale et ses alentours. Une inondation mystique.

Il y avait des croisés partout, jusque sur les toits ou dans les jardins. Ils riaient, priaient, parlaient, mangeaient, pétaient et dormaient sous les étoiles. Ils ne faisaient plus qu'un, le même grand corps, la même grande âme.

En attendant le départ pour la Terre sainte, Enguerrand et moi nous installâmes dans la ferme des parents Sauveterre, sur la colline de Chaillot, au milieu des vaches, des moutons et des futurs croisés.

De temps en temps, des crieurs publics passaient dans la foule des croisés en hurlant les nouvelles du moment. Ce jour-là, ils gueulaient :

« Le roi a pris la croix, alléluia ! »

1. Ruisseaux.

C'était la nouvelle « dernier cri », comme on disait. Elle donnait des frissons aux futurs croisés qui, après l'avoir entendue, se mettaient à prier d'une même voix. Pour le roi, pour le Christ et pour soi. Une grande clameur montait au ciel ; il semblait que, là-haut, les nuées tremblaient d'émotion, comme tout le monde ici-bas, Enguerrand et moi compris, qui découvrions la communion des êtres et l'harmonie de l'univers.

Nous ne ressentions plus rien. Ni la faim, ni la soif, ni la fatigue. Se regarder et s'aimer suffisait. Tels sont les effets de l'amour de Dieu qui brûle et glace en même temps.

« Tu es ma repaissance[1], disait Tiphanie.

— Toi, ma dulcinée, rien qu'à te voir, je me sens repu. »

Le soir, je me couchais tôt, fermais les yeux et attendais qu'Enguerrand arrive pour m'emmener dans l'au-delà. Avec mon homme, l'amour était une chevauchée sur un « milsoudor[2] », et ça me donnait les plus grands émeuvements que j'avais jamais connus. Tout se mélangeait, les girons[3], les croupions[4], les genoillons[5] dans un concert de râles et de soupirs, gloire à Dieu, roi du ciel.

1. Nourriture.
2. Cheval de si grande qualité qu'il vaudrait mille sous.
3. Fesses.
4. Partie du corps qui va du bas-ventre aux genoux.
5. Genoux.

« Donne-moi ton amor[1], disait-il, je rendrai mon ardor[2]. »

Le matin, quand je redescendais sur terre, je me sentais en exil. Toute la journée, j'attendais la nuit.

Un dimanche, nous décidâmes d'aller demander la protection du Tout-Puissant à la basilique Saint-Denis, près de Paris. Un orage nous surprit en chemin et, quand nous arrivâmes à destination, nous étions trempés comme des soupes. Dans la nef ballottée par les flots et pleine à ras bord de fidèles, Enguerrand et moi avons longtemps prié, agenouillés devant la croix du Christ. Après ça, il prit ma main et la baisa avec emphase :

« Ma mie, notre amour durera une éternité.

— Mille ans, ce serait déjà bien », répondis-je.

Sur la route du retour à Chaillot, nous fîmes un détour par le gibet de Montfaucon où nous retrouvâmes Joachim qui nous invita à souper et à dormir avec lui dans la petite bicoque qu'il partageait, non loin de là, avec ses trois sœurs.

À la fin du repas, il nous révéla avec un air gêné qu'il avait reçu la visite de plusieurs personnes qui me cherchaient. Elles se prétendaient mes amis, mais il n'aurait jamais imaginé que j'eusse des amis pareils. Des estropiats, c'était écrit sur leurs visages. Avec ça, laids et gros. À cette description, je reconnus les quatre

1. Suc, sève.
2. Chaleur vive.

Jean-Bon et un frisson me parcourut de la tête aux pieds.

« Tu as l'air de savoir qui c'est », dit Enguerrand, comme s'il avait lu dans mes pensées.

Quand nous nous fûmes couchés, je lui racontai ma vie avec les Jean-Bon sur le Petit Pont. Les humiliations, pas les viols à répétition.

« Un jour, dit-il, j'irai les tuer de mes propres mains.

— N'essaie pas. Ils sont très dangereux.

— Il n'y a pas d'amour sans preuve.

— Ça peut paraître étonnant, mais je leur dois beaucoup. Si je ne les avais pas croisés sur mon chemin, je n'aimerais pas tant la vie. »

Le lendemain matin, le ciel était immaculé et les crieurs publics s'époumonaient dans tout le royaume :

« Oyez ! Le départ de la croiserie, c'est après-demain ! »

Quand nous arrivâmes à Chaillot, un Te Deum était donné en plein air. Tout le monde pleurait en priant. Juchée sur un promontoire, je donnai ensuite une sorte de concert où, accompagnée de mon luth, j'interprétai plusieurs chansons de ma composition, dont celle-ci :

J'aime le vin qui picote
À croque-tête.
J'aime la cervoise qui rigole
À pet en gueule.
J'aime tout ce qui m'emmène

À la volette.
Plus je bois,
Plus je vois,
Plus je crois,
Plus grand est Dieu en moi.

Ma chantefable fut diversement appréciée. Avant de se coucher, Enguerrand me fit la leçon : « Pour nous donner du courage, je te conjure d'écrire des chansons plus chrétiennes et moins païennes. Le Seigneur nous regarde, il nous met à l'épreuve, nous devons être à la hauteur. Il ne faut surtout pas l'irriter. Il est comme nous, il veut des preuves d'amour.

— Ventrebleu ! Qu'est-ce que je fais d'autre en chantant le vin qui est aussi sa création ?

— Évite de célébrer le vin. C'est Dieu lui-même que tu dois glorifier. Il faut qu'il soit avec nous, j'ai trop peur qu'il ne nous lâche. Si nous ne boutons pas hors de Jérusalem tous les mahométans qui la souillent, je suis sûr qu'un jour ils reviendront nous envahir et que, cette fois, ils nous vaincront pour violer nos femmes, razzier nos enfants et faire de nous leurs esclaves. »

Enguerrand avait dit ça d'une voix étrange, très lasse, comme s'il allait mourir, puis il s'était endormi.

13

Conversations avec Tiphanie (1)

MARSEILLE, 2016. Pardonnez-moi d'interrompre ici le récit de Tiphanie, mais je tiens à souligner que l'Histoire est une grande radoteuse : la peur exprimée par Enguerrand continue de ronger notre continent, près d'un millénaire plus tard. Sauf qu'aujourd'hui, disent les gens, les islamistes sont parmi nous, dans le métro, sur notre palier, chez l'épicier du coin.

Pourquoi n'ai-je jamais éprouvé, pour ma part, cette angoisse et ce sentiment de fin du monde à Marseille ? Tous ceux qui, Parisiens en tête, en parlent comme d'une cité arabe ou islamisée n'y ont jamais mis les pieds. Moitié lessiveuse, moitié centrifugeuse, ma ville est une machine à mélanger les âmes. Rien n'y semble jamais grave ni sérieux.

Je sais de quoi je parle, je suis né et je mourrai à Marseille, ramas de villages et de communautés éparpillés sur les collines, les vallées, les bords de mer. Une Babylone joyeuse qui s'étend à perte de vue et où chaque quartier a son folklore, sa cuisine, ses parfums, ses habits, ses couleurs, devenant, pour ainsi dire, une nation en soi.

Si, un jour, il ne reste qu'une seule personne en France à aimer les immigrés, ce sera moi. Sans eux, qui croirait encore en lui ? Quand ils arrivent sur notre sol, je suis toujours ému par les regards inquiets de certains d'entre eux, leur gratitude éperdue et leur empressement à nous ressembler, alors que nous nous détestons tant. C'est après que ça se gâte, une fois que nous leur avons transmis notre aigreur métaphysique, notre art de la combine, notre haine de notre passé, de notre histoire.

Les réfugiés de Syrie me fascinent particulièrement. C'est un pays qui, avec Israël et le Liban, a fécondé le monde où nous vivons. Une terre noyée dans une mer de lumière blonde où chacun a une tête de saint sculpté dans le soleil. J'y ai passé les plus beaux moments de ma vie. Y ont cohabité pendant des siècles, j'allais dire des millénaires, une quarantaine d'ethnies et de confessions.

Araméen, chaldéen, yézidi, juif, alevi, syriaque, nestorien, orthodoxe, maronite, catholique, melkite, assyrien, arménien, kurde, chiite, alaouite, sunnite, chaque Syrien semble porteur d'une histoire et d'un message universel. D'où la gravité qui, là-bas, se lit sur à peu près tous les visages.

Cette gravité, je l'ai trouvée dans les yeux bleus de Leila, la secrétaire du centre d'accueil de réfugiés où je viens travailler bénévolement trois après-midi par semaine. C'est une Syrienne de trente-deux ans, au visage ovale, avec un nez somptueux, des lèvres vivantes et des cheveux châtains, un pur produit du Caucase. Elle parle plusieurs langues et connaît tous les grands classiques français, avec une prédilection pour Balzac.

Je suis tombé amoureux de Leila. Le jour où nous avons parlé pour la première fois littérature, je lui ai proposé de dîner avec moi le soir même, dans un restaurant proche de l'endroit où nous travaillions, une invitation apparemment professionnelle, ça n'engageait à rien.

« Je ne dîne pas, répondit-elle.

— Alors, déjeunons demain.

— Je préfère rester au bureau et manger sur le pouce : il y a tellement de travail en ce moment, Olivier. »

Un sourire prometteur avait contredit son propos. L'attente est l'un des meilleurs aiguillons de l'amour, mais les refus peuvent l'attiser plus encore. Ce fut mon cas. Sûr de l'avoir séduite, je décidai de prendre mon temps. Lui offrant régulièrement des romans ou des essais qu'elle ne mettait jamais plus de deux jours à lire, je me sentais comme le pêcheur qui a ferré son poisson et tarde à le ramener de crainte que la ligne ne casse.

Plusieurs points me préoccupaient chez Leila, mais je dois avoir l'honnêteté de dire qu'ils m'excitaient aussi. D'abord, elle portait le voile. Certes, il était discret, transparent, mais c'était un voile. Ensuite, même si elle veillait à ne pas se dévoiler, pardonnez cette facilité, elle avait la phobie du blasphème.

À tout hasard, j'ai demandé un jour à Samir la Souris de mener une enquête approfondie sur Leila. S'il s'avérait qu'elle avait des penchants islamistes, ça n'aurait pas éteint ma passion mais, au moins, j'aurais su où je mettais les pieds.

Un soir, la queue était si longue devant le guichet du centre d'accueil que les chamailleries montèrent *crescendo*, entre les réfugiés, jusqu'à former une sorte d'émeute qui nous obligea à appeler les forces de l'ordre. J'avais eu bien raison de commander ce rapport à Samir, songeai-je, après que Leila m'eut dit, avec un regard lourd de reproches :

« Ne te sens-tu pas coupable quand tu vois ça ?

— Je me sens triste mais pas coupable.

— Tu passes vite par profits et pertes les croisades, la colonisation et les guerres du Golfe. Ces réfugiés sont d'abord les victimes de l'Occident.

— J'ai longtemps cru ça, Leila, mais je n'en suis plus si sûr. »

Je lui proposai d'en parler autour d'un plat dans un restaurant arménien, à deux pas de l'église des Réformés.

« J'envie ta bonne conscience, déclara-t-elle, mais, franchement, elle m'a coupé l'appétit. »

Après cette humiliation, j'avais très faim et, sur le chemin du retour, je me suis arrêté chez Sonia Moussdoune, la mère de Samir la Souris, rue

Sainte. Je l'adore. C'est la reine des mezzés à emporter. Elle les cuisine et les vend dans une cave exiguë ouverte sur un grand soupirail à hauteur du nombril des clients, sous l'enseigne Aux Monts Atlas. Je lui ai acheté du houmous à l'ail des ours, des aubergines grillées et des feuilles de vigne farcies au riz, blettes et pignons.

« Il y a un mauvais climat, en ce moment, m'a dit Sonia.

— Non. Il nous suffit de décider que tout va bien, c'est une question de volonté. Souviens-toi de ce que disait Jésus : "N'ayez pas peur".

— C'est beau comme du Allah. »

Elle me fit signe d'approcher. Puis, à voix basse, la main au-dessus de la bouche comme si elle avait peur qu'un intrus ne lise sur ses lèvres :

« J'ai l'impression que Samir est devenu salafiste. Dis-moi que je me trompe…

— Oui, tu te trompes. Tu as de la chance d'avoir un fils comme ça, Sonia. Ne t'inquiète pas, c'est simplement un original. La jeunesse est la seule maladie dont on guérit toujours.

— C'est quand même dommage que les jeunes la gâchent.

— Parce qu'ils ne la méritent pas. »

J'ai coupé là, je n'avais pas envie d'épiloguer. Quand je suis rentré chez moi, j'ai englouti les mezzés puis entrepris de tuer la soirée à la bière et à l'alcool de gentiane, devant une série télévisée. Au bout de quelques minutes, je me suis endormi sur le canapé.

*

Quand je me suis réveillé, deux heures plus tard, j'ai éteint machinalement le téléviseur. Malgré la douce somnolence qui m'envahissait, je sentis la présence de Tiphanie. Il m'a semblé qu'elle était assise dans la pénombre, à l'autre bout du salon, près de la fenêtre, d'où elle répandait une odeur de foin, de vieux habits, venue du fond des siècles. Mais je ne le jurerais pas.

Même si je me garde bien de me comparer à eux, modeste débutant que je suis, j'essaie de travailler comme Fiodor Dostoïevski, Franz Kafka ou Julien Green : j'écris en me laissant emmener par une voix intérieure avec l'intime conviction que mes personnages sont des êtres vivants qui peuvent s'échapper des livres pour avoir leur vie propre.

Il y a deux catégories d'écrivains : le démiurge et l'inspiré. D'un côté, celui dont les créatures sont les marionnettes. De l'autre, celui qui répète ce qu'elles lui soufflent à l'oreille : les personnages deviennent alors les vrais auteurs du roman, ils prennent l'ascendant sur le romancier qui devient un passeur. Julien Green disait ainsi : « J'écris mes livres pour savoir ce qu'il y a dedans. »

Un jour qu'on lui demandait l'origine de son inspiration, Julien Green répondit que ses livres étaient écrits par quelqu'un d'autre et qu'il aurait bien voulu connaître. Cet autre, pour moi, c'est Tiphanie qui, à ce moment-là, me tirant de mon apathie, murmura dans ma tête :

« C'est une vérité que ton époque essaie de noyer sous les carabistouilles, mais elle fait mal : il y a de moins en moins de chrétiens en Orient et de plus en plus de musulmans en Occident. »

Il y eut un silence, puis elle reprit :

« La vérité est que jamais religion ne se propagea aussi vite que l'islam. Né en Arabie au VIIe siècle, il a déferlé en quelques décennies sur la Perse, l'Irak, la Syrie, l'Égypte, le Maghreb, avant de se répandre comme un fleuve en crue sur une grande partie de l'Orient, jusqu'à l'Europe, l'Inde, la Chine et la Russie. Il avait la conquête dans le sang.

— Pourquoi les chrétiens ont-ils eu tant de mal à résister ?

— Parce que l'islam, porté par une tribu de guerriers arabiques, a tout de suite su s'imposer grâce à un art consommé de la guerre, de la terreur, de la razzia et de la conversion que les chrétiens, malgré leurs efforts, n'ont jamais su égaler. J'ajoute qu'il y a en chaque musulman un grand feu qui brûle et qu'aucune défaite ne peut éteindre. »

La voix de Tiphanie semblait ramollie, comme perdue dans une sorte de brouillard. Je lui demandai d'articuler.

« Les croisés ne pouvaient pas être à la hauteur, reprit-elle. Leur combat était perdu d'avance. Dieu sait si je ne suis pas catholique, mais ça me triste de voir la religion du Christ en si mauvais état.

— Ne dramatise pas, nous ne sommes pas condamnés et rien ne nous empêche de nous entendre. Ici, à Marseille, j'ai beaucoup d'amis musulmans.

— Parce qu'ils ne sont pas en position de force, Olivier. Si tu veux voir des coptes, des araméens, des catholiques, des yézidis ou des juifs en terre arabe ou turque, prends une pelle, ils sont sous terre, dans des charniers. Quand ils se sentent chez eux, les musulmans finissent toujours par éradiquer les autres religions.

— Ce n'est pas vrai au Liban.

— C'est l'exception. »

Il y eut un nouveau silence. Tiphanie m'escagassait, comme on dit à Marseille. Sous mon crâne, la tension était telle que j'ai attendu qu'elle retombe pour murmurer :

« L'avenir n'est pas du passé qui continue, Tiphanie. Les choses peuvent changer, nous finirons bien par avoir des surprises.

— L'islam est une mer qui monte, dit-elle, et si vous continuez à laisser faire, il vous submergera...

— L'islam a l'énergie de la jeunesse, il a six siècles de moins que le christianisme.

— Six siècles de moins, répéta-t-elle, comme si elle était étonnée.

— Fais le calcul : au XIVe siècle, quand il avait le même âge que l'islam aujourd'hui, le christianisme était au sommet, faisait couler beaucoup de sang et envoyait des foules d'innocents au fagot[1].

— C'est vrai, concéda-t-elle. Je sens encore l'odeur de brûlé dans ma gorge…

— L'islam vieillira à son tour et, aux premiers rhumatismes, cessera d'embêter le monde. Avec le temps, tu verras, les mosquées se videront, il y aura une crise des vocations chez les imams et cette religion deviendra moins arrogante, plus coulante, comme le christianisme aujourd'hui.

— Que le Seigneur t'entende, Olivier ! Je préfère les religions quand elles sont faibles. Le christianisme n'a jamais été plus grand que sous terre, dans les catacombes, quand il était persécuté. Après avoir beaucoup massacré au nom de Dieu, il est devenu de nouveau une belle religion, à la fin du siècle dernier, quand il a perdu le pouvoir. Son déclin, c'est ce qui pouvait lui arriver de mieux.

— Je suis sûr que le Christ se sent mieux dans sa peau qu'au temps de l'Inquisition, approuvai-je. Il n'était pas fait pour la gloire ni pour la puissance.

— Mahomet, lui, était fait pour ça, c'est la grande différence. Lis le Coran. Partout où ils prennent le pouvoir, les musulmans finissent par se confondre avec lui. Aujourd'hui, du haut de leurs minarets, ils observent le reste du

1. Bûcher.

monde en salivant, ils ne songent qu'à instituer un califat universel. »

La fatigue montait. C'est au prix d'un effort surhumain que je répliquai :

« Ce qui nous sauvera toujours, c'est que les religions sont mortelles. L'islam y passera aussi, mais je crois que le christianisme mourra avant. Hélas, il commence à sentir la mort… »

Tiphanie n'a pas répondu et, après quelques minutes de silence, je me suis endormi d'un sommeil comme j'aime, bercé par les vagues que l'alcool, les souvenirs et la joie du monde envoient ondoyer sur moi.

Quand j'ai rouvert les yeux, les premières lueurs du matin avaient envahi l'appartement, il n'y avait plus personne dans le salon et, après un café, je me suis mis à ma table de travail : je redonne maintenant la parole à Tiphanie…

II

LE SANG DES DIEUX

1248-1249

14

Quand mon corps fut réinventé

PARIS, 1248. Je m'étais réveillée avec une sensation étrange, comme si l'épaisse brume du matin avait envahi ma tête. Les yeux mi-clos, je descendais d'un pas de somnambule la colline de Chaillot en direction de la Seine pour me laver dans l'eau grise du fleuve quand, soudain, je fus prise comme un poisson dans des filets.

Plusieurs formes humaines se jetèrent sur moi et je me débattis dans les mailles en hurlant. Des bras plongèrent dans les filets : certains m'attachèrent les mains et les pieds, pendant que d'autres me bâillonnaient. Je reconnus les voix de Charles Jean-Bon et de ses fils. Ils me hissèrent sur un chariot tiré par deux chevaux, puis me jetèrent dans un coffre en bois.

Le trajet fut long. La rue Saint-Denis était bouchée et les chevaux s'arrêtaient souvent, tant était nombreuse la foule des croisés qui dévalait du nord pour rejoindre l'ost[1]. Le

1. L'armée royale.

chariot finit par entrer dans une cour pavée devant laquelle trônait une immense bâtisse, qui donnait sur le cimetière des Saints-Innocents. C'était là qu'habitait la famille Jean-Bon.

Alors que ses acolytes me sortaient du coffre, Charles s'approcha de moi. Avec son air veule, il restait d'une laideur repoussante mais il était devenu propre, sentait la rose et portait des vêtures soignées de bourgeois de Paris. Il m'embrassa chaleureusement sur la bouche avant de me souffler à l'oreille :

« Ventredieu ! J'étais si heureux avec toi, tu m'as fendu le cœur. À cause de toi, j'ai failli mourir de grevance[1]. Jamais je n'ai été malementé[2] à ce point. »

Mon bâillon m'empêchait de répondre. Charles me le retira avec délicatesse.

« Je m'excuse, dis-je, la tête baissée. Je n'aurais pas dû partir comme ça. C'est une faute que je ne me pardonnerai jamais.

— Tu m'as trahi, Tiphanie. Après tout ce que nous avons vécu ensemble ! Après tant de joïance[3] ! Tant de bonheur ! Depuis ton départ, j'ai été tous les jours en pleuraison. Pour me consoler, j'ai fini par épouser une vieille baronne mais elle est morte trois jours après notre mariage en tombant dans le puits. »

Il rit et reprit :

1. Douleur.
2. Tourmenté.
3. Joie.

« Comme elle était très riche, j'ai hérité de beaucoup d'argent. Sans toi, je ne savais pas quoi en faire. J'ai réfléchi : je veux t'épouser pour que tu en profites.

— Mais je ne peux pas t'épouser, Charles : je suis déjà mariée !

— Ce n'est pas un problème. De mémoire d'homme, aucun obstacle n'a jamais résisté à l'amour. »

Il me caressa la joue et poursuivit en me regardant avec intensité :

« Je veux que nous repartions sur de nouvelles bases… »

Il laissa sa phrase en suspens comme s'il attendait que je réponde quelque chose mais aucun mot ne sortit de ma bouche. Il posa sa main sur mon épaule pour me dire son affection et fit signe à ses deux hommes de main de m'emmener dans la maison. Ils me portèrent jusqu'à une pièce du rez-de-chaussée.

Quand il me rejoignit, Charles Jean-Bon demanda à rester seul avec moi un moment. J'étais par terre, à quatre pattes, pieds et mains liés. Sans rien dire, il dénoua les cordes qui liaient mes chevilles, retira ma cotel[1], se jeta sur ma croupe, écarta mes cuisses et me biscota par-derrière. De temps en temps, je poussais de grands cris mais ils n'étaient pas de plaisir : à chaque coup de butoir, je me cognais le crâne contre le mur.

1. Robe.

La chosette faite, Charles se leva, sourit d'aise et sortit en remontant ses braies[1]. Il revint un moment plus tard avec un homme au visage fin et à la peau foncée. Un Égyptien. Son visage et ses bras étaient couverts de croix bleues. C'était un copte, autrement dit un chrétien d'Orient. Il tenait un petit sac en cuir à la main.

De son petit sac, l'Égyptien sortit un poinçon, des aiguilles, des fioles remplies de noir, de bleu, de vert, de rouge.

« Qu'allez-vous me faire ? m'inquiétai-je en roulant des yeux de bête devant le couteau.

— Rien de mal, dit Charles. N'aie pas peur, tout se passera bien. Je veux simplement qu'il soit écrit sur ta peau que tu m'appartiens pour toujours. »

Allait-on me tuer ? Je m'affolai et tordis mes poignets ligotés. Charles me serra la nuque entre le pouce et l'index pour m'immobiliser.

« Tu as tout à gagner à te laisser faire, dit-il. Après ça, tu seras damnée, morte au monde, plus personne ne voudra de toi, mais tu seras ma reine ! »

Puis, montrant l'Égyptien :

« Cet artiste va te faire un corps neuf. Un corps pour moi tout seul, qui effraiera les marauds et découragera les intrusions. Il te rendra inaccessible au genre humain : tu ne pourras plus jamais te montrer nue à personne, sauf à moi.

1. Pantalon.

— Je ne comprends pas, bredouillai-je.

— Je vais faire de toi une œuvre d'art que je serai le seul sur cette terre à pouvoir contempler. »

Avec l'aide de l'Égyptien, il me déshabilla, m'allongea sur une grande table et m'y attacha. J'avais la chair de poule. Il me semblait que ma dernière heure était arrivée.

« Fais-moi confiance, dit-il. Je fais ça pour notre bien à tous les deux. Pour notre amour. Désormais, à la vue de ton corps, les hommes te fuiront comme si tu étais une sorceresse[1]. Ce sera beaucoup mieux pour nous deux, tu n'auras plus de tentations, et je serai toujours là, tu pourras compter sur moi : je serai ton refuge, ta consolation, ta protection. »

Après s'être répandue aux commençailles de la chrétienté, la pratique du tatouage fut interdite en 787 par le pape Adrien qui la jugeait païenne. Elle avait quasiment disparu quand les premières croisades la remirent au goût du jour : les soldats et les pèlerins aimaient garder sur leur corps la souvenance de leur voyage en Terre sainte. Une croix, un poisson, une croix du Christ.

Comme un peintre sur sa toile, l'Égyptien travailla trois jours de suite sur mon ventre puis mon dos. En injectant de l'encre sous ma peau, entre le derme et l'épiderme, il me réinventait, me saccageait, me sculptait, me dévergondait.

1. Sorcière.

Pris d'une sorte de fureur créatrice, l'artiste n'arrêtait jamais, il avait hâte de mettre la dernière touche. Je ne pouvais pas vérifier l'avancée de l'ouvrage : l'Égyptien m'avait mis sur les yeux un bandeau de linge maintenu autour de la tête par une corde tellement serrée qu'il aurait fallu un couteau pour me le retirer.

En guise de pitance, je n'avais droit qu'à de l'eau et du pain noir. Le soir, je dormais dans un réduit avec les chiens de la maison. Mais je ne m'inquiétais pas. C'était mon châtiment, il fallait expier, et Charles m'avait promis que je retrouverais sa couche et notre vie d'avant, sitôt que j'aurais ma nouvelle peau.

Souvent, Charles venait admirer l'œuvre d'art vivante que j'étais devenue. Il me retournait et m'examinait sous toutes les coutures en poussant des soupirs de contentement.

« C'est affreux ce que tu m'excites », disait-il.

À la fin du troisième jour, quand l'Égyptien eut fini son travail, j'étais devenue une autre personne : ma beauté avait désormais quelque chose de satanique. Quatre diables hideux gigotaient sur mon corps. Sur mon ventre, les deux seins, dans le dos. Ils avaient des écailles, des cornes, des oreilles pointues, des ailes de chair, des pattes de bouc, des queues de bœuf, une bouche à la place des organes génitaux, un sourire affreux.

Au-dessus de mon aine brûlait un grand feu de joie dont les flammes léchaient les sabots d'un diable. Dans mon dos, il paraît qu'un serpent descendait en sinuant la raie de ma croupe et qu'il avait la tête en forme de triangle, avec des crocs prêts à mordre mon fondement.

Le soir, Charles vint me chercher pour m'emmener avec lui.

« Pourrais-je un jour effacer ces dessins ? lui demandai-je.

— Inutile d'essayer, ils ne partiront jamais. Désormais, ils font partie de toi. »

J'étais accablée :

« Mais ces dessins sont horribles !

— Ils m'excitent. J'aime tellement l'idée de forniquer avec une diablesse. »

Charles m'annonça que mon calvaire serait fini le lendemain. D'abord, il ferait tatouer ses initiales (CJB) sur mon front et mes joues comme on fait avec les animaux de boucherie pour éviter de les perdre. Ensuite, mes oreilles seraient taillées en pointe comme celles de Satan et des quatre diables qui gigotaient sur mon corps.

— Tailler mes oreilles ? m'étranglai-je. Pourquoi me faire ça ?

— Pour ton bien. Je te ferai des oreilles fines, effilées, délicates. Ça réussit très bien aux chiens. »

Je fondis en larmes. Il m'invita à prendre le souper avec lui mais je n'avalai rien : la perspective du taillage d'oreilles m'avait coupé l'appétit. Je pleurais encore en le suivant dans sa chambre où il m'enfourcha avant de m'offrir une cotel de nuit en lin si léger que l'on voyait mon corps à travers.

« Elle appartenait à ma charogne de femme d'avant, rigola-t-il. Elle est morte dedans avant de tomber nue dans le puits. Mais toi, avec ta nouvelle anatomie, je suis sûr que tu renaîtras dès que tu l'auras enfilée. »

15

La punition de Charles Jean-Bon

PARIS, 1248. Longtemps, le cimetière des Saints-Innocents, sur le territoire de Champeaux, emplacement actuel des Halles de Paris, fut foulé aux pieds par les hommes et les bêtes. Des meutes de porcs ou de chiens errants déterraient les cadavres. Des enfants jouaient avec des têtes de morts. Des gueux se réchauffaient, la nuit, en allumant des feux d'ossements.

Le cimetière s'étendait comme une lèpre puante à l'intérieur de la nouvelle enceinte de Paris que Philippe Auguste, le grand-père de Louis IX, avait fait construire avant de partir en croisade en 1190. Bientôt clos de murailles, il resta quand même un lieu de perdition, le paradis des cochons, le refuge de la pifraille[1], un repaire de brigands et de filles de joie. Y vivaient aussi plusieurs saintes, mortes au monde.

Sur ce qu'on appelle aujourd'hui la place

1. Ramassis de gens de rien.

Joachim-du-Bellay, entre la rue Berger et la rue Saint-Denis, se dressait l'église des Saints-Innocents, détruite trois ans avant la Révolution française pour cause d'insalubrité.

Dans des cellules attenantes à la nef de l'église étaient emmurées vivantes plusieurs recluses perpétuelles par vocation ou par pénitence. Pour assurer leur subsistance, elles ne pouvaient compter que sur les fidèles qui leur glissaient de l'eau et des victuailles par une étroite lunette donnant sur l'autel et appelée hagioscope : de là, elles pouvaient assister aux offices sans être vues. En passant à côté du reclusoir, cette nuit-là, Enguerrand entendit la complainte murmurante des prières des saintes femmes. Il se signa.

Le premier matin, après avoir constaté ma disparition, Enguerrand avait soupçonné Charles Jean-Bon père et fils de m'avoir enlevée. Par la suite, plusieurs personnes lui confirmèrent avoir aperçu quatre petits gros qui, depuis l'aube, tournaient autour de la ferme des Sauveterre, comme s'ils préparaient un mauvais coup.

Accompagné de deux amis, enquêteurs de police au Châtelet, rencontrés au gibet de Montfaucon, Enguerrand avait passé près de trois jours à chercher la nouvelle adresse de Charles Jean-Bon. Après qu'un marchand de vin du Petit Pont la leur eut donnée, ils s'y rendirent, sous une lune presque pleine, pour me récupérer. Ils frappèrent un long moment à la porte avant qu'un des hommes de main ne la leur ouvrît. Il fallut insister pour qu'il acceptât d'aller réveiller son maître qui arriva peu après, de fort méchante humeur, une bougie à la main :

« Quelle étrange idée de venir déranger les honnêtes gens en pleine nuit, grogna Charles Jean-Bon.

— Je suis venu reprendre ma femme que vous m'avez ravie, répondit Enguerrand.

— Non, je ne l'ai pas ravie mais recueillie. Par pitié ! C'est elle qui m'a supplié de l'emmener, elle était complètement affolée par ce qui venait de lui arriver et je suis quelqu'un de très salvable[1], tout le monde vous le dira. Si vous la voulez, je vous la rends bien volontiers : c'est une fille de Satan et elle en porte la preuve sur sa chair. »

Attirés par le bruit, ses fils avaient rejoint Charles et il leur demanda d'aller me chercher dans ma chambre. Quand ils m'amenèrent, Enguerrand se jeta sur moi et me serra dans ses bras.

Charles Jean-Bon pointa sur moi un doigt accusateur :

« Cette femme est une merdière[2], une chiabrena[3], une puterelle de Satan.

— Je vous défends de parler comme ça de mon épouse, s'écria Enguerrand.

— Il suffit de l'esnuer[4] et vous verrez que j'ai raison, corne de bouc ! »

1. Secourable.
2. Polissonne.
3. Chiure de merde.
4. Dénuder.

Charles s'approcha de moi. Après s'être dégagé de mes bras, Enguerrand pointa son épée sur lui.

« Je vous dis que cette femme est possédée, insista Charles sans se démonter. La meilleure façon de prouver que j'ai tort, c'est d'aller voir sous ses affublements[1]. Qu'attendez-vous pour vérifier si je vous raconte des menteries ? »

Enguerrand se tourna vers moi. Il sembla hésiter.

« Ne fais pas ça », gémis-je.

Apercevant les ombres rouges et bleues qu'éclairait la pleine lune sous ma vêture de lin, il saisit ma main et m'emmena quelques pas plus loin pour en avoir le cœur net.

Je tentai de croiser les bras pour empêcher Enguerrand de soulever ma cotel de nuit mais j'étais trop faible pour résister longtemps.

À la vue des diables et des flammes sur mon corps, Enguerrand poussa un cri de l'autre monde, puis s'écria :

« Seigneur Dieu ! Que s'est-il passé ? »

Ma bouche tremblait tellement qu'il n'en sortait que des bouts de mots. J'éclatai en sanglots et montrai du doigt Charles Jean-Bon qui déclara seignoriablement[2] :

« Vous pouvez la reprendre, je croyais rendre service, je ne tiens pas à la garder. »

Après avoir soulevé à leur tour la cotel, les

1. Tenue vestimentaire.
2. Avec majesté.

enquêteurs de police décidèrent de m'emmener à l'évêché.

Enguerrand s'interposa :

« Il n'en est pas question.

— C'est notre devoir de la remettre à l'Église, dit l'un.

— Cette femme est un blasphème vivant, ajouta l'autre. On ne peut pas la laisser circuler dans Paris. »

*

Tout aurait été perdu pour moi si Enguerrand n'avait pas fait preuve de sang-froid et de présence d'esprit, comme il en était capable dans les situations de bescosse[1].

Il avisa la bougie que Charles Jean-Bon tenait à la main et lui demanda de la lui prêter, sous prétexte qu'il lui fallait retirer un caillou qui s'était introduit dans ses bottines et qui lui faisait mal au pied. Il effectua quelques pas en boitant et s'assit au pied d'un gros tas de foin destiné aux chevaux de la maison Jean-Bon.

En feignant de retirer ses bottines, Enguerrand laissa tomber la bougie sur le tas de foin qui s'embrasa aussitôt, provoquant un affolement général. Il profita de la confusion pour me prendre par la main et courir avec moi loin, dans le cimetière des Saints-Innocents, au milieu

1. Agitation.

de la canaille et de la crapaudaille, sous la lumière blanche de la lune.

De temps en temps, nous nous arrêtions pour nous retourner. Personne. Les Jean-Bon et les enquêteurs de police avaient trop à faire avec l'incendie qui rougeoyait derrière l'église.

Quand nous arrivâmes à la ferme de Chaillot, une heure plus tard, nous remplîmes nos baluchons en toute hâte, chargeâmes notre mule et, après avoir embrassé les parents Sauveterre, prîmes la direction du sud pour mettre le plus de distance possible entre nous et tous ceux qui, pensions-nous, partiraient à notre poursuite. Les Jean-Bon, les enquêteurs de police, les échevins du roi.

Le premier jour, Enguerrand et moi n'échangeâmes pas un mot en chemin. Ce ne fut pas faute d'avoir essayé mais les paroles se perdaient dans les lacis de nos gosiers noués. Le soir, après avoir avalé du pain et du fromage de Chaillot, je finis par me lancer :

« J'espère que tu es convaincu que ce n'est pas Satan qui a décidé de décorer mon corps de toute cette diablaille…

— C'est Jean-Bon qui a décidé ça, je le sais. Mais que cherchait-il ?

— À me punir, à m'avilir, à m'asservir.

— Je te le dis encore, je le tuerai un jour.

— Ne me prive pas de ce plaisir, protestai-je.

— En attendant, je te conseille de rester toujours couverte d'une cotel. En dehors de moi, personne ne doit voir ta diablaille. Sinon, tu finiras au fagot, Belle d'amour. »

Ce fut la première et la dernière fois que nous avons évoqué ensemble les tatouages. Si l'on veut que le temps efface nos malaventures, mieux vaut ne pas les malascher[1] en soi : elles vous gâchent la vie. Mettez-les dans un coin de votre tête et n'allez plus jamais les visiter, vous verrez qu'elles s'effilocheront dans la mer de souvenirs qui monte en nous au fil des ans. Si jamais elles refont surface, serrez les dents, elles finiront toujours par passer.

1. Pétrir.

16

La parole d'un roi et la tendresse d'une mère

PARIS, 1248. C'était un temps où les humains mouraient comme des mouches. Une maladie, une chute ou une mauvaise rencontre et on avait tôt fait de trépasser. Quitte à mourir, autant que ce fût pour une grande cause.

Enguerrand et moi avions l'air halluciné, pendant que nous emportait la marée grouillante des croisés du Christ, une armée spontanée d'inspirés, d'hystériques, d'abrutis, de galeux, de chativaille[1].

Cet élan mystique semblait enfanté par les entrailles de la France elle-même, que remuaient, sous les joies ordinaires, toutes sortes de passions tristes. Elles macéraient depuis longtemps en nous. Les peurs du bas peuple dont la plupart des aristocrates suçaient le sang, jusqu'à la dernière goutte. L'obsession des bougreries[2] que la chrétienté entendait exterminer totalement.

1. Ramassis de personnes misérables.
2. Hérésies.

Les vieilles haines des vassaux contre la monarchie.

On aurait dit que Louis IX avait sorti tout ça de terre pour le transcender en ferveur religieuse. Ce roi n'était pas fait pour ce monde de complots et de guerres, mené par la cupidité, l'envie, l'esprit de faction. Il préférait le surplomber. Il n'avait pas de difficulté à le faire : habitant bien au-dessus de lui-même, il avait de qui tenir.

Blanche de Castille, sa mère, était une maîtresse dame, drôle, subtile, cultivée, d'un caractère en acier trempé : elle avait la politique dans le sang. De culture espagnole mais nièce des rois anglais Richard Cœur de Lion et Jean sans Terre, elle avait été choisie par sa grand-mère, Aliénor d'Aquitaine, pour épouser le prince Louis, fils de Philippe Auguste, afin de sceller pour de bon l'alliance entre la France et l'Angleterre.

Louis VIII dit « le Lion », son mari, ne régna que trois ans et à sa mort, en 1226, leur fils aîné, le futur Saint Louis, n'avait que douze ans. Blanche assura la régence. Une mère jalouse et tyrannique, qui exerça jusqu'à sa mort un réel ascendant sur le roi. Pour le plus grand malheur de Marguerite de Provence, que la reine mère avait choisie pour en faire, à l'âge de treize ans, l'épouse de l'héritier du trône.

Les chroniqueurs du règne racontent une histoire édifiante : un jour, alors que Louis IX rendait visite à sa femme Marguerite dans ses appartements, il entendit les pas de sa mère qui s'approchait, et se cacha, comme pris en faute, derrière un rideau. L'ayant aperçu, Blanche explosa : « Que faites-vous ici ? Vous perdez un temps précieux, sortez ! »

Tout au long de sa vie, Blanche fut une femme à poigne, capable de charmer, d'encaisser ou de tuer dans l'œuf les pires machinations : un couteau dans une main, un pot de miel dans l'autre, elle avait su se faire respecter, pendant la régence, des grands vassaux qui auraient bien voulu profiter de la situation pour abaisser ou renverser l'autorité monarchique.

Pieuse au point de dire qu'elle aimerait « mieux voir son fils mort que souillé par un péché mortel », Blanche n'était pas pour autant aveugle au monde. Elle ne souffrait pas de voir Louis IX enfourcher avec tant d'ardeur la cause des croisades qu'elle savait perdue.

Blanche de Castille était l'une des rares personnes du royaume des Francs à être aussi lucide. La foi avait abusé tout le monde ou presque. Comme les soldats de l'ost, Tiphanie et Enguerrand semblaient marcher dans le ciel, d'un pas joyeux et martial, en route pour la croisade, l'absolu, l'aventure.

*

Jusqu'au dernier moment, ses proches et ses ministres avaient tenté de faire revenir Louis IX sur sa décision de partir en croisade. Quand, un jour, pour frapper un grand coup, ils vinrent en délégation, l'un des moins convaincants ne fut pas Pierre d'Auvergne, l'évêque de Paris, qui mit en garde le roi contre les Poitevins : matés naguère par son père, ils pouvaient reprendre les armes à tout moment. Les albigeois l'inquiétaient mêmement : leur hérésie avait de beaux restes, ils risquaient de profiter de son absence pour rallumer la guerre.

Quant à Blanche de Castille, l'instigatrice de cette opération de la dernière chance, elle joua sur la corde sensible en implorant le souverain, les larmes aux yeux :

« Mon fils, si la Providence s'est servie de moi pour veiller sur votre enfance et vous conserver la couronne, j'ai peut-être le droit de vous rappeler les devoirs d'un monarque et les obligations que vous impose le salut du royaume à la tête duquel Dieu vous a placé, mais j'aime mieux faire parler la tendresse d'une mère. »

Elle observa que son grand âge ne cessait de réduire son espérance de vie :

« Votre départ ne me laisse que la pensée d'une séparation éternelle, heureuse encore si je meurs avant que la renommée ait apporté en Occident la nouvelle de grands désastres. »

Elle rappela enfin au roi qu'il avait des enfants et qu'il les abandonnait « au berceau » :

« Ils ont besoin de vos leçons et de vos secours. Que deviendront-ils en votre absence ? Ne vous sont-ils pas aussi chers que les chrétiens d'Orient ? »

Après s'être jeté dans les bras de Blanche qu'il tenta de consoler, Louis IX déclara qu'il laissait le royaume à la reine mère « dont la sagesse sauva l'État de tant de périls », avant de conclure que rien ne pourrait le faire changer d'avis : « N'oubliez pas qu'il y a des obligations qui sont sacrées pour moi, qui doivent être sacrées pour vous, c'est le serment d'un chrétien et la parole d'un roi. »

Tel était Louis IX : lyrique et téméraire, il parlait pour les stèles de la postérité et ne craignait personne, fors sa mère et le Tout-Puissant.

Tout en contradictions, le roi savait mener son monde avec autant de douceur que de fermeté, sans reculer jamais devant la violence quand étaient en jeu la religion ou le royaume, pour le plus grand malheur des hérétiques, des blasphémateurs, des mal-pensants.

Un jour, l'historien Louis-Pierre Anquetil (1723-1808) décrirait ainsi ce roi-Janus : « Saint Louis n'était ardent, fort et courageux qu'excité par de grands intérêts ; hors de là, on le voyait faible et timide. Terrible au combat contre les rebelles et contre les ennemis de l'État, fier quand il fallait réparer les usurpations de Rome et des évêques, dans son intérieur il était dominé par sa mère, et souvent même semblait gouverné par ses domestiques. »

Il n'y avait que ce monarque-là, moitié loup, moitié agneau, toujours assis entre deux sièges, le trône doré du souverain et la chaise branlante du pécheur, qui pouvait obtenir la confiance d'au moins cinquante mille sujets rassemblés, sous sa bannière, pour cette septième et avant-dernière croisade de l'Occident. Il était emporté par la crue qu'il avait provoquée.

*

En descendant la vallée du Rhône avec la croiserie, je me demandai si Enguerrand m'aimait encore : comme s'il était effrayé par mes tatouages sataniques, il évitait de me regarder et me tournait le dos quand nous nous acouchions[1] pour dormir.

Notre amour n'aurait sans doute pas survécu aux quatre diables si, non loin d'Avignon, nous n'avions rencontré en chemin le chevalier Richard de Mortelune qui, comme nous, partait en croisade.

Toute la journée, la terre de Provence avait subi les coups de pioche du soleil. Notre mule n'en pouvait plus, elle titubait de fatigue. L'air était sec et sentait le foin caramélisé. Nous respirions à grands traits comme des bêtes assoiffées.

Soudain, il y eut des criements affreux, poussés au bout du chemin. Enguerrand me fit signe d'aller me cacher avec la mule dans un bois proche et il courut, l'épée en avant, en direction de la noise[2]. Deux brigands tentaient, les armes à la main, de tuer un chevalier et son écuyer qui refusaient de se laisser dépouiller. Plié en deux et grimaçant comme un grand blessé, ce dernier finit par s'écrouler après que son ventre fut percé par un coup de lance.

1. Nous allongions, nous mettions au lit.
2. Tapage.

Quand Enguerrand se jeta sur eux, les deux brigands eurent à peine le temps de respirer qu'il les avait déjà occis avec sa botte secrète : un premier coup en pleine gorge, la pointe en avant, pour faire tomber l'adversaire ; un second pour lui percer le cou ou la nuque selon qu'il était sur le ventre ou sur le dos.

« Dieu te bénisse ! s'exclama Richard de Mortelune avec emphase. Tu m'as sauvé !

— J'ai fait mon métier d'homme. »

Richard de Mortelune avait une entaille profonde au bras.

« Ma femme te guérira vitement », dit Enguerrand.

Quelques jours avant notre départ précipité de Chaillot, j'avais préparé des fioles pour faire face aux problèmes de ce genre. Dame Nature pourvoyant à tout, ses herbes permettaient de soigner, entre autres, la courante, les rhumes ou les blessures.

Pour cicatriser les plaies, j'utilisais une formule imparable que mon père m'avait apprise. Je les frottais avec de l'alcool de vin avant de les recouvrir d'un mélange d'argile, d'ail, de menthe, de thym, de romarin, de bergamote.

Enguerrand détesta le regard que le chevalier coulait sur moi pendant que je le soignais. C'était comme si celui-ci l'acoupissait[1] des yeux. Il fut horrifié quand, pour me remercier, Mortelune posa sa

1. Le rendait cocu.

main sur la mienne et l'y laissa longtemps en souriant, comme si c'était déjà sa chose.

Pour qui se prenait-il ? Aux yeux d'Enguerrand, le chevalier n'était qu'un frivoleur, de la catégorie des peigne-culs. Avec ça, un pigre[1] à la larme facile. Mortelune n'était pas du genre à donner un coup de main. Quand il enterra plorosement[2] son écuyer, il ne bougea pas le petit doigt et nous laissa jeter dans un fossé le cadavre que nous recouvrîmes d'un amas de branches, de pierres, de feuilles mortes.

Enguerrand accepta néanmoins sa proposition de devenir son nouvel écuyer. Il fallait au chevalier de Mortelune quelqu'un pour porter son bouclier, l'aider à enfiler son armure, soigner sa mule et ses deux chevaux. Dans la foulée, il m'embaucha pour la cuisine et la blanchisserie.

Ce n'était pas un marché de dupes. Après qu'Enguerrand l'eut sauvé des brigands, Mortelune allait sauver notre couple. Plus le chevalier me faisait les yeux doux, plus mon époux me regardait de nouveau.

Le Sud est comme un don de Dieu, une aube qui n'en finit pas, un hymne à la joie que chantent les cigales, les feuilles, les oiseaux. Alors que nous nous approchions d'Aigues-Mortes, en Camargue, point de départ de la croisade, nous avions tous les trois le sourire. Sous l'effet de la cour que me

1. Paresseux.
2. En pleurant.

faisaient les deux hommes, je retrouvais confiance en moi.

La fin du périple fut merveilleuse : Mortelune avait récupéré son cheval et moi celui de l'écuyer mort. Seul Enguerrand restait à pied. Il marchait derrière nous, les brides des deux mules à la main.

Enrageant de nous entendre babiller toute la journée, Enguerrand se rattrapait le soir. Souvent, il m'embrassait ostensiblement devant Mortelune. La jalousie peut être aussi le tison de l'amour : en affouillant les braises, elle fait repartir le feu.

Après le souper, je chantais souvent à Enguerrand des petites odes que j'avais composées pour lui :

Je suis toi, tu es moi.
Je suis le ciel, tu es le soleil.
Tu es la cognée, je suis ton arbre.
Tu es la faim, je suis le pain.
Tu es la vague, je suis la rive.

De la rimerie[1] de troubadour. Même si elle n'était pas fameuse, elle comblait Enguerrand. Après ça, comme pour le purifier, il se déchaînait sur mon corps tatoué en réclamant que je lui soufflasse à l'oreille des mots sales de soussouille[2] :

1. Mauvaise pièce de vers.
2. Personne grossière.

« Biscote-moi, chuchotais-je, baratte-moi, belute-moi, plante-moi, martèle-moi, bragmarde-moi, fouaille-moi, hourdebille-moi… »

Ce n'était plus la fruition qui montait en lui, mais une mer démontée. J'aimais m'y noyer.

17

L'ennemi n'est jamais celui que l'on croit

AIGUES-MORTES, 1248. Nous sommes le 25 août. Louis IX vient d'embarquer, comme nous, pour la croisade. Le roi est avec sa femme Marguerite et deux de ses frères, les comtes d'Anjou et d'Artois. Le mistral a bien fait les choses : les derniers filaments de nuage ont été chassés au bout de l'horizon, comme les mauvaises odeurs.

Dans la baie d'Aigues-Mortes, du même bleu marine que le ciel, il règne un mélange de joie et de pureté. Tout le monde éprouve la même griserie quand les trente-huit grands vaisseaux de la flotte royale, accompagnés de bordées de petits bateaux, s'élancent dans la mer pour retrouver ceux qui sont déjà partis du port tout proche de Marseille.

La guerre allait-elle souiller la foi et l'amour qui croisaient vers l'Orient ? C'est une question que ne pouvait manquer de se poser Louis IX. Militairement, le roi n'avait certes pas bien préparé son affaire, mais on peut tout lui reprocher sauf d'avoir sous-estimé l'adversaire. Au

XIXe siècle, un historien allemand[1] résumerait ainsi le rapport de force : « Qu'étaient alors les trésors, le luxe, l'industrie, le commerce de l'Europe, mis à côté de ceux de l'Orient ? Qu'étaient Aix-la-Chapelle ou Paris, près de Bassora ou Bagdad ? »

Contrairement à l'Orient, l'Occident avait un grand atout : la chevalerie. Tous les spécialistes des croisades en font l'éloge. C'est peu dire que sa lumière a éclairé le Moyen Âge. Selon le même auteur allemand, elle incarnait le « génie du siècle ». Les chevaliers exaltèrent ou réinventèrent l'honneur, la religion, la morale, l'aventure, la bravoure, la galanterie, le désintéressement. Sans oublier l'amour courtois, respectueux de la femme, que célébraient dans les châteaux tant de vers et de chants.

Il y a un immense mystère. Ce sont ces mêmes chevaliers, modèles de raffinement, qui se comportèrent comme des criminels de la pire espèce en massacrant sans pitié les habitants de Jérusalem après y être entrés par le côté nord, un siècle et demi plus tôt, le 15 juillet 1099, à partir de neuf heures du matin, l'heure où Notre-Seigneur Jésus-Christ fut crucifié.

Ce jour-là, le chevalier Tancrède de Hauteville fut l'un des plus enragés avec Godefroi de Bouillon, futur maître après Dieu du royaume de Jérusalem. Les deux hommes ont-ils été

1. A. H. L. Heeren dans son *Essai sur l'influence des croisades*, 1808.

dépassés par les événements ? À la mosquée al-Aqsa, construite sur les ruines du temple de Salomon, puis à la mosquée Omar, les croisés égorgèrent soixante-dix mille musulmans à en croire l'historien arabe Ibn al-Athîr. Même s'il est sujet à caution, ce chiffre donne une idée de la tuerie qui n'épargna pas les chrétiens syriens ou arméniens, et je ne parle pas des pilleries qui suivirent.

Comme la grande majorité des croisés de 1248, je ne savais pas cela. Je ne savais pas non plus que les Juifs seraient ensuite chargés d'enlever les cadavres et de laver les rues, avant d'être vendus comme esclaves, trente pour une pièce d'or, puis expédiés pour la plupart dans les Pouilles. Ceux d'entre eux qui n'eurent pas cette chance, si j'ose dire, furent exterminés.

Richard de Mortelune avait toutes les qualités requises pour être un bon chevalier. Il ne lui manquait que le désintéressement. Pendant le voyage, il parla souvent de la fortune qu'il comptait rapporter de la croisade. Il n'y a pas que l'argent qui compte, s'amusait-il, il y a aussi les châteaux, les bijoux, les lampes et les tapis.

« Un jour, me dit-il alors que nous étions seuls sur un pont, je te ferai profiter de toutes ces richesses. »

Je rougis.

« J'aime beaucoup Enguerrand, ajouta-t-il à voix basse, mais c'est un butor. Tu mérites mieux.

— Il m'a sauvée.

— Moi aussi, il m'a sauvé. Mais la gratitude est un boulet, elle nous empêche de vivre. Je préfère l'ingratitude : elle nous libère de ceux qui nous ont fait du bien et qui, en retour, nous asservissent. »

Richard de Mortelune regarda l'horizon en plissant les yeux, puis murmura :

Que serait mon cœur
Sans toi, mon âme sœur ?
Viens, je suis ton toit
Promène-toi en moi.

Ce n'était pas brillant, il s'en faut, mais je fus sensible à l'attention. Je bavolai[1] du cœur un moment avant de hocher la tête en me remplissant la poitrine de vent, d'embruns, de rêveries.

« Tu n'as rien à me dire ? » demanda Richard.

Je baissai les yeux.

« Nous en reparlerons dans un an, reprit-il.

— Pourquoi dans un an ?

— Quand nous serons rentrés. Nous avons tout le temps. »

C'était une époque où l'on ne comptait jamais le temps alors qu'il était bien plus mesuré qu'aujourd'hui.

*

1. Palpitai.

Les hommes se recordent[1] tout mais n'apprennent jamais rien. Ils partent toujours à la guerre en chantant, pensant qu'elle ne durera pas, avant d'en revenir des années plus tard, la queue basse, le regard éteint, en traînant la patte.

Ce fut le cas pour chacune des croisades qui, hormis la première, finirent en fiasco. D'où le climat de joyeuseté qui régnait sur notre vaisseau alors qu'il voguait en convoi vers l'île de Chypre. Ça riait, ça buvait, ça ripaillait, c'était tous les jours fête.

Les croisés n'étaient pas conscients des ennuis qui les attendaient. Les Tartares faisaient trembler l'Europe, tout en commençant à rouler leur meule sur l'Orient. Après s'être emparés de Moscou et de Kiev, ces guerriers aux yeux bridés avaient ravagé la Pologne, la Silésie et la Moravie, avant de franchir les Carpates et de mettre la main sur une partie de la Hongrie. Il semblait écrit que l'Allemagne et la France seraient, comme le monde arabe, leurs prochaines conquêtes.

En proie à toutes sortes de querelles, notamment entre le sultan d'Égypte et les princes de Syrie, les mahométans paraissaient condamnés à tomber entre les mains des Tartares, ce qui faillit arriver dix ans plus tard quand, après la chute du califat de Bagdad, en 1258, ces derniers mirent la main sur une partie importante du monde arabe.

1. Se souviennent.

L'Histoire était en marche et rien ne l'aurait arrêtée si un homme n'avait tout fait basculer et pris l'avantage en réunissant les forces de l'Égypte et de la Syrie : le sultan du Caire, Malik al-Salih Ayyoub, artiste de la peur et de la sournoiserie, qui détestait les palabres et ne souffrait pas que l'on discutât ses décisions. Un époustouflant stratège.

Les chroniqueurs des croisades lui préfèrent son grand-oncle kurde, Saladin, moins cupide et plus diplomate, ce qui, dans les deux cas, n'était pas difficile. Mais Al-Salih Ayyoub, nouveau maître de l'Orient, avait toujours su retourner les situations avec maestria. Le but de la guerre du roi des Francs étant l'Égypte, il était désormais l'ennemi numéro un de l'Occident.

Le récit qui suit, raconté par Joseph-François Michaud dans son *Histoire des croisades*, peut se lire comme un conte édifiant à l'usage des fatalistes et des défaitistes. L'histoire d'un sommet de fourberie politique. Un apologue où tout est vrai.

Pour reprendre Jérusalem, les ordres du Temple et de l'Hôpital, autrement dit les chrétiens d'Orient, avaient noué une alliance avec les princes musulmans de Syrie contre le sultan d'Égypte qui, en réaction, s'était aussitôt uni avec ceux qu'on appellera les Karismiens, débris d'un ancien royaume islamisé d'Iran dont il ne reste aujourd'hui plus de trace. Un peuple en perdition, qualifié de barbare, chassé de ses propres terres par les Tartares, en 1221, et qui errait d'un pays à l'autre, vivant de rapines.

Apparemment, les Karismiens allaient trouver leur compte dans cette alliance avec l'Égypte. À eux la sale besogne, la récompense viendrait ensuite. Le sultan Al-Salih Ayyoub leur ayant promis la Palestine, ils allaient faire des prodiges : indisciplinés comme tous les guerriers barbares, ils étaient aussi rusés que preux.

Vingt mille cavaliers karismiens fondirent sur Jérusalem, l'un des derniers bastions chrétiens. Encadrés par les émirs du sultan d'Égypte, ces combattants étaient accompagnés de leurs femmes, de leurs enfants. Impressionnés par cette démonstration de force, les habitants de la Ville sainte préférèrent s'enfuir. Mais vaincre et chasser les chrétiens, ce n'était pas suffisant pour les assaillants, encore fallait-il les exterminer.

Pour faire revenir les vaincus à Jérusalem, l'ennemi karismien usa d'un stratagème : il coiffa les tours et les castelleries[1] des croix et des étendards chers aux chrétiens qui se laissèrent berluser[2]. Revenus dans la Ville sainte qu'ils croyaient miraculeusement reprise par les leurs, ils furent tous tués. C'est ainsi qu'est tombée Jérusalem, le 23 août 1244.

Dans l'histoire humaine, jamais ville ne fut plus martyrisée, dévastée, suppliciée et immolée

1. Fortifications.
2. Berner.

que Jérusalem. Trente, quarante ou cent fois, Dieu seul sait. Après les Romains, les Arabes, les Perses, les Turcs ou les croisés, c'était maintenant au tour des Karismiens de saccager la Ville sainte, pour le grand bénéfice du sultan d'Égypte qui en prit possession avant d'expédier au Caire des montagnes de têtes coupées qui furent exposées sur les murailles.

Stupeur des princes musulmans de Syrie. Ils décidèrent alors de s'unir aux chrétiens pour exterminer ces barbares. Ce fut la bataille de Gaza. Un cauchemar pour l'armée christiano-musulmane où les croix du Christ se mêlaient aux croissants mahométans. Au terme de deux jours de combats, cette coalition improbable perdit, selon les chroniqueurs de l'époque, trente mille hommes, tués ou faits prisonniers par les Karismiens.

La chance tourna en défaveur des Karismiens quand le prince musulman d'Émèse, Malek-Mansour, un grand fourbe, écrasa leur armée en 1247. Al-Salih Ayyoub oublia derechef toutes ses belles promesses : elles n'engageaient que les barbares qui les avaient reçues. Décimés, ils n'avaient plus qu'un seul droit, celui de s'enfuir. Al-Salih Ayyoub reprit Damas, liquida les derniers îlots de résistance en Syrie et devint le maître d'une grande partie de l'Orient. Un triomphe qu'il devait à ces idiots utiles de Karismiens.

Voilà l'homme sans foi ni loi que nous venions défier derrière Louis IX, alors que la

Terre sainte était redevenue une terre mahométane, hostile aux chrétiens. C'est pourtant avec insouciance que Richard, Enguerrand et moi nous y rendions, en échangeant de temps en temps des brimborions d'amour, avant d'étouffer de petits rires.

18

L'étrange mort du chevalier des Arcis

DAMIETTE, 1249. C'était la fin du printemps, un printemps hivernal, à frimas. Il avait fallu attendre près d'un an pour que la septième croisade commençât enfin.

La terre dorée d'Égypte émergeait comme un mirage de la mer bleutée, mélangée à la brume du matin, derrière des moutonnements qui, parfois, tournaient au vert.

Je me sentais beaucoup mieux. J'avais passé une grande partie du périple entre l'île de Chypre et le delta du Nil sur le pont du vaisseau, à me vider les tripes par-dessus bord. Enguerrand posa un baiser sur ma bouche, un baiser appuyé pour signifier qu'il m'aimerait jusqu'à la nuit des temps, même malade, même morte. Il enfouit son visage dans mes cheveux, puis murmura :

« Tu as de belles oreilles.

— Personne ne me l'a jamais dit.

— Elles me font bandeler[1].

1. Avoir une érection.

— N'as-tu pas honte de parler comme ça ? répondis-je à voix basse, avec une expression de fausse indignation. Sais-tu que tu me froidis[1] ?

— Ce serait bien la première fois depuis que je te connais ! Ne t'en fais pas, je vais te rechaudir[2]. »

Nous rîmes et il m'embrassa de nouveau, tandis que Richard détournait les yeux. Nous étions heureux d'arriver à destination. Comme tous les croisés, nous avions hâte d'en découdre et de bouter hors des Lieux saints l'armée du sultan.

Pour conquérir l'Égypte, Louis IX avait mis en branle l'une des plus grandes flottes jamais rassemblées dans l'Histoire : dix-huit cents bateaux, parmi lesquels cent vingt gros vaisseaux, des galères et des bateaux plats, transportant une armée qui comprenait deux mille cinq cents chevaliers, cinq mille arbalétriers et une foule de soldats à pied ou à cheval. Plus de cinquante mille personnes en tout.

Quelques jours plus tôt, une tempête avait dispersé la flotte royale. Repoussés jusqu'aux côtes de Syrie par des vents violents, un tiers des bateaux manquaient à l'appel devant la côte égyptienne. Le conseil des barons demanda au roi de surseoir au débarquement sur le delta du Nil. Mais Sa Majesté décida de passer outre. Pourquoi attendre ? L'ennemi mahométan, estima le roi, aurait cru qu'il hésitait ou qu'il avait peur, et il serait aussitôt passé à l'offensive. Le monarque

1. Que tu me refroidis.
2. Réchauffer.

redoutait, de surcroît, un retour du mauvais temps et avait hâte de mettre ses bateaux à l'abri, dans un port.

Le matin du 6 juin 1249, lendemain du débarquement de l'armée de Louis IX sur la rive gauche du Nil pour reconquérir le port égyptien de Damiette, le soleil commençait à tisser ses fils d'or dans le ciel aussi pur qu'une eau de montagne quand, soudain, une cigogne blanche expira en plein vol et tomba en piqué sur l'une des tentes du campement. Elle ne portait aucune trace de blessure. Sans doute un arrêt du cœur.

Le choc réveilla tout le monde sous la tente. Richard de Mortelune se leva pour aller compisser et, en chemin, découvrit qu'Amaury des Arcis était mort. Il avait la couche et les habits couverts de sang : tout indiquait qu'il avait été égorgé pendant son sommeil.

Le chevalier poussa un criement qui réveilla Enguerrand.

« Dis-moi, l'écuyer, que s'est-il passé ? hurla-t-il. Comment se fait-il que nous n'ayons pas entendu de bruit ?

— Comment se fait-il ? répéta Enguerrand d'une voix molle, dans un demi-sommeil. Il n'y a peut-être pas eu de bruit...

— C'est vrai qu'Amaury était rond comme un œil de merlan. Fi ! nous avons ripaillé à l'excès. Il faut dire que Tiphanie est une trop bonne cuisinière. »

Cette nuit-là, j'avais dormi dans la tente d'à côté, avec les femmes : à l'ost, les couples n'étaient plus bienvenus depuis que la guerre avait commencé. Mon homme et les autres étaient en pleine sidération quand j'arrivai avec la mangeaille du matin, du pain et des biscuits.

Pendant qu'Enguerrand s'habillait, Mortelune s'adressa à moi avec un regard accusateur :

« Le festin, c'est le pire ennemi du soldat !

— N'empêche qu'Amaury semblait tellement heureux hier soir, protestai-je. On lui a donné sa dernière joie. »

J'avais fait une omelette à la salade, aux herbes et au gingembre, puis de la tourte à l'ail, au fromage, aux œufs et au safran. Tout le monde s'était régalé.

Mortelune commença à pleurer, d'abord à petites larmes puis *crescendo*.

« On aimait tous Amaury, souffla Enguerrand, compatissant, il n'avait pas d'ennemi. Dans ma vie, j'ai connu peu de gens aussi sympathiques. »

*

Dans la mort, Amaury des Arcis avait l'air calme et reposé, comme une tête de veau à l'étal du boucher. Pas le moindre signe de souffrance. Sans son teint blême et le sang répandu autour de lui, on aurait pu croire qu'il dormait du sommeil du juste.

Amaury des Arcis était l'un des chevaliers qu'avait emmenés avec lui Jean de Joinville, sénéchal de Champagne et confident du roi, sans doute l'un de ses principaux conseillers.

Mortelune courut avertir Joinville. Quand il lui annonça la mordrerie[1] du chevalier des Arcis, le sénéchal était en réunion avec Louis IX et les barons : ne pouvant se rendre tout de suite sur place, il dépêcha son échevin, un magistrat de confiance, chargé de la police. Un gros père soufflant et transpirant, qui gardait la bouche ouverte et les lèvres pendantes, ce qui trahissait sa vraie nature : la veulerie. Un viédasse[2].

Après avoir jeté un coup d'œil sur le cadavre, l'échevin déclara :

« Ce n'est pas un mahométan qui a fait ça. Sinon, il aurait eu la gorge tranchée sur toute la largeur.

— On l'a égorgé comme un cochon, approuva Enguerrand avec l'autorité de la compétence. Regardez : on a enfoncé le couteau à la droite du cou, là où bat le sang, comme font nos paysans.

— Et vous ne l'avez pas entendu crier ? »

Richard et Enguerrand secouèrent la tête.

« Ce n'est pas possible, dit l'échevin. Un cochon qu'on égorge, ça crie énormément.

— Sauf si on l'a assommé avant, observa Enguerrand.

— Mais il ne porte pas de traces de coups sur la tête.

— Peut-être l'a-t-on endormi avec un breuvage ou de la magie. À moins qu'on ne l'ait enherbé[3]. »

1. Assassinat.
2. Un nul.
3. Empoisonné avec des herbes.

L'échevin caressa le grand front du chevalier des Arcis avec délicatesse, pour ne pas tacher sa main de sang, avant de poser cette dernière sur l'épaule de Mortelune :

« Je sais que vous étiez très proches. Sachez que je l'aimais beaucoup.

— Moi aussi, soupira Mortelune. C'est l'homme le plus courageux que j'aie jamais rencontré. Sa mort est une grande perte pour notre armée et pour la chrétienté. »

Amaury des Arcis était un grand gaillard d'une quarantaine d'années, au regard d'enfant, à l'humilité démesurée et si économe de ses paroles que certains, n'ayant jamais entendu le son de sa voix, le croyaient muet.

Barbu et taciturne, ce qui va souvent ensemble, des Arcis faisait partie de cette catégorie de timides qui ne répondent aux questions que par des mouvements de tête. Sa discrétion n'avait d'égale que sa bravoure. Il était à l'image du roi, toujours le premier à charger, le heaume sur la tête, la lance à la main ; il fallait sans cesse le modérer. La veille, il avait tué à lui seul onze mahométans dans la bataille qui avait suivi le débarquement de l'ost en Égypte.

*

Sans vouloir atténuer les mérites du chevalier des Arcis, c'est peu dire que la vaillance n'étouffait pas, ce jour-là, l'ennemi mahométan. Voyant s'approcher de la plage les nefs du roi, l'armée du sultan d'Égypte s'appliqua surtout à faire un bruit d'enfer avec ses cors, ses timbales et ses tambours. Mais quand la bataille commença et qu'il lui fallut défendre sa terre, elle devint pitoyable : les archers et les arbalétriers francs eurent rapidement raison des fantassins et des cavaliers musulmans, qui s'enfuirent après avoir mis le feu au bazar de la ville et massacré les chrétiens de Damiette.

Le roi n'en revenait pas. Avant de donner le signal du débarquement en sautant à l'eau, il n'en menait pas large. Il avait même tenu un discours mélodramatique aux chefs de l'armée qu'il avait convoqués sur son vaisseau :

> *Suivez mon exemple, laissez-moi braver les périls et, dans la chaleur des combats, gardez-vous de croire que le salut de l'Église et de l'État réside dans ma personne ; vous êtes vous-mêmes l'État et l'Église, et vous ne devez voir en moi qu'un homme dont la vie, comme celle de tout autre, peut se dissiper comme l'ombre, quand il plaira au Dieu pour qui nous combattons.*

Louis IX et ses barons n'auraient jamais imaginé qu'ils entreraient aussi facilement en Égypte. Sitôt qu'ils eurent fait place nette sur le « sablon » du delta, le légat du pape et les prélats chantèrent le *Te Deum laudamus*.

Le mérite des croisés était d'autant plus grand que, contrairement à la légende, leur victoire n'était pas le fruit d'une attaque surprise : leurs navires étaient restés longtemps devant l'embouchure du Nil et les sarrasins avaient largement eu le temps de s'organiser.

Ils savaient ce qui se préparait. Tout permet de penser que Frédéric II, le représentant en titre de la dynastie des Hohenstaufen, avait prévenu depuis longtemps le sultan d'Égypte, son ami Al-Salih Ayyoub, de l'arrivée imminente de la croisade de Louis IX. L'empereur germanique, par ailleurs roi de Sicile, était un faux frère de l'Église. Un polyglotte très intelligent, éduqué par un musulman, passionné de culture arabe, très porté sur les sciences, qui avait été excommunié deux fois. Ce n'était pas pour rien que le pape Grégoire IX le surnommait « l'Antéchrist » !

19

Le chat n'était pas noir

DAMIETTE, 1249. La nuit suivante, il n'y avait plus un seul guerrier mahométan. Les portes de la ville étaient grandes ouvertes, et Damiette offerte à l'armée franque. Les croisés avaient hâte de la piller, les stigmates de l'avidité défiguraient déjà leurs visages. Qui pouvait encore s'intéresser, dans ces conditions, au meurtre du chevalier des Arcis ?

Personne, sauf son ami Richard de Mortelune. C'était certes un falourdeur[1] d'auberge, agitateur d'oriflamme, coq de noçailles. Mais il ne fallait pas se fier à son regard de rapace en maraude. Richard de Mortelune avait du cœur, j'étais bien placée pour le savoir. Il aimait la piétaille, la povraille et les bêtes. Il était venu de Chypre avec un chat noir au ventre blanc.

Quand les troupes de Louis IX étaient arrivées à Chypre pour y passer l'hiver, elles avaient trouvé toutes sortes de provisions accumulées

1. Prétentieux.

depuis deux ans par le roi de l'île, Henri Ier de Lusignan, dit « le Gros », en prévision de la nouvelle croisade. Des murs de tonneaux de vin se dressaient devant la mer et des collines de froment ou d'orge s'élevaient dans les champs. Les grains du sommet ayant germé, ces mamelons étaient coiffés d'herbes vertes mais, au-dessous, les céréales restées fraîches avaient gardé le goût des moissons.

Pour empêcher les rongeurs ou les oiseaux de prélever trop de grains, les Chypriotes avaient laissé proliférer les chats, bientôt constitués en armée surveillant les abords des collines. Le matou noir au ventre blanc s'était amouraché de Richard de Mortelune qui, un jour, m'avait dit : « S'il devait m'arriver malheur, Tiphanie, je compte sur toi pour t'en occuper. »

Le jour du crime, Mortelune avait été surpris de ne pas trouver à son réveil le chat lové contre lui comme une femme aimante : la bête était à l'autre bout de la tente, en train de lécher le sang répandu d'Amaury des Arcis.

Au terme de son enquête, l'échevin revint rendre visite à Mortelune dans sa tente pour lui annoncer qu'il avait identifié le coupable : c'était le chat.

« Cet animal, déclara-t-il, c'est la fallace[1] incarnée. Vous avez vu comme il nous morgue[2] ? Pour qui se prend-il ?

1. Fourberie.
2. Regarde de haut.

— Il a son regard habituel, protesta Mortelune. Un regard plein d'amour.

— Que nenni ! Et puis son pelage est noir comme la Camarde[1].

— Non, il a plein de grosses taches blanches, s'insurgea Mortelune.

— Dites-moi où, je ne les vois pas.

— Son ventre est presque tout blanc !

— Quand le blanc est dessous et le noir dessus, vous savez bien que les chats sont noirs. Il faut donc tuer le vôtre vitement. Sinon, il risque d'y avoir d'autres victimes, d'autant que celui-là aime boire le sang humain. Maintenant qu'il y a pris goût, il ne pourra plus s'en passer. »

Mortelune sembla convaincu.

« Je vous laisse le mortir, dit l'échevin. Comme il ne me connaît pas, il risque de me griffer et les griffures, ça s'infecte. »

Après que l'échevin fut parti, le chevalier de Mortelune me demanda de prendre la garde du chat et de le dissimuler dans un sac.

« Mais un chat n'est pas une pierre, m'inquiétai-je. Il va se débattre et miauler.

— Tu le gorgeras de miel et, si ça ne suffit pas, tu lui concocteras une préparation pour l'abrutir et l'endormir. Dans quelques jours, personne n'y pensera plus. Nous avons quand même mieux à faire que ça : tuer les chats. En

1. La mort.

attendant, il faudra que tu le portes tout le temps avec toi. Pour le calmer, s'il s'énerve… »

Jusqu'à la tombée du soir, les croisés furent très occupés à mettre Damiette à sac. Que ne suivirent-ils l'exemple de leur monarque qui, ce jour-là encore, monta quelques nouvelles marches vers la sainteté !

Le roi entra à Damiette en pénitent, non en conquérant, suivi d'une longue procession où l'on pouvait notamment reconnaître le légat du pape, le patriarche de Jérusalem, les chefs des armées. Il marchait dans la rue pieds et tête nus, comme tous les serviteurs de Dieu. Décidément pas de ce monde, il imposait le respect à tous, sauf à ses soldats qui, au même moment, se déchaînaient dans la ville.

Pendant qu'ils se livraient à leurs pillements, Louis IX se rendait en chantant des psaumes à la grande mosquée où retentit bientôt le *Te Deum.* Transformée de nouveau en église, elle allait être désormais consacrée à la Vierge Marie, notre bonne mère à tous.

20

Le sac de Damiette

DAMIETTE, 1249. Depuis l'escale de Chypre, Enguerrand Sauveterre était devenu l'ombre de Richard de Mortelune. Il le suivait partout, portant son écu[1], sa hache, sa masse. Il était son larbin et son souffre-douleur.

Le chevalier faisait payer à Enguerrand mes refus répétés à ses propositions amoureuses. Pour détendre l'atmosphère, j'acceptai, un soir, à la venvole[2], un baiser de Mortelune. J'en aimai le goût et en gardai la nostalgie. La honte n'avait pas suffi à tuer le désir en moi. C'était même à se demander si elle ne l'avivait pas. Nous avons remis ça le lendemain.

Le soir de l'enterrement d'Amaury des Arcis, Mortelune nous emmena, Enguerrand et moi, instruire Joinville des circonstances de la mort de son ami. Le sénéchal de Champagne se

1. Petit bouclier de forme triangulaire qui remplaça le grand, beaucoup moins maniable.
2. À la légère, inconsidérément.

tenait au centre d'une tablée comme le Christ à son dernier repas. Au menu du dîner aux flambeaux : une soupe aux fèves et aux lentilles qu'il nous proposa de partager avec ses convives.

Mortelune refusa, au grand désespoir d'Enguerrand qui était affamé. Nous sommes restés debout à les regarder manger.

« Nous avons des éléments nouveaux, dit Mortelune.

— Mon échevin m'a dit que c'était le chat noir, déclara Joinville, et je le crois bien volontiers. On n'a pas idée d'emmener un chat noir à la guerre !

— Le chat n'y est pour rien. Avant l'enterrement, mon écuyer et moi avons découvert que le chevalier des Arcis avait une croix enfoncée dans les gargamels[1].

— Quelle horreur !

— Il avait le gosier tout déchiré. Ce n'est sûrement pas le chat qui aurait pu la mettre là. Fût-il noir, ce qui est une menterie de l'échevin, car, je ne me lasserai jamais de le dire, il a le ventre blanc.

— Eh bien, si ce n'est pas le chat, dit Joinville sur un ton fataliste, c'est un Bédouin qui a fait ça.

— L'échevin dit que c'est impossible et je suis d'accord avec lui : les Bédouins tranchent les gosiers en profondeur et sur toute la largeur. Je

1. Gorge.

suis sûr que c'est un soldat de l'ost qui a tué le chevalier des Arcis, quelqu'un qui sait tuer les cochons ou qui a vu comment on les tuait. Il faut reprendre l'enquête.

— Je ne me sens pas le cœur de demander ça à la maréchaussée, répondit Joinville. Elle a déjà tant à faire en ce moment. »

Il semblait en proie à une contrariété quand il ajouta avec lassitude :

« Vous avez vu comme nos soldats deviennent des monstres quand ils ont vaincu l'ennemi ! Tout ça est lacrimable[1].

— Il faudra quand même songer à faire la vérité sur ce crime, insista Mortelune d'une voix douce. Nous sommes très nombreux à nous inquiéter.

— Quand on est en guerre, la mort devient une routine et s'en inquiéter est une perte de temps. Je ne vais pas importuner le roi, ni la justice, ni personne avec cette histoire qui, même si elle nous triste tous, est derrière nous. »

Le sire de Joinville fit semblant de jeter quelque chose par-dessus son épaule. Il était comme le roi et le Tout-Puissant : débordé. Ç'avait été une journée mortelle. Elle sentait la mortaille, le sang pourri, la chair brûlée. Avant de s'enfuir, les mahométans avaient égorgé ou fracassé le crâne de tous les chrétiens de la ville qui leur étaient tombés sous la main, notamment ceux qui ne s'étaient pas

1. Déplorable.

évadés de prison. Partout, les croisés butaient sur des corps faisandés. Plutôt que les enterrer, ils les jetaient dans les feux que les sarrasins avaient allumés partout afin de ne laisser que ruines et cendres à l'ennemi.

Au milieu des décombres, la Camarde poursuivait son œuvre. Quand ils étaient entrés dans Damiette, les croisés avaient multiplié les crimes, les voleries. C'était une ville réputée riche, et il y avait de quoi faire. Si tolérant fût-il, Louis IX était très irrité par la mauvaiseté de ses troupes. On aurait dit des barbares, des Arabes, des Turcs, les mains dégoulinantes de sang, avec le rictus hideux des violeurs et des assassins arrachant à leurs victimes des cris d'outre-monde. Des maucréatures[1].

Richard de Mortelune participa à la dévastation de Damiette pendant qu'Enguerrand gardait les chevaux et que je cherchais des provisions. Quelques heures plus tard, de retour avec sa pluchaille[2], un sac rempli de bijoux en or, le chevalier décida qu'il fallait quitter la ville. Ce n'était pas la peur qui menait ses pas, mais la honte de faire partie de cette armée sans principes.

« Qu'est-ce qu'on fait là ? dis-je. Je ne savais pas que c'était comme ça, les croisades.

— Ce n'est que le commencement, murmura le chevalier.

1. Mauvaises créatures.
2. Menu butin.

— Mais comment peut-on en arriver là ?

— Parce que tout peut changer dans ce monde, mais non les hommes et leur bassesse. »

On m'a dit que le roi se serait écrié en sortant de la messe :

« Je veux qu'on arrête tout de suite cette infamie. Ce n'est pas chrétien ! »

Mais comment arrêter un torrent en crue ? « Je ne me pardonnerai jamais les horreurs commises par mon armée », aurait ajouté Louis IX.

La légende dit qu'il se serait donné sur le front un coup de poing si violent qu'il aurait failli valdinguer sur le perron de la cathédrale.

« Que peut penser le Christ, aurait encore soupiré le roi, s'il voit tous les crimes que nous perpétrons en son nom ? »

Répugnant à punir des soldats, Louis IX donnait le sentiment de flotter, tandis que l'empire de la vertu se désagrégeait peu à peu devant la ronde des plaisirs et des voleries. Jugeant ses barons coupables de n'avoir pas bridé leurs troupes, il décida qu'il récupérerait pour lui seul la totalité du butin de vivres au lieu de se contenter d'un tiers, comme le voulait la tradition qui, jusqu'alors, accordait les deux autres aux seigneurs. À charge pour le roi de répartir ensuite les biens avec équité entre tous les pèlerins. Une façon d'empêcher les trafics et d'éviter les disettes qu'avaient subies les armées chrétiennes lors des croisades précédentes.

Dieu seul sait si le roi était plus scandalisé par la folie meurtrière des croisés, par leur rapacité ou par leur luxure qui les amena à improviser des bordels jusqu'aux abords de sa grande tente rouge. Sans parler des razzias dans les villages d'où ils revenaient avec des filles, des fruits, des légumes, du bétail.

Avant de repartir à la conquête de l'Égypte, Louis IX décida d'attendre le retour de ceux dont la tempête avait éparpillé les vaisseaux. Certes, il gagna de la sorte des troupes supplémentaires mais, quand elles arrivèrent à destination, les crues annuelles du Nil avaient inondé le delta : l'armée royale se trouva immobilisée jusqu'à la fin de l'été.

Bien que malade, le sultan d'Égypte reprit vite le dessus. Après avoir fait exécuter les officiers qui, à Damiette, avaient fui le combat, il multiplia les préparatifs avant l'offensive attendue de Louis IX sur Mansourah et promit une pièce d'or aux guerriers musulmans qui lui rapporteraient une tête de chrétien. C'est ainsi que les mahométans se glissaient nuitamment sous les tentes des croisés qu'ils décapitaient sans bruit, avant de fourrer leur butin dans des sacs et de filer pour récupérer leur récompense.

Trois semaines plus tard, quand il tomba sur Mortelune et son écuyer, lors d'une séance d'entraînement de chevaux, sur les bords du Nil, Jean de Joinville triompha :

« Après cette épidémie de décapitations, je crois que le doute n'est plus possible : c'est bien un Bédouin qui a tué le chevalier des Arcis !

— Pour tuer les hommes, objecta Mortelune,

les Arabes ne les brûlent pas, ils ne les pendent pas non plus. Ils leur donnent la mort en s'attaquant au cou, un peu à la manière des grands fauves, comme si c'était le centre de la vie. Ou bien ils décollent la tête d'un coup de sabre, ou bien ils enfoncent un couteau de la gauche à la droite du cou avant de le ramener pour trancher les nerfs, les veines, les muscles de la voix. Le chevalier des Arcis n'a pas été égorgé ni décapité, il a été saigné. Je vous le répète : c'est l'un des nôtres qui l'a tué. »

Jean de Joinville haussa si fort les épaules qu'il aurait pu se les démettre :

« Nous perdons beaucoup de temps avec ces subtilités alors qu'il nous est compté. Le chevalier des Arcis a été vidé de son sang et il est mort parce qu'il était mortel, n'est-il pas vrai ? Cessons désormais d'en parler, voulez-vous bien. »

Marchant derrière Joinville et Mortelune, Enguerrand observa que le sénéchal de Champagne boitait.

« Puis-je me permettre de vous demander ce que vous avez à la jambe ? dit-il à Joinville.

— C'est au pied. Un abcès. »

Enguerrand lui proposa mes services : à Chypre, j'avais mis au point un nouvel onguent guérissant les infections.

« N'hésitez pas, insista Mortelune, c'est une magicienne ! »

Je fus reçue le soir même par Joinville.

21

Les délices de l'été sur le Nil

DAMIETTE, 1249. Comme je transpirais beaucoup, Joinville m'offrit une chopine[1] de cervoise que je bus en trois longues gorgées, pendant qu'il retirait lentement ses chausses. Le pied endolori du sénéchal de Champagne puissait[2] la mort et virait au violet comme une prune de son pays.

« Avant toute chose, lui dis-je, il faudra que vous gardiez votre pied nu pendant quelques jours.

— Et les mouches ? s'inquiéta Joinville. Elles risquent de pondre dans ma plaie.

— Rassurez-vous. Il y a dans ma pommade de quoi les faire fuir. »

Déjà percé à plusieurs reprises, l'abcès de Joinville ressemblait à une vieille bouche tuméfiée. Après avoir nettoyé le pus avec un chiffon, j'appliquai sur la plaie un mélange de plantes moulues :

1. La moitié d'une pinte.
2. Puait.

ail, thym, lavande, sauge, cassis, sarriette, capucine. Le tout avait été touillé dans une mixture de miel, vin, vinaigre et huile d'olive. Pour repousser les mouches, j'avais ajouté de la poudre de menthe et de citronnelle.

Quand j'eus terminé, le sire de Joinville murmura :

« Vous êtes la Gengis Khan des abcès. Je me sens déjà mieux. »

Il me demanda ce que je faisais dans l'ost et je fus bien en peine de le lui expliquer. « De tout, répondis-je : cuisine, nettoyage, lavage, transport de latrines ou de sacs de provisions. » Il leva un sourcil quand j'ajoutai que je savais jouer du luth et que je pouvais chanter des chansons de troubadour.

« Mon trouvère[1] personnel vient de mourir, dit Joinville, et il me manque déjà. J'ai besoin de musique. C'est la seule chose qui, avec le ciel étoilé et l'amour des femmes, nous permet d'accéder à l'infini. »

Le lendemain, un émissaire vint me proposer d'entrer au service du sénéchal de Champagne. Richard et Enguerrand furent accablés par la nouvelle.

« Et qui va s'occuper du chat ? demanda Richard. Si je le prends avec moi, l'échevin le fera tuer.

— Je le donnerai à une cantinière. »

1. Poète lyrique de langue d'oïl, alors que le troubadour est un poète de langue d'oc.

Le chevalier tapa du pied puis groignela[1] :

« Joinville aurait quand même pu me consulter. Maintenant, il faudra que je trouve quelqu'un pour te remplacer.

— Pourquoi ne refuserais-tu pas ? osa Enguerrand.

— Parce qu'on n'a pas le droit de dire non au sénéchal », soupirai-je.

J'aimais l'idée de mettre de la distance entre eux et moi.

*

Le temps s'était arrêté sur les bords du Nil. Jean de Joinville bouillait d'en découdre avec les Bédouins qui erraient alentour, harcelant les croisés nuitamment, mais Louis IX avait interdit les escarmouches avec l'ennemi.

Pas question de céder à leurs provocations et de s'épuiser en vains exploits : Louis IX disait que c'était à lui de décider du jour et de l'heure de l'offensive contre les mahométans. Il importait à ses yeux que l'ost fût en bon état au moment de porter le fer au cœur de l'Égypte.

De plus, le roi attendait l'arrivée de son frère Alphonse de Poitiers, qui devait apporter des provisions et amener des troupes fraîches. Mais ce dernier se hâtait lentement. Quittant la France le 25 août, un an jour pour jour après le départ

1. Murmura.

de la croisade de Louis IX, il ne trouva rien de mieux que de faire voile vers Saint-Jean-d'Acre et ne débarqua à Damiette que le 24 octobre. Entre-temps, le souverain avait été pris au piège de la crue d'été du Nil qui empêchait les croisés, cernés, de commencer l'offensive terrestre.

Après avoir gâché son hiver à Chypre, Louis IX avait gaspillé à Damiette de précieux mois qui, il est vrai, ne furent pas perdus pour le monde.

Pas pour les soldats, notamment. En attendant que la croisade reprenne, ils transformèrent leur campement en une immense bordellerie[1] et bragmardaient[2] sans discontinuer les godinettes, pour le plus grand désagrément du roi, révolté par le déportement[3] de son armée. Lui si prude, comment a-t-il pu supporter pendant cinq mois la frainte[4] des fornicateurs en action à quelques pas de sa tente ? C'est l'un des grands mystères de sa première croisade.

Il régnait un grand désordre dans le campement de l'ost. Chaque seigneur était maître de son fief, avec sa propre organisation, et toutes ces petites communautés, qui parlaient souvent un patois différent, avaient du mal à se comprendre entre elles. Ce n'était pas une armée, mais un vaste chamaillis avec des armes de toutes sortes.

1. Bordel.
2. Faisaient l'amour.
3. Mauvaise conduite.
4. Bruit.

Peu chalait à Louis IX que tout fût de bric et de broc, pourvu qu'on lui obéît le moment venu et qu'on le laissât suivre de très haut les événements, avec ce mélange de flegme et d'indolence qui le caractérisait. Il ne le faisait pas exprès : il ne serait jamais un foudre de guerre. La nature émolliente du Nil n'arrangeait rien. À la belle saison, ce n'était pas un fleuve mais une mer sans fin ni commencement qui fécondait et ressourçait la terre en somnolant.

Il arrivait néanmoins au roi des Francs de s'énerver. Ce fut le cas après l'étrange meurtre du chevalier Foulque de Roquevert, qu'il connaissait et qui venait de le rejoindre à Damiette avec son frère, Alphonse de Poitiers.

« Je veux qu'on trouve le coupable et qu'on le châtie », ordonna-t-il.

Courtaud et sans charme, Roquevert était un descendant, par la porte du jardin, de Simon de Montfort, qui s'était échiné, non sans succès, à purifier ce qu'on appellerait un jour l'Occitanie, alors ravagée par l'hérésie. On disait de ce chevalier qu'il avait tué de ses propres mains, avec une sainte rage, des centaines de cathares.

Foulque de Roquevert fut retrouvé un matin dans sa couche, le visage violacé, avec un trou noir dans la gorge. Convoqué aussitôt sur les lieux, l'échevin assura que le chevalier était mort depuis plusieurs heures quand on lui avait tranché le cou. Sinon, expliqua-t-il, le sang aurait coulé et son teint serait livide comme c'est toujours le cas des bêtes saignées.

« En somme, dit le roi, il a été égorgé alors qu'il était déjà mort.

— Oui, Sire. »

Grande fut la consternation du roi quand l'échevin lui apprit que la croix du Christ lui avait été enfoncée dans la bouche, comme pour Amaury des Arcis. C'était le détail qui l'avait le plus choqué. Il avait les sacrilèges et les blasphèmes en horreur.

Alors que j'étalais dans la tente des tapis que je venais de dépoussiérer, j'entendis Joinville déclarer à Mortelune :

« Vous aviez raison, Richard. L'assassinat du chevalier des Arcis n'était pas l'œuvre du chat ni d'un Bédouin, qui l'aurait alors décapité pour rapporter la tête au sultan et toucher la récompense. Même chose pour Roquevert, qu'on s'est contenté de saigner. C'est l'un des nôtres qui a fait le coup.

— Avez-vous des soupçons ? demanda Mortelune.

— Non, mais il y a forcément un lien entre les deux crimes, puisque les deux victimes ont été tuées de la même façon. Quand nous l'aurons découvert, nous ne saurons pas forcément qui est le meurtrier, mais nous serons sur sa piste.

— Que dois-je faire ?

— Sa Majesté, très troublée par cette affaire, m'a chargé de l'enquête en m'invitant à utiliser les grands moyens. Cherchons donc ce que les deux victimes avaient en commun. »

22

La mort d'Enguerrand

MANSOURAH, 1249. Le grand ennemi de Louis IX en Terre sainte était Malik al-Salih Ayyoub, le sultan d'Égypte, as de la boberie et de la cautelle[1], qui régnait sur tout l'Orient. C'est pourquoi le roi avait attaqué son pays en premier.

Apparemment, Dieu était avec le roi des Francs : quand il débarqua en Orient, le sultan d'Égypte n'était plus qu'un malade qui passait beaucoup de temps couché. Son sort était scellé, il était mort mais personne, à la Cour, n'avait encore osé le lui annoncer.

La légende dit que le prince musulman d'Alep avait soudoyé l'un des serviteurs d'Al-Salih Ayyoub pour qu'il enduisît d'un poison lent et mortel la natte sur laquelle le sultan s'asseyait chaque jour pour jouer aux échecs : le mal se serait répandu dans son corps à partir d'un ulcère à la jambe.

1. Ruse.

Certains auteurs assurent que le sultan souffrait de phtisie, d'autres qu'il était atteint d'hémiplégie. En tout cas, il ne quittait plus sa couche. Après la prise de Damiette par les croisés, il avait eu le courage de se faire transporter sur un brancard à Mansourah, prochain objectif des chrétiens avant Le Caire.

Quelques mois auparavant, le sultan d'Égypte avait pleuré de colère quand lui avait été lue la lettre où le roi des Francs affirmait qu'il marcherait sur son pays s'il refusait de se soumettre et de se convertir.

Mais pour qui se prenait-il, ce paon de sacristie ? Certes, le roi des Francs le traitait comme un monarque civilisé avec tous les égards dus à son rang. Mais le sultan d'Égypte, mangé vivant par la Camarde, était aussi remonté qu'on peut l'être quand la vie se dérobe sous vos pieds.

Il avait chargé l'eunuque Fakhr'eddin, appelé Facardin par les chrétiens, d'organiser l'accueil de la croisade à Damiette, défendue avec la pleutrerie que l'on sait. Al-Salih Ayyoub fut sans doute tenté de châtier son bras droit. Mais celui-ci, selon le chroniqueur arabe Makrizi, était un « bon administrateur, propre au commandement et chéri de tout le monde ». Il se contenta donc de faire pendre ou étrangler cinquante de ses lieutenants.

Pour empêcher le roi des Francs de marcher sur Le Caire, le sultan lui proposa tout ce qu'il pouvait espérer, notamment beaucoup d'argent et la libération immédiate de tous les prisonniers chrétiens. Mais Louis IX savait qu'il ne sert à rien de faire la paix avec un mourant : ses successeurs ne se seraient pas sentis tenus par sa parole. Bien vu : l'avenir d'Al-Salih Ayyoub était déjà derrière lui quand l'ost du roi s'enfonça dans le pays, en direction du Caire.

La situation ne pouvait pas être meilleure pour les croisés : la succession du sultan, décédé le 22 novembre 1249, n'allait pas de soi. Sa veuve, Chegger'eddour, ou l'« Arbre aux joyaux », une ancienne esclave arménienne dont il était follement épris, entendait empêcher le fils aîné, Tûrân Châh, héritier désigné, de prendre le pouvoir. Entre les murs du palais, les ambitions grouillaient comme des vers de farine. Tels sont les effets des longues agonies.

L'héritier du sultan était alors en Irak. Sur son lit de mort, Al-Salih Ayyoub avait fait jurer à Fakhr'eddin de garder la place du fils le temps que celui-ci revienne de Bagdad où il séjournait. C'est ce qu'il fit avec loyauté.

Cachant sa mort et son cadavre, l'eunuque gouverna un moment avec sa veuve grâce aux blancs-seings que le sultan avait signés avant de mourir. Dix mille d'après le chroniqueur arabe Makrizi, mais on n'est pas obligé de le croire.

*

Louis IX avait donc chargé Joinville de l'enquête sur l'assassinat de Roquevert, mais le sénéchal de Champagne ne savait plus où donner de la tête. La guerre passant avant le reste, il suivit le dossier de loin, avec cette nonchalance que cultivait Louis IX à propos de toutes les affaires hormis celles de la foi. C'est dans ce contexte que survint le troisième crime.

Il se produisit à Pharescour, où le roi avait décidé d'établir un premier campement après que l'armée eut quitté Damiette. Le chevalier Geoffroi de Trepinvel fut retrouvé mort, le matin suivant, dans une mare de sang. Saigné tel un cochon, il avait, comme les deux victimes précédentes, une croix du Christ cloufichée[1] à l'intérieur du gosier.

Après un examen rapide, les échevins de Joinville et de Louis IX arrivèrent à la même conclusion : cette fois encore, la victime avait été égorgée alors qu'elle était morte ou endormie, comme en témoignait son visage reposé.

« Il faut garder le secret, nos soldats ne doivent pas savoir ce qui s'est passé, ça leur saperait le moral. »

Ce furent les premières consignes royales. Il est vrai que, des trois crimes, celui-ci était de loin le plus troublant et le plus impressionnant.

Trepinvel était un bel homme galant et insouciant, spécialisé dans le biscotage[2] des femmes mariées, encore que les autres s'escambillassent[3] pareillement devant lui. Son secret pour les

1. Clouée.
2. Amour physique.
3. S'allongassent lascivement.

séduire : il les respectait et les amusait. Son assassinat aurait sans doute été rangé parmi les crimes passionnels, n'eût été cette croix du Christ plantée dans la bouche.

Il y avait plus grave encore : les deux échevins décidèrent que ce troisième crime dépassait leurs compétences après avoir découvert que Trepinvel était un ami de Roquevert, le mort précédent, et d'Alphonse de Poitiers, le frère du roi. Ils allèrent aussitôt annoncer la nouvelle à Jean de Joinville qui décréta d'une voix blanche :

« C'est plus qu'un crime, c'est un complot. »

Mais il se contenta d'affecter Enguerrand et Richard de Mortelune à la protection d'Alphonse de Poitiers. La croisade ayant vraiment commencé, l'enquête attendrait.

Pendant plusieurs semaines, les mahométans continuèrent de harceler les Francs. Sans relâche, ils tuèrent ou firent prisonniers moult soldats isolés qui, dans le second cas, étaient envoyés au Caire pour amuser la populace.

C'était un spectacle très couru. Leurs geôliers les traînaient dans les rues et les Cairotes leur jetaient des déjections, des pierres, des fruits pourris ou des cadavres de bêtes, jusqu'à ce que mort s'ensuive.

*

Une nuit, Enguerrand fut chargé de remplacer l'un des gardes du roi et Richard en profita pour me faire la cour à la façon des chevaliers.

Après avoir bien bu, nous nous sommes couchés l'un contre l'autre, sous les étoiles, compénétrant nos âmes mais non nos corps.

Nous nous sommes touchés et même caressés, mais sans jamais céder à l'appel des désirs. Il y avait là quelque chose d'héroïque. Plus je me contrôlais, plus j'étais exaltée, plus grand était mon effort pour résister à la fruition, plus elle débordait. C'était sans fin.

« Merci, me dit le chevalier de Mortelune au petit matin. Ce fut ma plus belle nuit d'amour.

— Nous étions invincibles, répondis-je. Nous avons bien mérité le ciel. »

Le soir suivant, Louis IX piétonnait[1] non loin du campement avec quelques gardes, quand plusieurs mahométans en furie sortirent d'un petit bois. Faisant un rempart de son corps, Enguerrand fut percé par le coup de poignard réservé au souverain. Il ne s'en rendit pas compte tout de suite et marcha un moment, calme et droit, l'épée en avant, sans savoir qu'il était mort, avant de tomber comme une masse.

Quand le corps sanglant d'Enguerrand fut ramené au campement, je me jetai sur lui et l'embrassai sur le front, la bouche, la main, les épaules, la poitrine. Aucune larme ne coula de mes yeux.

Les larmes noient le chagrin. C'est même pour ça que Dieu les a créées. Quand il n'y en a plus

1. Se promenait.

pour l'évacuer, le malheur reste en nous jusqu'à notre mort. Il se dessèche et, un jour, devient un caillou noir dans la tête, le gosier ou la tripaille.

Après le décès d'Enguerrand, je n'ai plus jamais vu la vie de la même façon. Une brouée[1] de nostalgie allait me recouvrir les yeux, comme si je regardais le monde à travers un drap de lin blanc.

J'avais revêtu la blouse blanche du deuil quand Richard de Mortelune vint me présenter ses condoléances.

« Désormais, dit-il, plus rien ne peut nous séparer. L'amour, dans ma main, est prêt à s'envoler…

— Pour aller où ?

— Pour t'emporter, ma mie.

— Quel babillard[2] tu fais !

— Mon amour pour toi est si vaste et si haut qu'il n'y a que la poésie qui peut en rendre compte. »

Mon cœur tambourinait.

« Parlons de tout cela plus tard, quand je ne serai plus en deuil », murmurai-je.

Richard de Mortelune n'insista pas. Considérant que je lui en voulais, après la mort de mon mari, d'avoir éprouvé des sentiments pour lui, il décida qu'il valait mieux se faire oublier quelque temps.

Le lendemain, Enguerrand eut droit à des funérailles de héros et, après sa mise en terre, le

1. Brume.
2. Bavard.

souverain me convoqua sous sa tente pour me proposer de rejoindre sa cour : Joinville lui avait parlé de mes talents en matière de plantes médicinales, le roi voulait me mettre à son service, c'était sa manière de me dédommager.

Je restai longtemps bouche bée, les lèvres tremblantes. Mais je ne pouvais pas refuser : j'étais fascinée par le mélange de douceur et de simplicité qui émanait du monarque.

« Qu'est-ce que Dieu ? » me demanda-t-il.

Je fronçai les sourcils, puis déclarai avec un air apensé[1] :

« Sire, c'est une chose si bonne et si belle qu'il ne peut y en avoir de meilleure. »

Le roi sourit.

Fin décembre, les deux armées, celle des croisés et celle des mahométans, se retrouvèrent face à face, des deux côtés de l'Achmoun, nom d'un bourg qui était aussi donné à l'une des branches du delta du Nil. Ayant décidé d'édifier un pont pour franchir le canal, Louis IX avait fait construire des « chats-chastels » afin de protéger ses soldats pendant les travaux. C'étaient de grandes tours mues par des roues, du haut desquelles les arbalétriers pouvaient dissuader l'ennemi d'approcher. Hélas, elles étaient en bois : après avoir vaillamment résisté au catapultage de grosses pierres par les sarrasins, elles furent réduites en cendres par le feu grégeois,

1. Réfléchi.

arme incendiaire envoyée par leurs machines infernales.

C'est alors que la Fortune amena aux croisés un Bédouin qui avait déserté et qui se disait prêt, moyennant cinq cents besans d'or[1], de les conduire à un gué, non loin de là, où ils pourraient franchir l'Achmoun à cheval.

Le roi savourait déjà sa victoire : dès lors que l'ost traverserait le canal, Le Caire tomberait, ouvrant les portes de Jérusalem. C'était compter sans la vanité, l'autre nom de la bêtise.

1. Monnaie de l'Empire byzantin.

23

La bêtise du petit frère du roi

MANSOURAH, 1249. Je n'aimais pas ce personnage. Un piaffard[1]. Une nuit, alors que je sortais de la tente de Louis IX, le pot de chambre royal à la main, il s'était jeté sur moi.

Grâce à Dieu, le pot s'était renversé sur ses vêtures et il avait détalé. Quelques jours plus tard, il me sauta de nouveau dessus. Il commençait à peine à m'embrasser, j'allais dire à me churelurer[2], que je l'envoyai valdinguer. Par la suite, il avait osé se plaindre auprès du roi qui prit mon parti.

Les têtes brûlées, comme on dit, n'ont souvent rien dans le crâne : les héros sont des imbéciles qui se croient immortels. Robert Ier, comte d'Artois et frère du roi, était la preuve qu'il faut ne rien savoir pour oser tout. Son ignorance n'avait d'égale que sa bêtise ou son audace.

Combien de batailles la bravoure a-t-elle fait perdre ? Le comte d'Artois insista pour être le

1. Prétentieux.
2. Avaler avec avidité.

premier croisé à franchir le gué avec quatorze cents cavaliers. Des templiers, des hospitaliers et des Anglais. Ils étaient censés ouvrir le chemin aux soldats de l'ost désormais au nombre de soixante mille avec l'arrivée des renforts.

Poussé par ses ministres, Louis IX consentit, non sans regret, à lâcher la bride au prince : il connaissait le caractère impatient et impulsif de son petit frère, âgé de trente-trois ans. Pour modérer ses ardeurs, le roi comptait sur le grand maître de l'ordre des Templiers, Guillaume de Sonnac, qui l'accompagnait. Un homme sage et aguerri.

Peine perdue. N'écoutant que sa fougue qui lui commandait d'aller se faire tuer au plus vite, Robert d'Artois fondit sur l'ennemi et le pourchassa jusque dans ses retranchements, commettant ainsi la faute qui ne contribua pas peu au fiasco de la première croisade de son illustre aîné.

Avant de raconter cette malaventure par le menu, qu'il me soit permis de dire quelques mots sur la vraie nature de Louis IX, monarque sans ego ni *hubris*, dont l'extrême réserve creusa la tombe et dont l'un des grands torts fut de n'avoir pas été habité par une très haute idée de lui-même.

Quand je suis entrée à son service, j'ai tout de suite aimé Louis IX. Comment ne pas l'aimer ? Toujours en vuidison[1], il était si simple, si fragile.

1. En petite forme.

Je ne lui trouvais qu'un seul défaut : il était sale, comme le furent tous les rois de France. Chez ces gens-là, c'était s'abaisser que de se décrotter ou de se débarbouiller.

Plus préoccupé par la pureté de l'âme que par la pureté du corps, le futur Saint Louis sentait le bouc, l'écurie, l'aisselle, la mortaille. La même odeur que ses prédécesseurs ou ses successeurs, fussent-ils pomponnés.

Chez Louis IX, nulle ombre d'un vice. Fort avec les puissants et faible avec les petits, il était aussi humble dans la victoire que solide dans la défaite : le roi des Francs croulait sous les vertus, au point que ses pas semblaient souvent s'y embourber.

Sa bonté était une faiblesse, presque un appel au meurtre. Comme tout son entourage, je cherchais à protéger contre lui-même ce monarque scrupuleux qui s'excusait sans cesse pour tout, comme s'il n'était pas légitime ici-bas.

« Pardonnez-moi de vous déranger, me disait-il, mais j'aimerais que vous me prépariez un breuvage contre mon mal de tête. »

Pour donner ses instructions à son personnel, Louis IX usait de moult précautions et circonlocutions. Dans son métier de monarque, rares étaient ses actes d'autorité. Il sollicitait, il consultait, il écoutait tout le monde. Sur chaque sujet, fût-il accessoire, il se posait la question du bien et du mal, privilégiant la morale, à la manière de l'empereur Marc Aurèle.

Le roi s'habillait avec sobriété. Presque pas d'or ni de parure. Sermonnant régulièrement ses soldats, il leur demandait de ne jamais tuer les femmes ni les enfants musulmans mais de les ramener à Dieu en les baptisant. Contrairement aux usages, notamment à ceux de l'ennemi, il recommandait la clémence pour les prisonniers de guerre. Quand il fallait établir une levée de terre pour mettre un canal à sec, il n'hésitait jamais à mettre lui-même la main à la pelle.

Louis IX avait toutes les qualités des grands rois sauf une, primordiale : il ne savait pas faire peur. Ni à ses ennemis, ni à ses amis, ni à sa famille, notamment au comte d'Artois.

Sitôt arrivé sur l'autre rive, le prince oublia ce qu'il avait juré sur les Évangiles, devant son frère le roi : qu'il attendrait que tout l'ost eût traversé le fleuve pour avancer en terre égyptienne. À la guerre, il faut toujours rester groupé. C'est quand les troupes se disloquent que les batailles se perdent. La hantise de tous les chefs militaires, et de Louis IX en particulier, était que l'armée fût coupée en deux, en trois ou pire encore. Ce serait le commencement de la fin.

*

Quand ils racontent l'équipée du frère du roi, les chroniqueurs sont consternés. Après avoir mis en fuite les trois cents cavaliers sarrasins qui les attendaient de l'autre côté du canal, Robert Ier d'Artois, grisé par ce premier succès et négligeant sa promesse, lança ses hommes à leur poursuite, au grand dam du grand maître Guillaume de

Sonnac qui, peu après, lui fit part de son indignation. « Ah, ah, lui répondit le prince en ricanant. Il y a toujours du poil d'ours dans les templiers. » Allusion délicate aux relations amicales qu'entretenaient souvent les mahométans et les templiers, pourtant censés combattre les premiers.

Peu après, Guillaume de Sonnac allait payer d'un œil, puis de sa vie, l'arrogance du comte d'Artois, toujours dressé sur ses ergots, la crête levée.

Quand le comte de Salisbury, à la tête des croisés anglais, s'inquiéta à son tour que leur avant-garde fût coupée du gros de l'armée chrétienne, Robert Ier d'Artois le rabroua : « Les timides conseils ne sont point faits pour nous. » Salisbury aussi mourut, victime des fanfaronnades du frère du roi.

Craignant que le comte d'Artois ne leur reprochât plus tard de l'avoir trahi, les templiers, les hospitaliers et les Anglais se résignèrent à suivre la jeunesse du prince, pressé de les faire bénéficier de son inexpérience. Ils déboulèrent dans le campement des sarrasins où ils massacrèrent tout le monde, y compris l'illustre Fakhr'eddin. Lorsqu'ils arrivèrent, le chef de l'armée musulmane était dans son bain, en train de se faire teindre la barbe. À peine le temps de monter, nu comme un ver, sur son cheval, il fut percé de toutes parts.

Le prince d'Artois aurait pu s'arrêter là mais, voyant l'armée mahométane battre en retraite vers Mansourah, il ordonna à ses cavaliers de lui donner la chasse jusque dans la ville, où ils s'engouffrèrent à la vitesse du lièvre entrant dans un nœud coulant. Robert Ier d'Artois croyait avoir vaincu les mécréants. Il était pris au piège.

Découvrant que les escadrons du prince étaient peu fournis, les sarrasins entamèrent leur contre-attaque alors que les croisés, savourant leur éphémère triomphe, commençaient à piller le palais du sultan. Un mamelouk nommé Bibars-Bondocdar, qu'on appelait aussi Baybars, prit le relais de Fakhr'eddin.

Avant de partir avec ses cavaliers en direction du canal de l'Achmoun, à la rencontre des croisés qui continuaient d'avancer, Baybars donna l'ordre de fermer les portes de Mansourah afin de pouvoir massacrer en toute tranquillité le comte et ses hommes.

Qu'est-ce qu'une avant-garde sans ses arrières ? De la chair à pâté. Le frère du roi allait l'apprendre à ses dépens. Les rues de Mansourah étaient si étroites que les croisés ne pouvaient pas combattre à cheval. Il leur fallut descendre de leurs montures. Leurs lances ne leur étaient d'aucune utilité. Chaque recoin de la ville était devenu un traquenard, tandis que pleuvaient sur eux des flèches, des piquets de feu grégeois et de grosses pierres jetées par les habitants du haut de leur maison.

Dans l'après-midi, Robert Ier d'Artois était mort et, avec lui, les quatorze cents cavaliers de l'avant-garde. Après quoi, Baybars, chef autoproclamé des mahométans, fit retirer au défunt sa cuirasse d'acier, ornée de fleurs de lys en or, puis exhiba sa dépouille comme un trophée en prétendant qu'il s'agissait du roi des Francs.

C'est avec une ardeur décuplée que les mahométans repartirent à l'attaque, dans la plaine, contre les escadrons chrétiens qui déboulaient maintenant pour prêter main-forte au frère du roi qu'ils croyaient encore vivant.

Commencée le mardi, la bataille allait durer jusqu'au vendredi.

24

Il y a des victoires qui sont des échecs

MANSOURAH, 1249. Quand il apprit la mort de son crétin de frère, Louis IX resta un long moment en pleuraison[1] alors qu'il aurait dû se sentir soulagé. Son chagrin ne l'empêcha cependant pas de continuer d'organiser la grande bataille qui lui ouvrirait la route du Caire.

Après avoir donné ses ordres, le roi me convoqua : il avait encore mal à la tête. Je lui donnai de la poudre de millepertuis d'Égypte et, pour la faire passer, un fond de fiole d'hypocras, vin rouge auquel avaient été mélangés du miel d'acacia, du gingembre râpé, ainsi que du poivre noir, des clous de girofle, de la cannelle broyés.

Au bout d'un moment, Louis IX sembla de meilleure humeur et, pour me remercier, m'annonça que je ne serais plus reléguée, comme la plupart des femmes, servantes du roi comprises, parmi la piétaille qui fermait la marche de l'ost.

1. En larmes.

Désormais, en hommage à Enguerrand, dont j'avais récupéré l'épée, je serais autorisée à marcher aux côtés du monarque. Sauf pendant les combats.

« Nous allons venger mon frère et votre mari, me dit le roi. Mais vous irez à l'arrière dès que la bataille commencera. Je veux que vous gardiez votre innocence.

— Sire, il y a longtemps que je l'ai perdue. »

Louis IX m'ayant accordé le privilège de monter le cheval de feu mon époux, un comtois, je pus ainsi admirer de près la majesté et le sang-froid du roi qui, tout accoutré[1] d'achier[2], emmenait ses cavaliers au pas, le front haut, le menton levé.

Soudain, l'armée mahométane fonça sur nous ; c'était comme une mer qui enflait, toutes vagues dressées. Je me mis à trembler, sous ma cotte de mailles, pendant que nos soldats se déployaient, à droite, à gauche, devant, partout.

Quand ils partaient à l'assaut, les guerriers des deux armées hurlaient pour se donner du courage. D'un côté, les mahométans s'époumonaient : « Islam ! Islam ! » De l'autre, les chrétiens s'écriaient : « Montjoie Saint-Denis ! »

Sur l'étrange cri de guerre des Francs au temps des Capétiens, plusieurs interprétations ont été données. Tranchons pour celle-ci, à nos risques et périls : d'un côté, montjoie était le mot donné aux

1. Vêtu.
2. Acier.

monceaux de pierres qui servaient à marquer les chemins et sur lesquels les pèlerins plantaient des croix ; de l'autre, saint Denis était le saint patron des rois et de la nation. Le mot d'ordre « Montjoie Saint-Denis ! » invitait donc, selon toute vraisemblance, les soldats à marcher derrière l'étendard de saint Denis.

C'est ce qu'on appelle une dissymétrie. Alors que le cri de guerre des croisés faisait référence au roi et à la nation, celui des Arabes était strictement religieux. Les seconds étaient investis par Dieu. Les premiers par Dieu mais aussi par le roi, son armée, son pays.

*

Au sommet de sa colline, juché sur son cheval blanc, le roi impressionnait tout le monde, les siens aussi bien que ses ennemis. Il avait peur du jugement de Dieu et des hommes, mais pas des flèches ni des sabres.

Avec son casque doré, on aurait dit l'archange de la victoire, une victoire que la frivolité du comte d'Artois avait rendue plus difficile. Après avoir massacré les escadrons de son petit frère et une partie de l'ost, les mahométans, emmenés par Baybars, semblaient maintenant en mesure de gagner la mère des batailles.

Louis IX poussa plusieurs fois le cri de guerre de l'ost et, avant de lancer son cheval dans la brouée sableuse qui recouvrait la plaine, il hurla dans ma direction :

« Retournez à l'arrière !

— Sire, je veux me battre, m'indignai-je en agitant mon épée.

— Je n'ai que faire de votre hardement[1].

— Il y a si longtemps que j'attends ce moment, Sire. Ma cruauté vous étonnera ! Que trépasse si je faiblis[2] ! »

Louis IX haussa le ton :

« La guerre est un hontage[3], elle vous salira les yeux et les femmes doivent les garder purs. »

Au son des trompettes et des cymbales, Louis IX galopait maintenant en direction de l'ennemi avec son cher Joinville, caracolant au milieu des gèmements[4], des lamentements, des hennissements d'agonie et du fracas des haches ou des massues sur les casques, les chairs, les boucliers. Il n'avait plus rien d'un ange, il devenait une bête furieuse semant partout la Camarde.

Plus d'une fois, Louis IX faillit mourir, cerné par les mahométans qui s'accrochaient au frein du cheval et cherchaient à l'en faire tomber. Il les taillait en pièces à grands coups d'épée. Traversant comme la foudre des murs de sabre et de feu grégeois, il tua beaucoup d'ennemis et en blessa davantage. C'était Hercule dans le corps d'Apollon.

Depuis la nuit des temps, l'humanité est divisée en deux catégories : les intelligents qui doutent

1. Bravoure.
2. Je lutterai à mort.
3. Chose honteuse.
4. Gémissements.

de tout et les inintelligents qui ne doutent de rien. Les premiers peuvent être de bons princes ; les autres, de grands soldats. Louis IX avait les caractéristiques des uns et des autres.

J'ose dire qu'il y avait, en plus, quelque chose d'idiot en lui. Telle est souvent la marque des grandes personnalités : une stupidité qui leur permet de passer outre les incertitudes ou les appréhensions. Elle leur donne la force de tenter l'impossible.

La bataille dura plusieurs jours et, contre toute attente, fut finalement remportée par Louis IX qui, avec ses appertises[1], avait su tirer le meilleur de ses troupes, pourtant moins nombreuses. Il eut le triomphe modeste. Il avait raison. L'ost avait repoussé les mahométans mais il n'était plus qu'un mort-vivant, nullement en état d'aller conquérir Le Caire et juste bon à panser ses plaies.

Son triomphe serait de courte durée.

*

S'il avait été un grand stratège, le roi aurait décidé de se replier aussitôt sur Damiette avec son armée, le temps qu'elle reprenne des forces. Au lieu de quoi, il resta sur ses positions. Sans doute craignait-il qu'une retraite, si justifiée fût-elle, ne soit interprétée comme une déroute.

1. Prouesses.

Erreur funeste. Dès le départ des mahométans, il fallut enterrer les morts qui jonchaient le sol ou flottaient sur l'eau des canaux. À force de fréquenter des cadavres, les soldats finirent par leur ressembler. Joinville décrit ainsi, dans la langue de l'époque, la maladie qui frappa l'armée des croisés :

Elle estait telle que la char des jambes nous désséchoit jusqu'à l'os, et le cuir nous devenoit tanné de noir et de terre ; à nous autres [...] *nous venoit une autre persécution de maladie de la bouche, ce que nous avions mangé de poissons nous pourrissoit la char d'entre les gencives dont chacun estoit horriblement puant de la bouche.*

C'était carême. Faisant maigre, l'armée se nourrissait de perches, de barbeaux ou de poissons-chats du Nil. Comme ces espèces se gavaient alors de l'abondante charogne humaine à leur disposition, elles furent tenues pour responsables du fléau qui s'abattit sur les chrétiens. En fait, l'ost était décimé par plusieurs calamités. D'abord, le scorbut, identifiable à la purulence des gencives et provoqué par une carence en vitamines. Ensuite, la dysenterie, une infection intestinale, due à une bactérie ou à un parasite, qui s'attrape en consommant de l'eau ou des aliments pollués. Sans oublier la famine qui s'invita vitement, les mahométans ayant empêché les approvisionnements, en coupant notamment la route de Damiette. C'est ainsi qu'une hécatombe ravagea l'ost.

Richard de Mortelune en fut l'une des victimes. Livide et squelettique, il était encore lucide quand je lui rendis visite sur son lit de mort.

« Nous nous sommes manqués, marmonna-t-il. Quel beau couple eussions-nous fait !

— J'étais une femme mariée, j'avais des devoirs.

— Moi, j'étais trop timide. Je remettais toujours ma déclaration au lendemain. On gâche sa vie tant qu'on n'a pas compris qu'elle nous échappe et que l'amour est la dernière des choses qu'il faut remettre à plus tard.

— Je me rappellerai tous les jours notre nuit d'amour pur.

— Un de mes plus beaux souvenirs », soupira-t-il.

Il poussa un feulement de douleur. Certes, il m'avait aimée. Mais l'avais-je aimé ? En le quittant, je songeai qu'il y avait toujours moins de déconvenues à être aimé qu'à aimer.

Du campement chrétien se répandaient des odeurs à faire crever les mouches, tandis que montaient aux cieux des râles, des implorations, des *De profundis* et les hurlements des scorbutiques auxquels les barbiers coupaient dans la bouche les chairs pourries qui les empêchaient d'avaler leur pitance.

Comme à chaque fois que les temps étaient durs, Louis IX fut grandiose. Faisant fi des mises en garde des siens, il alla d'une tente à l'autre pour consoler les malades et les expirants : « Je dois aujourd'hui exposer mes jours, disait-il, pour tous ceux qui se sont exposés pour moi. »

Venant de succéder à son père, Ali-Salih Ayyoub, le nouveau sultan d'Égypte, Tûrân Châh, qui venait de prendre la direction des opérations, rechignait à reprendre l'offensive contre l'armée chrétienne qui se mourait à petit feu : mieux valait attendre et la laisser patouiller[1] dans la chair de ses cadavres jusqu'à la disparition totale.

D'où l'intransigeance égyptienne quand les croisés proposèrent mornement[2] une trêve en échange d'un traité rendant Damiette au sultan s'il consentait à leur laisser Jérusalem et les ports alentour. Pour caution, les chrétiens étaient prêts à lui laisser en otages les frères du roi.

Le sultan exigea que le roi lui-même fût donné en otage, il n'avait que faire de ses frères. Louis IX accepta de se sacrifier : « Je suis prêt à tout pour sauver mes braves compagnons d'armes qui m'ont suivi jusqu'ici : un roi doit savoir se dévouer pour son peuple et je partirai dès demain, s'il le faut. » Tollé des barons et des soldats.

Après Pâques de l'an 1250, ne supportant plus de voir son armée pourrir sur pied, Louis IX se résigna enfin à battre en retraite jusqu'à Damiette. Le départ fut donné à la brune.

Là encore, le souverain repoussa très loin les limites de la fortitude et de l'abnégation. Il avait été décidé que l'ost fuirait par la route aussi

1. Patauger.
2. Avec tristesse.

bien que par le Nil, ce dernier étant prétendument moins dangereux, ce qui se révéla faux. Au grand désespoir de ses barons, Louis IX refusa de rejoindre les bateaux où s'entassaient les femmes, les enfants, les blessés, le légat du pape, les hautes personnalités religieuses. « C'est moi qui vous ai amenés ici pour la cause de Dieu, dit-il. C'est moi qui dois en repartir le dernier. »

Son périple fut un long calvaire. En l'accompagnant sur mon cheval, je peinais à retenir mes larmes.

*

Sans casque ni couronne, protégé par deux anges gardiens, Geoffroy de Sargines et Gaucher de Châtillon, Louis IX était comme le Christ sur le chemin de croix, harcelé par les sarrasins qui lui tournaient autour, comme des nuées de frelons. L'un l'escortait à sa gauche, l'autre à sa droite. Je fermais la marche avec la servantaille.

Incapable de rester à cheval, le roi fut conduit à l'intérieur d'une maison, dans le village de Minié. Très amaigri, il semblait destiné à mourir dans ce trou, en dépit de mes efforts. Aucune des poudres de plantes que je lui fis avaler ne réussit à le requinquer. Ni l'ail, ni le cassis, ni la cannelle, ni le gingembre.

Ses gencives viraient au blanc et il avait une haleine à dégoûter les mouches. Il ne pouvait plus rien avaler et il était si faible qu'il fallait le porter pour qu'il accomplisse ses besoins naturels. C'était moi qui m'en chargeais, avec le chambellan Isambart et un valet édenté, sourd, quasi aveugle.

Les croisés tentèrent encore de négocier une trêve et un traité avec le nouveau sultan, mais les palabres tournèrent mal et les mahométans se déchaînèrent alors contre l'ost, décimé par la maladie.

Les croix et les objets religieux furent brisés, souillés, foulés au pied, pendant qu'étaient égorgés les soldats, comme des moutons de l'Aïd, et embarqués les femmes, les enfants. Dans une lettre à son lieutenant Djamle'eddin, émir de Damas, le sultan d'Égypte, Tûrân Châh, écrivit : « Si tu veux avoir une idée du nombre de prisonniers, figure-toi le nombre des sables de la mer. »

Louis IX fut fait prisonnier par l'eunuque Mohsen, un ancien mamelouk d'Al-Salih Ayyoub. Traité sans égards, Sa Majesté se retrouva les fers aux pieds et aux mains, tout comme les membres de la suite royale, moi en tête. Après quoi, nous fûmes tous conduits, couverts de chaînes, sous les insultes des mahométans, jusqu'au Nil où un bateau de guerre nous emmena à Mansourah. L'humiliation du roi était le clou d'un spectacle donné à un peuple en liesse.

Logés dans une sorte de palais, le roi et les barons furent placés sous la garde de l'eunuque Sabyh, un géant débonnaire. Les pieds et les mains entravés, considérablement amaigri,

Louis IX ressemblait moins à un monarque qu'à un crève-cœur. Un gueux pitable[1].

Serrant contre sa poitrine le seul bien qu'il avait pu sauver, ce livre des Psaumes qu'il aimait tant réciter, le roi n'inspirait que de la compassion. À côté de lui, dix mille prisonniers de l'ost croupissaient derrière de hautes murailles. Les reliefs de son armée. On les entendait groindre[2].

Les émirs avaient trouvé un divertissement. Régulièrement, selon l'historien arabe Makrizi, ils prélevaient des groupes de deux cents à trois cents prisonniers et leur demandaient de se convertir à l'islam. S'ils refusaient, ce qui était presque toujours le cas, on les égorgeait.

Quant aux chrétiens qui ne s'étaient pas rendus, la Camarde les rattrapait tous. La plupart des vaisseaux arraisonnés sur le Nil par les mahométans étaient brûlés avec leur cargaison de passagers malades. Quant aux soldats encore en mesure de se battre, ils étaient souvent décapités par les Arabes qui touchaient toujours une récompense pour chaque tête donnée au sultan. Certains portaient des bouquets de têtes derrière eux : on aurait dit de grands sacs à dos sanglants et chevelés[3]. D'autres les fixaient à des crochets comme les pêcheurs font pour les gros poissons.

Il est impossible d'établir un bilan du fiasco royal, tant les chiffres paraissent fantaisistes.

1. Pitoyable.
2. Grogner.
3. Chevelus.

Dans un courrier, le nouveau sultan d'Égypte prétendit avoir morti trente mille chrétiens, tandis que l'historien Makrizi, exagérateur patenté, évalue le nombre de prisonniers à cent mille.

Qui aurait pu croire que l'océan de soldats partis en croisade, un an plus tôt, se trouverait si vitement réduit à ce ramas de fantômes ?

Quelques semaines plus tard, quand la nouvelle de la captivité de Louis IX se répandit dans le royaume des Francs, ses premiers propagateurs furent pendus haut et court, pour colportage de menteries.

Les bons chrétiens étaient en droit de penser que le Seigneur tout-puissant venait enfin de leur donner la preuve de sa non-existence : depuis le début de la croisade, il avait disparu.

« Mon Dieu, mon Dieu, pourquoi m'as-tu abandonné ! » Louis IX eût été fondé à répéter les paroles du Christ. Quand il fut fait prisonnier, il souffrait notamment de ce « flux de ventre » qui s'était avéré mortel pour tant de ses soldats. Il semblait condamné à mourir.

Dieu, le sort ou le destin, appelons-le comme on voudra, en décida autrement : à la surprise de ses sbires, le nouveau sultan ordonna que le roi déchu fût soigné sans tarder.

25

Une beauté à tomber par terre

MANSOURAH, 1250. Quand j'entrai dans la grande maison en terre cuite de Mansourah, qui deviendrait la geôle royale pendant plusieurs semaines, je demeurai bouche bée. Pas à cause de la fatigue ni des grevances de la journée, non, à cause de la beauté sidérante de l'eunuque Malek, le second de Sabyh, le maître castré des lieux.

Je chancelai sous l'effet de l'abrasement[1]. Quand je repris conscience, Malek, penché sur moi, me tapotait délicatement les joues.

« Est-ce que ça va mieux ? »

Il parlait français avec une voix douce, haut perchée. Je ne savais pas ce qu'était un eunuque. Celui-là était superbe. Un grand échalas, les traits réguliers, les mains fines, les manières délicates, avec une bouche à baisers et des yeux vert pomme. Il luminait[2] tout autour de lui.

« Merci », dis-je.

1. Excitation.
2. Illuminait.

Sabyh et Malek m'aidèrent à me relever et, quand je fus debout, le second posa ses mains sur ma croupe. J'avais la chair de poule.

« Je m'appelle Malek », murmura-t-il.

Je lui pris la main et la serrai.

Les cils papillotants et les pupilles dilatées, Malek n'avait pas l'air beaucoup plus malin que moi : on eût dit que l'amour l'avait assommé. Nous étions tous deux terrassés par cet amirement[1] qui suit les coups de foudre et qui nous donnait un grand sourire niais, abruti.

En chacun de nous, il y a l'intuition que nous sommes nés pour vivre avec une personne, une seule, qui nous attend quelque part. J'avais certes beaucoup aimé Moshé, Enguerrand ou Richard, mais aucun d'entre eux n'avait jamais été cette personne.

Malek l'était. Au premier regard, je sus que je voulais passer le reste de ma vie dans ses bras, à me mélanger à lui à le churelurer, à l'aglotonir[2].

Élancé et gracieux, Malek ne marchait pas, il glissait, le bassin en avant, la tête légèrement en arrière. Une démarche d'ange : il semblait en apesanteur.

« Restez là, m'ordonna Malek. Je reviens tout de suite. »

Sabyh et Malek prirent chacun un bras du roi et l'accompagnèrent jusqu'au réduit qui lui était réservé. Les autres seraient placés par la suite.

1. Émerveillement.
2. Manger gloutonnement.

« Ce n'est pas la peine de regarder cet homme, me glissa à l'oreille Isambart, avec un air vulgaire. Y a rien à lichier[1].

— Il est si biau.

— Biau comme un eunuque. »

Isambart m'expliqua qu'un eunuque était quelqu'un dont je n'aurais jamais l'usage : bon à rien et capable de tout, il ne pouvait donner ni enfants ni plaisirs aux femmes. Un chatron[2] qui compisse partout et sent l'urine.

« Fableries ! m'écriai-je. Cet homme est céleste et je le veux.

— Tu n'as pas compris : ce n'est pas un homme !

— Qu'il le soit ou non, cela ne m'empêche pas de le trouver à gober, à boire, à mignonner[3]. »

Enfant de la polygamie mahométane, apparu vingt ans après la mort du prophète Mahomet, l'eunuque était l'une des grandes spécialités de l'Orient où il occupa toutes sortes de fonctions : quand il n'était pas assigné aux galères, aux chantiers, aux travaux des champs ou aux carrières de pierres, il exerçait la fonction de gardien d'épouses, d'espion de harem ou, parfois, de régent de roi dissipé, voire dégénéré, en tenant à sa place l'État et l'armée. Sans parler des métiers de chambellan ou de superviseur des plaisirs de bouche.

Qu'aurait été le monde arabe sans ses eunuques ? Les mahométans prélevaient leurs esclaves

1. Lécher.
2. Castrat.
3. Caresser délicatement.

un peu partout. En Afrique, en Arménie, en Pologne, dans le Caucase, les Balkans ou sur les côtes de Provence. Afin qu'ils ne fassent souche ou ne barattent leurs maîtresses en l'absence des maris, les mâles étaient tous castrés. Ce qui, entre autres avantages, les rendait moins agressifs, plus dociles. Sans doute plus intelligents aussi : contrairement aux hommes, ils ne s'épuisaient pas à courir après leur queue ; certains d'entre eux ont même connu des réussites éclatantes.

Les mahométans ne faisaient pas les choses à moitié. L'esclave mâle était traité avec moins d'égards que les bêtes de boucherie. Le castreur ne lui laissait rien, pas même le vit. Qu'il fût incapable de se reproduire ne suffisait pas, il fallait aussi l'empêcher de donner du plaisir aux femmes.

La verge et les testicules étaient donc tranchés d'un coup de rasoir. Ne restait plus que le trou de l'urètre où était enfoncé un bout de jonc ou une canule afin de l'empêcher de rétrécir et permettre au sujet de se soulager. La rétention était l'un des grands risques de l'opération à la mahométane, les deux autres étant l'hémorragie et l'infection.

Peu d'élus survivaient à cette castration, généralement pratiquée quand les sujets étaient jeunes. Après l'amputation de tous les organes extérieurs, les châtrés étaient enterrés dans du sable jusqu'au ventre pendant une journée, souvent plus, sans avoir le droit de boire. Quand on les sortait, la plaie était badigeonnée avec un mélange d'huile, d'argile et de poudre d'aloès.

Après quoi, leur plaie triangulaire commençait à bourgeonner comme un chou-fleur et advenait que pourrait.

*

J'attendis longtemps le retour de l'eunuque Malek. Quand, enfin, il vint me proposer de passer la soirée en sa compagnie, je ne parvins pas, malgré mes efforts, à cacher mon enthousiasme. Avec son maître Sabyh, il disposait d'une dépendance joliment meublée.

Pendant le repas, servi par des esclaves nubiens, Malek et moi ressemblions à deux pauvres bêtes terrorisées un jour de chasse. L'amour grandit tellement les âmes qu'elles se sentent vite à l'étroit dans leur chair palpitante. C'était exactement ce qui nous arrivait.

Pourquoi Malek parlait-il un si bon français? Fils cadet d'un prince de montagne de la Petite Arménie, il avait eu pour précepteur un templier en rupture de ban qui lui avait appris plusieurs langues. Enlevé à treize ans par les mahométans, il avait été aussitôt escollié[1] et, dans la foulée, converti à l'islam.

« J'aurais pu considérer que cette opération me vergoignait[2], dit-il. Eh bien, j'ai décidé qu'elle m'élevait au-dessus du troupeau et que,

1. Châtré.
2. Déshonorait.

du coup, elle devenait une chance pour moi. Celle de rester toujours pur et libre. »

Il prit ma main et dit en baissant la voix :

« La conversion, je ne l'avais pas demandée, non plus. Je n'ai rien contre l'islam mais je reste chrétien. Mahomet ne vaut pas Moïse qu'il a honteusement copié. Ni le Christ à côté duquel il semble un avide et un grimpion[1].

— Ce qui sauve Mahomet, dis-je, c'est qu'il aime la vie.

— Soit. Mais ce qui le perd, c'est qu'il reste, comme Moïse, un guerrier. Or, un guerrier a toujours des déportements, il peut être très cruel. Contrairement au Christ.

— Le Christ peut se permettre d'être bienveillant parce qu'il ne fait pas la guerre. C'est saint Paul qui l'a menée à sa place mais, sans saint Paul, le christianisme n'aurait pas connu cet essor ; c'eût été une petite secte qui aurait disparu depuis longtemps. »

Je n'avais plus de salive mais je ne songeais qu'à embrasser Malek. Après avoir humecté mes lèvres d'un coup de langue, je murmurai, la bouche entrouverte, les yeux mi-clos :

« Malek…

— Non, Malek est mon prénom musulman. Quand nous sommes ensemble, s'il te plaît, appelle-moi Armen, c'est mon vrai prénom, celui que m'ont donné mes parents.

1. Arriviste.

— Armen », soufflai-je.

Quelque chose monta en nous, ô doux Seigneur, que c'était bon, gloire à Dieu dans les cieux ! Armen et moi nous embrassâmes longtemps, la bouche tremblante, avant de passer la nuit ensemble. Malgré sa condition d'eunuque, elle fut si belle que je ne puis trouver les mots pour la raconter, ils ne seraient pas à la hauteur. Ils ne vont pas assez vite ni assez haut, ils ne savent jamais dire l'amour.

26

Conversations avec Tiphanie (2)

MARSEILLE, 2016. En relisant les lignes que vient de me dicter Tiphanie, je suis envahi par la mélancolie. Qu'a-t-on fait de l'amour ?

Ou bien il est cul-cousu, hypocrite, encloué par les bigots. Ou bien il est volage, vendu au premier venu, transformé en bégayage de site de rencontre.

Dans les deux cas, il manque à l'amour l'infini, la liberté, le merveilleux. Dans sa frénésie de désacralisation, notre siècle l'a rabaissé : sans les serments, il est devenu prosaïque, j'allais dire vulgaire. J'en étais là de mes réflexions quand Leila a sonné à ma porte.

Je l'avais invitée à déjeuner chez moi pour lui faire ma demande en mariage. Nous nous sommes assis devant les mezzés de Sonia Moussdoune, les meilleurs de Marseille, et je lui ai débité, la bouche tremblante, le petit discours que j'avais préparé.

Quand j'eus terminé, Leila avait la bouche pleine de feuilles de vigne. J'attendis sa réponse, le cœur battant :

« C'est tout réfléchi, Olivier. Ma réponse est oui. »

Nous nous sommes levés, enlacés et embrassés. C'était notre premier baiser. Il ne m'a pas déçu. Il m'a laissé dans la bouche un goût de bois, de silex, de groseille, de clou de girofle.

« Je suis tellement heureuse, murmura-t-elle, les yeux baissés. Tu vas te convertir à l'islam, alors ? »

Je me dégageai :

« Je ne te l'ai jamais promis, mon amour. Ne crains-tu pas d'en demander trop ?

— Ce n'est pas une condition que je pose mais un désir que je formule. N'est-ce pas mon droit ?

— Je ne suis pas encore prêt à devenir musulman mais je peux très bien l'envisager. »

Elle a rapproché ses lèvres et a posé sur ma joue un baiser qui m'a fait frissonner :

« Sache que ça me ferait très plaisir.

— Je ne vois pas ce que ça changerait dans nos relations.

— Il n'y aurait pas de malentendus. On se comprendrait mieux. Mais, bon, je ne t'oblige pas… »

Nous n'en avons plus parlé. Après le repas, nous nous sommes assis sur le canapé où nous nous sommes embrassés un long moment comme des adolescents : je n'avais pas droit à plus. Soudain, elle s'est levée d'un bond et elle est partie pour le travail, quasiment en courant.

J'ai passé l'après-midi, assis à mon bureau, à

penser à Leila en écoutant de la musique et en résistant à l'envie de lui téléphoner. J'ai finalement cédé vers dix heures du soir. Elle a semblé heureuse que je l'appelle pour lui redire mon amour.

Elle m'a répété qu'elle m'aimait d'une voix qui me sembla trembler d'émotion.

« Maintenant, lui dis-je, mon but dans la vie, c'est toi. »

J'aurais aimé qu'elle renchérisse mais elle se contenta d'un « c'est bien » laconique qui me transperça le cœur.

*

Les jours suivants, j'eus une panne. Je n'arrivais plus à écrire, on aurait dit que je n'avais plus que de l'eau dans la tête et je dormais de plus en plus tard, jusqu'à ce que, un matin, Tiphanie me réveille, comme auparavant entre trois et quatre heures. J'ai retranscrit notre conversation.

« C'est le Christ qui avait raison, m'a-t-elle dit. Il ne faut pas s'attarder sur cette terre. Il y a trop de haine, trop de cynisme, trop de malheur. Je suis venue t'annoncer que je m'en vais.

— Est-ce à cause de Leila ?

— Moi, jalouse ? Comment oses-tu me soupçonner de ça ? Je ne souffre plus que tu acceptes le monde tel qu'il est, voilà la vérité. Le réalisme est la grande maladie de ton époque : je ne la partagerai jamais contre la mienne. Dans le branle[1] où vous vivez, vous avez perdu le sens du mystère, de la beauté du monde et de la hiérarchie des choses, vous croyez que tout se vaut. Regardez-vous, repus sur votre potron et vos certitudes, vous êtes incapables, toi le premier, de prendre votre destin en main pour essayer de construire un siècle[2] meilleur. Nous n'avons plus rien à nous dire.

— Si tu ne reviens pas, Tiphanie, je ne pourrai pas raconter la suite de ton histoire. Ce serait dommage. »

Elle n'a pas répondu : j'avais marqué un point. Mais il fallait faire vite si je voulais achever le livre. Leila avait prévu d'emménager rue Sainte un mois plus tard, le jour de notre mariage. J'étais sûr que sa présence chasserait les mânes de Tiphanie.

En attendant, Leila et moi prenions la plupart de nos dîners ensemble, souvent dans le quartier Saint-Victor, puis je la raccompagnais à pied chez elle, à la Belle de Mai. Elle habitait un vieil immeuble de guingois, une version marseillaise de la tour de Pise qui comptait initialement trois étages, sur lesquels deux autres avaient été ajoutés, en dépit du bon sens, au cours des dernières décennies. Sous le porche, je n'avais droit qu'à un baiser sur la joue.

Vivant d'espoir, je m'en satisfaisais. J'étais ainsi au septième ciel quand, un jour, Samir la

1. Grande agitation.
2. Monde terrestre.

Souris passa me voir pour me livrer le fruit de son enquête sur Leila.

« C'est grave », dit-il d'entrée de jeu.

Nous nous sommes assis sur la terrasse avec une bouteille de pastis. Quand je l'ai ouverte, j'ai tout de suite su qu'elle ne ferait pas long feu. Samir n'a même pas attendu de boire la première gorgée pour me tendre son dossier « Leila » avec un rictus mélodramatique :

« Lis ça, tu vas pas en revenir. »

J'ai ouvert la chemise cartonnée. À l'intérieur, tout était écrit en patagon avec des flèches, des cercles et des signes cabalistiques sur chaque page, sans parler des fautes d'orthographe, de français ou de syntaxe. Le style jeune. Après en avoir lu quelques lignes, je lui ai rendu son travail :

« Je préfère que tu me dises ce qu'il y a dedans, Samir. Ça ira plus vite.

— C'est comme tu veux. T'es le client.

— Mieux qu'un client, dis-je. Un ami ! »

Il eut ce rire forcé qui m'a toujours déplu.

« J'ai fouillé partout, sur tous les comptes de Leila, dit-il. Après les avoir passés au crible, j'ai découvert des trucs de ouf. Du très lourd. Au départ, ta copine me semblait si propre sur elle que ça m'a mis la puce à l'oreille. Eh bien, je peux te dire maintenant que tu t'es mis dans un sacré guêpier. »

Je n'ai pas cillé. Samir la Souris en rajoutait toujours. Il n'y a pas assez de tragique à Marseille, où l'on s'amuse de tout, même de la mort ; il lui fallait toujours en remettre une couche. Avec lui, un rhume devenait un cancer ; une sardine une baleine ; une objection une déclaration de guerre.

« Peux-tu me dire exactement ce que tu lui reproches ? demandai-je.

— C'est compliqué. Il ne faut pas m'en vouloir si je te dis la vérité vraie que tu m'as demandée.

— C'est pour elle que je te paye. »

Il a souri, fini son verre de pastis, puis survolé négligemment le dossier « Leila » pendant que je le resservais.

« La vie de ma mère, je n'ai rien contre cette fille, souffla-t-il, comme s'il faisait un effort physique important. Je me contente de constater. D'abord, son père et son frère sont salafistes…

— Je le sais, l'asticot. Elle ne s'en est jamais cachée. C'est le drame de sa vie.

— Excuse-moi, y a pire. Sais-tu qu'elle a vécu pendant plusieurs mois une histoire d'amour avec un type qui est devenu djihadiste avant de mourir pendant la guerre en Syrie ? »

J'accusai le coup avant de soupirer :

« Et alors ?

— Tu trouveras la fiche de ce djihadiste en annexe. Il s'appelle Moussa Kasra. Une belle gueule, un regard pur et un pedigree de psychopathe. C'était le Michael Jackson du sabre, le virtuose des coupeurs de têtes kurdes, chrétiennes, chiites ou alaouites. J'ai lu sur le site de l'État islamique et sur son propre compte qu'il se targuait d'avoir tué quatre cent dix-sept infidèles dont cent trente-deux par décapitation. Dans mon dossier, tu trouveras plusieurs photos de lui avec ses trophées. Voilà le genre de type que Leila serrait dans ses bras avant de te connaître ! Ça ne te fait rien ? »

Je n'ai pas répondu : sa question était insultante. Il y eut un silence. Samir faisait danser d'une main les glaçons dans son verre de pastis en pianotant de l'autre sur la table de jardin. Anéanti au point de ne plus pouvoir bouger un doigt, je lui ai demandé d'une voix blanche :

« Es-tu bien sûr que Leila a continué à avoir des relations avec ce Moussa quand il est devenu djihadiste ?

— Non. Ce n'est pas ce que j'ai dit. Ils ont même cessé tout contact.

— Donc, elle n'est pas suspecte d'islamisme radical. »

Il hésita un moment en compulsant le dossier « Leila » pour se donner une contenance, puis leva les yeux au ciel :

« Non, je n'ai pas de preuves mais, disons, des intuitions.

— Méfie-toi, l'asticot. Les erreurs judiciaires sont les enfants naturels des intuitions et des présomptions.

— L'islamisme, dit-il, est une maladie très sournoise. Comme le cancer du poumon. Il y a plein de gens qui en sont infectés mais qui ne le savent pas. Quand il se déclare, il est toujours trop tard, le sujet est condamné. »

Plusieurs secondes s'écoulèrent avant que je reprenne d'une voix incertaine :

« Il y a quelque chose qui m'étonne. Leila m'a assuré qu'elle était vierge. Crois-tu que ce soit possible ? »

Il secoua la tête, accablé :

« Ne me dis pas que tu ne l'as pas encore honorée depuis le temps que tu la connais !

— Eh bien, non : elle ne veut rien entendre avant le mariage, mais elle ne perd rien pour attendre. »

Un sourire comme une grimace traversa le visage de Samir qui se pencha dans ma direction :

« On se fout un peu de savoir si elle est pucelle ou pas, non ?

— Moi, je ne m'en fous pas. Je veux savoir si elle m'a menti. »

Un silence et, soudain, Samir la Souris s'écria sur un ton outragé :

« Mais qu'est-ce qui t'arrive, Olivier ? Tu sais comme je te respecte mais, là, tu m'inquiètes grave, *wallah.*

— Baisse d'un ton, veux-tu bien. Tu pourrais être mon fils. »

Samir la Souris se leva, son verre dans la main, et me fit face :

« C'est normal que je m'inquiète pour toi : je t'apprends que la nouvelle femme de ta vie a été maquée avec un futur terroriste et la seule chose qui t'intéresse, c'est de savoir si elle a couché avec lui. J'en sais rien et je ne le saurai jamais. Je peux tout faire avec Internet, sauf aller voir ce qui se passe sous les draps. »

Je feignis l'ironie :

« Mais tu crois en savoir assez pour prétendre qu'elle est islamiste !

— Je ne vais pas jusque-là mais il y a une chose qui est sûre : elle t'a pas dit toute la vérité. J'aime pas ça.

— Tu devrais t'en foutre, Samir. Tu es tellement à cran sur ces choses-là, je commence à me demander si tu n'es pas en train de devenir islamiste toi-même.

— À cause de ma barbe ? Mais enfin, réfléchis un peu, je ne suis pas si con.

— Tu es tellement jeune, l'asticot, tu as encore le droit d'être con.

— Cette barbe, elle n'est pas du tout religieuse, elle me permet de passer inaperçu au milieu des jeunes de ma génération. Pour ne pas avoir d'ennuis, il faut toujours ressembler aux gens. Tu devrais savoir ça, à ton âge. »

Je lui demandai sa facture. Elle était salée. Après lui avoir donné tous les billets que j'avais sur moi, je lui ai promis de lui verser le reste les jours prochains, en liquide bien sûr, puis je suis retourné à ma table de travail, où Tiphanie m'attendait.

III

D'AMOUR
ET D'EAU FRAÎCHE

1250-1269

27

La revanche des mamelouks

MANSOURAH, 1250. Le lendemain de ma première nuit avec Armen, l'eunuque Sabyh me chargea de prendre soin, avec le chambellan Isambart, du roi Louis. Il y avait assez de travail pour deux, un travail que rendait pénible l'odeur fétide qui régnait dans sa geôle de fortune.

Isambart rasait Louis IX, lui faisait sa toilette matinale et l'aidait à effectuer ses besoins naturels, exercices que les fers et les chaînes rendaient difficiles. Moi, je donnais un coup de main au cuisinier pour préparer les repas du monarque. Je lavais aussi ses vêtures et allais vider le pot de déjections royales dès qu'il était rempli.

De temps en temps, accompagnée par mon luth, je distrayais le roi enchaîné en lui donnant un petit récital de chantefables.

« Au lieu de célébrer l'amour, ne peux-tu pas aussi glorifier le Seigneur tout-puissant ? me demanda un jour le souverain.

— Mais c'est pareil, Sire. »

Louis IX sourit en baissant la tête :

« Pardonne-moi, Belle d'amour. »

Ce fut pendant ce mois de captivité que je découvris la vraie nature du roi des Francs, sa dignité, sa distance et son sang-froid dans l'adversité. Il vivait tellement au-dessus de lui-même que, même dans son état de dénuement, il continuait d'imposer le respect. Il ne se plaignait jamais et gardait sa bonne humeur naturelle.

Après l'avoir laissé maltraiter, Tûrân Châh, le sultan d'Égypte, découvrit soudain que son prisonnier pouvait se négocier et envoya ses propres médecins, bien plus compétents que les charlatans de l'ost, au chevet du roi. Peu à peu, grâce aux herbes, plantes et citrons prescrits, le souverain fut rétabli.

Pour saluer son rétablissement, le sultan adressa à Louis IX des robes de taffetas noir avec des boutons d'or et une cinquantaine d'autres habits plus dignes de lui. Le roi repoussa ces présents avec mépris, tout comme il refusa, peu après, de se rendre à un grand festin où ses vainqueurs l'auraient donné en spectacle.

Quand Tûrân Châh annonça au roi qu'il serait libéré s'il lui versait une rançon et rendait à l'Égypte la ville de Damiette, conquise par les chrétiens, Louis IX répondit : « Faites vos propositions. Si la reine les trouve justes et raisonnables, elle les acceptera. »

Pourquoi la décision devait-elle, selon Louis IX, revenir à la reine Marguerite ? Parce qu'elle était restée à Damiette qu'elle gouvernait avec maestria, après avoir donné naissance à un fils, Jean, prénom auquel fut accolé celui de Tristan. Elle seule savait de combien de besans elle pouvait disposer pour la rançon. Elle seule connaissait le rapport de force militaire qui ne semblait pas si désastreux pour les chrétiens : jusqu'à présent, toutes les attaques des mahométans avaient été repoussées par la garnison, y compris celle où ils s'étaient déguisés en soldats chrétiens : leur teint les avait trahis.

« Comment un homme, un roi, peut-il montrer tant de déférence à une femme ? s'indigna le jeune sultan.

— C'est qu'elle est ma dame et ma compagne », répondit Louis IX.

Rien ne ferait plier le roi, pas même la menace de le livrer aux bernicles, torture à la mode sarrasine consistant à faire passer les jambes du supplicié entre deux poutrelles de bois armées de dents que l'on serrait de plus en plus fort grâce à un nerf de bœuf, jusqu'à l'écrasement des os.

« Je suis prisonnier du sultan, affirma l'insolent monarque. Il peut faire de mon corps ce qu'il voudra mais mon âme appartient à Dieu. »

Même s'il prétendait qu'un « roi de France ne s'achète jamais à prix d'argent », Louis IX finit par trouver un arrangement avec le sultan : « Je vous donnerai Damiette pour ma délivrance et un million d'or pour celle de mes guerriers. »

Heureux de cette conclusion, le sultan consentit un rabais de deux cent mille besans. Un cinquième de la somme.

*

Les athées et les agnostiques aiment dire qu'il faut tout pardonner à Dieu sous prétexte qu'il n'existe pas. Qu'il me soit permis de leur répondre qu'il a seulement des absences.

Il est arrivé à Dieu de disparaître des siècles entiers. Tout ubiquitaire qu'il soit, il a trop de choses à faire, il ne peut pas être partout en même temps. À l'époque où se déroule notre histoire, il ne s'éloignait jamais, pour le plus grand bonheur de Louis IX et de moi-même qu'il allait tirer d'affaire.

Tous les soirs, je retrouvais Armen pour dîner et, toutes les nuits, sa couche pour l'aimer. Quelque chose d'infini nous gagnait alors et nous nous abandonnions à sa brise, ô Vierge de lumière. Les yeux pleins d'étoiles, nous renaissions sans cesse au monde dans le bourdonnement des murmures, le soulèvement des sens et le gigotement des chairs, transformant le ciel en terre et la terre en ciel, ô Seigneur, je viens vers toi, emmène-moi dans ta péninsule, devenons imputrescibles, que notre amour fasse danser les étoiles.

Parfois, avant de se coucher, Armen jouait du duduk, une sorte de flûte à dix trous en bois d'abricotier, qui parle la langue des âmes mortes.

D'après lui, la musique de cet instrument montait si haut que Dieu pouvait l'entendre, même quand il était au bout de l'univers. Ça le fait toujours réapparaître, assurait-il. La preuve de son retour, ajoutait-il, c'était notre amour.

Après l'avoir fait ressusciter *in extremis*, d'une pichenette divine, quand il se mourait de dysenterie et de faiblesse, le Seigneur tout-puissant avait placé le roi des Francs entre les mains des épatants apothicaires du sultan. Première intervention.

Seconde intervention : l'horizon s'éclairait à peine pour Louis IX que Tûrân Châh était égorgé. On ne dira jamais assez tout le mal qu'il faut penser de ce fel[1] de basse-cour qui ne souffrait pas d'être le fils d'un grand homme et ferraillait rageusement contre son ombre.

Tûrân Châh avait passé son bref règne à ourdir des complots, couper les têtes qui dépassaient et régler des comptes posthumes avec son père en tuant ses anciens affidés. Lui vivant, le roi des Francs serait resté en danger.

Les mamelouks, les émirs et les eunuques furent les instruments terrestres de ce qui apparaît comme la main de Dieu. Avec Sabyh, Armen ne fut pas l'un des moindres artisans du meurtre du sultan. Je ne crois pas avoir joué un rôle déterminant dans ce complot, mais il me semble que je n'y fus pas totalement étrangère.

1. Cruel.

« Vous vous laissez exploiter comme des sottards[1] », leur dis-je avant de leur rappeler que le nouveau sultan d'Égypte ne rendrait jamais aux mamelouks ni aux eunuques ce qu'ils avaient donné à son pays sous le règne de son père. L'ordre, la fierté, les conquêtes, les butins, les richesses. Au contraire, il attendait le moment propice pour les tuer tous.

Qu'aurait été l'Égypte sans les uns et les autres ? Un mouroir, une bruierie et une bordellerie, les trois en un, vivant sur son glorieux passé pharaonique. Un ramas de vestiges. Pas grand-chose. À ce grand peuple nostalgique, il aurait manqué l'énergie, la volonté, la vassalerie[2], autrement dit l'essentiel.

Ce sont les mamelouks, les émirs, les eunuques, ainsi que les esclaves qui avaient régénéré l'Égypte : les traites négrières ou européennes lui réinjectaient sans cesse du sang frais.

Au-dessus du lot, étaient les mamelouks, souvent considérés comme les meilleurs guerriers d'Orient. Recrutés comme esclaves dans la fleur de l'âge parmi les tribus des steppes ou les populations chrétiennes du Caucase, ils étaient convertis à l'islam et dressés à la chose militaire avant d'être mis au service des souverains arabes. Une fois affranchis, ils constituaient une milice de haute volée. L'honneur de l'Égypte.

Pourquoi ne deviendraient-ils pas sultans à la

1. Imbéciles.
2. Bravoure.

place du sultan ? Après avoir soutenu à bout de bras Tûrân Châh qui oubliait tout, excepté d'être ingrat, il était temps qu'ils puissent enfin se ventrouiller dans le pouvoir et les richesses qui l'accompagnent.

Une femme allait jouer un rôle décisif dans le complot : la sultane Chegger'eddour, veuve de l'ancien maître de l'Égypte. Elle mit en garde les mamelouks : son beau-fils avait hâte d'en finir avec cette guerre contre les Francs pour exécuter les anciens féaux de son père qui contestaient son autorité foutraque. Elle était sûre qu'il projetait de les tuer tous dès qu'il aurait touché les huit cent mille besans, montant de la rançon du roi des Francs que l'ordre du Temple était en train de rassembler.

À en croire sa belle-mère, Tûrân Châh avait coutume, pour s'amuser, de trancher au sabre des flambeaux de son palais, en disant :

« C'est ainsi que je couperai la tête de tous les mamelouks. »

Elle prétendait qu'il nommait même les flambeaux par leur nom. C'était crédible : tant de serviteurs du sultanat étaient déjà tombés sous son cimeterre, un grand sabre à poignée d'or et à lame courbée.

28

Le sultan qui fuyait plus vite que son ombre

MANSOURAH, 1250. La chétivaison[1] du roi allait prendre fin. La veille de sa libération, alors que je lui apportais sa pitance, je demandai d'une petite voix à Louis IX si Sa Majesté voulait bien m'autoriser à la quitter.

« Quelle étrange idée ! s'étonna le roi. Vous n'allez quand même pas rester au milieu de tous ces infidèles ! J'espère que vous n'ignorez pas leur détestation des chrétiens.

— Je veux aller dans le royaume d'Arménie : il est peuplé de bons chrétiens.

— C'est un pays dangereux avec ces Mongols et ces Turcs, jamais rassasiés de voleries et de maraudages.

— Ne vous inquiétez pas, Sire. J'aurai à côté de moi quelqu'un pour me protéger. »

Consterné, il secoua la tête :

« Mais pourquoi avez-vous pris la décision de partir ?

1. Captivité.

— L'amour.

— Prenez garde, Tiphanie. L'amour, c'est comme le temps : il fuit toujours. »

Louis IX prit ma main et la posa sur sa cotte[1], à l'endroit du cœur. Subvertie[2], je tressaillis vivement et quelques larmes coulèrent sur mon visage.

« Je vous demande une faveur, dit le roi. Restez avec moi jusqu'à ce que nous soyons hors de portée des mahométans. »

Il ajouta qu'il avait besoin, en ces temps difficiles, de regards qui, comme le mien, l'apaisassent.

« On ne dira jamais assez, ajouta-t-il, la solitude de celui qui doit décider. »

*

J'étais encore émue par les propos du roi quand je me rendis, avec Armen, au festin que donnait le sultan Tûrân Châh dans son palais de Pharescour, en l'honneur des chefs de l'armée, pour fêter son accord avec les chrétiens. Il y avait des montagnes de viandes, de fruits et de gâteaux au miel. Ça sentait la chair brûlée de poisson, de poulet et de mouton.

La mort du sultan avait-elle été programmée ce jour-là ? C'est probable. Quand ils arrivèrent à la fête, les mamelouks observèrent que la

1. Chemise.
2. Bouleversée.

garde du sultan avait été renforcée. Cela accrut leur détermination : mieux valait tuer Tûrân Châh avant qu'il les tuât.

Tûrân Châh avait une particularité : c'était sans doute l'homme qui courait le plus vite de tout l'Orient. Les chroniqueurs et historiens arabes nous ont laissé toutes sortes de versions de la mordrerie du sultan. On s'arrêtera à celle-ci qu'on pourrait appeler : « L'homme qui ne mourait jamais ».

Le festin de Pharescour s'achevait. Soudain, un homme se jeta sur le sultan, le sabre en avant : Baybars, appelé aussi, on l'a vu, Bibars-Bondocdar, l'étoile des mamelouks, le cavalier d'Allah, le fils du Ciel, celui qui avait sauvé les mahométans du désastre, lors de la bataille de Mansourah. Pas de chance : il ne frappa que légèrement sa prestigieuse victime, lui coupant quelques doigts et un bout de main.

Chose étrange, aucun des cinq cents gardes de Tûrân Châh ne prit la peine de sortir son épée du fourreau pour défendre le sultan, comme s'ils savaient que son règne était arrivé à son terme. Comprenant qu'il n'avait d'autre solution que la fuite, le sultan courut s'enfermer dans une tour en bois de cèdre d'où il tenta de raisonner ses assaillants.

En guise de réponse, les comploteurs lui envoyèrent du feu grégeois qui embrasa son refuge. Le sultan sauta par la fenêtre et fut cerné par une forêt de cimeterres. À quatre pattes, il embrassa les genoux d'Octaï, l'un des chefs de la rébellion, en le suppliant de l'épargner.

Il n'y a rien de plus pitoyable qu'un tyran aux abois. Il promettait de l'argent, des bijoux, les plus belles esclaves du Caire, en couinant et en pleurnichant. Baybars et Octaï lui répondaient par des insultes, des coups de sabre et de pied. À un moment, j'eus envie d'intervenir mais Armen m'intima d'un geste de me tenir tranquille.

Tailladé de partout et couvert de sang, Tûrân Châh trouva l'énergie de se relever et de courir en direction du Nil pour se jeter dedans. Un mamelouk lui perça le dos avec la pointe d'une lance, qui n'arrêta pas sa course. Il entrait en titubant dans les eaux du fleuve quand il fut enfin rattrapé et achevé par ses poursuivants.

Certains historiens arabes prétendent que c'est Octaï qui tua le sultan ; d'autres, comme le célèbre Makrizi, assurent que le coup fatal fut porté par Baybars. Dans le dos probablement, puisqu'on sait que le sultan fuyait plus vite que son ombre.

Tandis qu'Octaï arrachait le cœur du sultan pour le montrer à la cantonade, Baybars aurait, selon la tradition, exhibé son sabre sanglant. Le sabre de la délivrance des anciens esclaves d'Égypte qui, à travers son geste, se sentaient enfin vengés.

« Avant, je suffoquais, me dit Armen alors que nous observions la scène de loin. Maintenant, je vais pouvoir respirer. »

Après la mort du sultan, Octaï accourut auprès de Louis IX, à la tête d'une troupe de mamelouks. Ses bras et son cimeterre étaient couverts du sang sultanesque quand, ivre de lui-même, il demanda au roi :

« Que me donneras-tu pour la mort de Tûrân Châh, ton ennemi ? »

Le monarque répondit par un silence méprisant.

« Eh bien, meurs de ma main ou fais-moi chevalier, dit Octaï d'une voix forte, en appuyant la pointe de son cimeterre contre la poitrine du roi.

— Fais-toi chrétien, répondit le roi, et je te ferai chevalier. »

Une fois encore, la placidité de Louis IX impressionna les mahométans : une légende dit même que les mamelouks auraient envisagé par la suite de lui proposer la succession de Tûrân Châh à la tête de l'Égypte. Si étrange soit-elle, elle contient sans doute une part de vérité.

Après ce meurtre rituel, les mamelouks et les émirs ne savaient plus, si j'ose dire, à quel saint se vouer. Certains voulaient rediscuter le traité de paix, d'autres affirmaient qu'il fallait tuer le roi des Francs. Dans l'effervescence du moment, pourquoi d'autres n'auraient-ils pas prétendu que Louis IX pourrait faire un grand sultan d'Égypte ?

C'était un roc, une montagne de sérénité. Rien ne semblait l'atteindre, pas même les pires menaces proférées par la horde de braillards qui tournaient autour de lui, la bave aux lèvres, le cimeterre à la main.

« Sire, dis-je, je suis fière d'être votre sujette.

— Et moi, d'être votre roi. »

Ce qui se passa ensuite et dont nous fûmes témoins, Armen et moi, permet de comprendre l'incroyable fascination que Louis IX exercerait désormais sur ses amis comme sur ses ennemis.

29

Quand le roi prisonnier gagnait tous ses bras de fer

SAINT-JEAN-D'ACRE, 1250. Après un long branle, les mamelouks et les émirs parvinrent enfin à se mettre d'accord : le roi des Francs ne serait libéré qu'après avoir livré aux musulmans la ville de Damiette et payé la moitié de la rançon prévue pour son armée, soit quatre cent mille besans d'or.

Pour conclure ce traité, il fallait un serment qui le sacralisât. Les mahométans jurèrent qu'en cas de manquement de leur part ils se bafoueraient comme le croyant qui mange de la chair de porc, reprend sa femme après l'avoir répudiée ou se rend, tête nue, en pèlerinage à La Mecque.

En échange, ils exigèrent de Louis IX qu'il prononçât cette formule :

« Si je manque à ce serment, je serai semblable à celui qui renie son Dieu, qui crache sur la croix et la foule aux pieds. »

« Jamais ! Jamais ! » s'écria le roi. Sans doute sa réaction était-elle disproportionnée mais il n'avait jamais rien tant honni que le blasphème. Furieux, les mahométans le menacèrent de leurs sabres : « Tu es notre captif et tu nous traites comme si nous étions dans tes fers ! »

Ils eurent beau dire et beau faire, le roi ne voulut rien entendre. Les mahométans pensèrent alors qu'il céderait s'ils suppliciaient devant lui le patriarche de Jérusalem, octogénaire héroïque auquel il vouait une grande admiration.

Après avoir attaché le patriarche à un poteau, ils garrottèrent ses mains familleuses[1] avec tant de force que les cordes entrèrent dans ses chairs, faisant jaillir le sang. « Sire, jurez, implora le vieillard, je prends le péché sur moi.

— Pitié ! hurlai-je au roi. Faites comme le patriarche vous dit et qu'on n'en parle plus !

— Vous n'y pensez pas ! » me répondit le roi.

Louis IX tint bon. De guerre lasse, devant tant de détermination, les mahométans relâchèrent le patriarche et décidèrent que la parole du monarque valait serment. Sans armes, il avait ainsi gagné tous les bras de fer.

Si le roi tenait à ce que fussent respectés tous les points du traité, on ne peut en dire autant des mahométans qui, après l'assassinat de leur sultan, étaient livrés à eux-mêmes : quand ils entrèrent dans Damiette, ils massacrèrent tous les chrétiens, souvent malades, qui s'y terraient encore. S'ils n'avaient pas craint de perdre la rançon promise,

1. Faméliques.

leur soif de carnage se serait sans doute étanchée sur Louis IX qu'ils auraient égorgé.

Jamais je n'ai plus pleuré qu'en quittant l'Égypte. Serrée contre Armen, sur la galère royale, je regardais le rivage s'éloigner derrière un torrent de larmes qui me brouillait la vue. À côté de nous, tous les grands du royaume, comme Sargines, Nemours, Soissons ou Joinville, avaient les yeux rougis et des têtes de déterrés.

Armen tenta de me consoler :

« Qu'importent les défaites pourvu qu'elles nous aguerrissent. »

*

La mort du sultan avait provoqué un immense soulagement dans toute l'Égypte où, en à peine deux mois de règne, Tûrân Châh avait prouvé que leur cruauté ne protège pas les puissants : elle peut même creuser très vite leur tombe.

Tout gouvernant, fût-il un tyran, doit savoir user de la peur avec modération. Le sultan en abusa. Un peu de terreur tient les ennemis en respect. Trop, dispensée au gré des caprices du prince, affole tout le monde, y compris les meilleurs alliés. Tûrân Châh n'avait pas su diviser ses ennemis ni rassurer ses amis.

Réunis pour remplacer le sultan, les émirs décidèrent de porter au pouvoir la reine Chegger'eddour : l'ancienne esclave de harem devint la sultane de l'Égypte. Selon l'historien arabe Djemal'eddin, son nom « fut prononcé pendant la prière et parut sur tous les actes publics. Ce fut la première femme à jouir de cet honneur dans l'Islam ».

Quand il apprit la nouvelle, le calife de Bagdad entra en transe. Pourquoi les nouveaux dirigeants de l'Égypte n'avaient-ils pas été capables de trouver un seul mâle bien coillu[1] pour conduire leur pays ? Les mamelouks avaient anticipé les reproches : le titre de commandant des troupes avait été accordé à l'émir Aïbek, surnommé Eizz'eddin, ou encore le Turcoman.

Pour célébrer la victoire de l'Égypte, la sultane fit distribuer aux émirs des vestes d'or et d'argent. Jusqu'au moindre soldat, chacun reçut sa gratification, souvent en besans. Encensés furent les vainqueurs, tandis que Louis IX, le vaincu, était ridiculisé par les versificateurs de cours et de harems :

> *Tu venais en Égypte ; tu en convoitais les richesses ; tu croyais que ses forces se réduiraient en fumée.*
>
> *Vois maintenant ton armée ; vois comme ton imprudente conduite l'a précipitée dans le sein du tombeau.*
>
> *Cinquante mille hommes ! Et pas un qui ne soit tué, prisonnier ou criblé de blessures !*

Comment se remettre d'un tel fiasco ? Le roi des Francs avait quitté sa geôle de Mansourah à

1. Pourvu de testicules.

la tête d'une petite armée de fantômes clopinants. Alors qu'un an plus tôt il avait débarqué en Égypte accompagné notamment de deux mille huit cents chevaliers avec bannières, il n'en restait plus dorénavant que cent.

Louis IX était maintenant à la tête d'une armée de va-cul-nu. De la gueusaille qui avançait d'un pas lent, la tête basse. De pauvres hères. Criblés de blessures, le duc de Bourgogne et le comte de Bretagne s'étaient esbignés avec leurs troupes. Quant aux autres barons de la croisade, ils allaient supplier, à quelques exceptions près, le souverain de retourner dans son royaume que menaçaient toutes sortes de dangers. Là-bas, tout le monde, à commencer par sa mère, Blanche de Castille, l'implorait de revenir.

Après avoir été humilié en Égypte, le roi pouvait-il à présent abandonner à leur sort les chrétiens de Syrie et de Jérusalem qui attendaient tout de lui ? Il ne parvenait pas à s'y résoudre alors que la désolation se répandait en Europe, à mesure qu'y parvenaient les récits de ses malheurs. Dans un sirvente[1] défaitiste, cité par Joseph-François Michaud dans son *Histoire des croisades*, un troubadour écrivait ainsi, au grand dam des bien-pensants :

> *Celui-là est donc bien fou qui cherche querelle aux sarrasins, quand Jésus-Christ ne leur*

1. Ode à caractère satirique ou politique que chantaient les troubadours, aux XIIe et XIIIe siècles.

conteste rien, puisqu'ils ont remporté la victoire, et la remportent encore (ce qui me désole) sur les Francs et sur les Tartares, sur les Arméniens et sur les Persans. Chaque jour nous sommes vaincus; car il dort, ce Dieu qui avait coutume de veiller: Mahomet agit de toute sa puissance, et fait agir le farouche Bibars.

*

Tout était-il perdu? Armen et moi avions bien compris que les États latins où nous nous rendions seraient les mouroirs de la septième croisade: la chrétienté était comme un château de sable battu par les vagues d'une marée montante.

À peine débarqués de la galère royale dans le port de Saint-Jean-d'Acre, l'ancienne Ptolémaïs, nous achetâmes trois chevaux et nous nous renseignâmes sur le chemin à prendre pour rejoindre la Petite Arménie où Armen m'avait convaincue de me rendre.

« C'est un pays où tout le monde sourit, dit-il. Il ruisselle de lait, de miel, d'amour. Il faut que tu le voies. On ne connaît pas les gens quand on ne sait pas d'où ils viennent. »

Sans doute lut-il de l'inquiétude dans mes yeux.

« Rassure-toi, précisa-t-il. Je n'ai pas l'intention de vivre là-bas avec toi. Mais j'ai un problème à régler.

— Quel genre?

— Du genre qu'on ne peut laisser derrière soi, à moins d'en souffrir toute sa vie.

— Si c'est d'une vengison[1] qu'il s'agit, sache que j'adore ça », dis-je.

Au lieu de me répondre, il m'embrassa. C'est ce que font souvent les hommes quand ils ne veulent pas parler.

« La vengison, insistai-je, c'est comme un bain ou un verre d'alcool. Elle calme et nettoie tout. »

Le matin suivant, nous montâmes sur nos chevaux qui caracolèrent en direction de la Cilicie.

1. Vengeance.

30

La vengeance se mange froide en Petite Arménie

PETITE ARMÉNIE, 1250. Armen et moi chevauchâmes à travers toutes sortes de paysages en passant sans cesse de l'été à l'hiver ou l'inverse.

Quand nous ne mangions pas chez l'habitant, nous nous nourrissions de noix, d'amandes ou de fruits secs que portait, avec la tente et nos vêtements, le troisième cheval.

Ce voyage fut une lune de miel, de soleil, d'amour et d'eau fraîche. La nuit, nous nous acouchions sur un grand tapis persan et sous des couvertures de laine. Armen ne gardait jamais la langue dans sa bouche et tous les soirs, à notre façon, nous faisions la chosette.

Pendant notre périple, nous ne fûmes jamais importunés par les harpailleurs aux groins[1] hideux qui, munis de haches et de masses, hantaient les chemins pour détrousser les voyageurs. Sans doute étaient-ils impressionnés par la taille d'Armen, ses

1. Visages.

affublements aux fils d'or et son grand sabre à lame courbée. On aurait dit un mamelouk.

Quand nous arrivâmes dans ce qui restait de l'Arménie, après qu'elle eut été dépecée par les Turcs seldjoukides, Armen me dit qu'il ne reconnaissait pas son pays. À l'en croire, les herbes et les arbres avaient changé d'odeur. Les pierres, les feuilles, les écorces, les bêtes et les gens, tout suintait la peur. Les cèdres mêmes faisaient la gueule.

Héthoum Ier, seigneur de Barberon, régnait alors sur la Cilicie, appelée aussi Petite Arménie, moignon de pays au sud-est de l'Anatolie. Accueillant les réfugiés arméniens chassés de partout par les mahométans, elle survivait comme elle pouvait. Son monarque accompagnait d'une main molle le début d'une course vers l'abîme qui verrait le pouvoir turc perpétrer, pour en finir avec ce peuple, le génocide de 1915.

Résidu de la Grande Arménie, première nation à adopter le christianisme comme religion d'État en l'an 301, le royaume arménien de Cilicie fut un îlot de résistance face à l'islamisation générale de la région et l'allié principal de l'Occident pendant les croisades. Malgré les épreuves, il excitait les convoitises, telle une « francherepue[1] ». Inventif et entreprenant, il savait faire de l'argent et, autour de lui, tout le monde brûlait de le dévorer,

1. Repas plantureux.

à commencer par les Turcs seldjoukides : ils l'aimaient comme on aime une bête à manger.

Les mamelouks de Baybars s'étaient mis à lorgner à leur tour les reliefs si appétissants du royaume de Cilicie. D'où la crainte de la Petite Arménie qui avait fait allégeance aux Mongols dont elle était devenue une sorte de protectorat apeuré.

Après avoir traversé la Syrie, nous nous rendîmes à Sis, capitale de la Petite Arménie, pour rencontrer le roi Héthoum Ier qu'Armen avait connu dans son enfance et qui nous accueillit à bras ouverts. Le monarque, qui parlait français, se présenta à moi comme un ami de la France.

« Comme tu as grandi ! s'exclama le petit roi en prenant Armen dans ses bras.

— Les fendus[1] ont toujours une plus grande taille que les autres, répondit mon amoureux, c'est d'ailleurs tout ce qu'ils ont. »

Il y aurait eu un malaise si Armen n'avait aussitôt enchaîné :

« Je suis venu ici pour retrouver Gogh. »

Comme s'il voulait les coiffer, Héthoum Ier passa la main sur ses sourcils chevelés qui tombaient sur ses grands yeux de bovidé.

« Gogh est quelque part sur les monts Taurus, finit par dire le roi. J'aime beaucoup les monts Taurus. D'ailleurs, j'aime beaucoup la nature en général.

1. Châtrés.

— Mais où est-il, exactement ?

— Depuis qu'il a volé au Vieux de la montagne un grand convoi en provenance de Perse, Gogh est pourchassé par la secte des Assassins qui lui a envoyé ses tueurs à deux reprises. Il a raison de se faire du souci. Je lui ai dit : "Quand tu veux dépouiller quelqu'un, arrange-toi pour qu'il ne soit pas plus fort que toi, saperlotte ! Sinon, tu auras tôt fait de te retrouver sur tes rebondaines[1]." Je ne vois pas comment il pourra rembourser la somme que la Secte lui réclame pour le préjudice : elle est insensée !

— L'avantage avec moi, dit Armen, c'est que je ne viens pas lui demander de l'argent mais des comptes. Peut-être que ça lui fera moins peur.

— Ne crois pas ça. Tu peux dire de lui que c'est un polacre[2] mais il est tout sauf sot. »

Le roi de la Petite Arménie était aussi sympathique que sa fonction le lui permettait, mais il n'avait aucune autorité, il était condamné à babiller[3] sans cesse, souvent en vous tenant par la manche ou en vous serrant le bras très fort, pour être bien sûr que vous l'écoutiez.

Nous partîmes dans la précipitation. Je ne cachais plus ma mauvaise humeur. Que reprochait Armen à ce Gogh ? Pourquoi refusait-il d'en parler ?

Armen était un enquêteur-né. Aux monts Taurus, quand il rendit visite aux proches ou à

1. Les quatre fers en l'air.
2. Misérable, corrompu.
3. Parler beaucoup, de tout et de rien.

la famille de Gogh, il leur posa ses questions sur un ton dégagé, un peu las, en affirmant qu'il était mandaté par le roi Héthoum Ier pour lui remettre en main propre une belle somme d'argent. Et il leur montrait un sac brodé que personne, Dieu merci, ne lui demanda d'ouvrir : il ne contenait que des noix et des pistaches.

Chaque fois qu'un interlocuteur finissait par lui donner une piste, Armen feignait de ne pas s'y intéresser. Il n'extorquait jamais les confidences, il les laissait venir comme le pêcheur en eau douce qui veille à ne pas ferrer trop tôt.

Il ne mit pas quinze jours à retrouver la trace de Gogh qui habitait un monastère au sommet d'un pic où il vivait comme un pacha, au milieu des nuages. C'était un petit vieillard au visage ridé et marron comme une vieille pomme. Il ne lui restait qu'une dent, une incisive, apparemment gâtée. Dodelinant sans arrêt de la tête, comme s'il était consterné par l'évolution du monde, il avait les traits mous et enfantins de celui qui n'a jamais beaucoup travaillé.

Quand Armen arriva devant lui, Gogh mit un moment à le reconnaître, sans doute parce que l'autre était à contre-jour, puis il a ri, d'un rire triste et nostalgique, avant de se lever et d'aller vers lui les bras ouverts.

Armen le repoussa d'un geste, avec une moue dégoûtée :

« Non. Ce n'est pas utile. »

Gogh s'arrêta net. Armen avait choisi de s'exprimer en français pour me permettre de comprendre la conversation. C'était un temps où tout le monde parlait cette langue en Orient et celui de Gogh était convenable :

« Je n'ai rien fait de mal.

— Rien ne sert de mentir, dit Armen sans le regarder. Tu es arrivé au moment de ta vie où il vaut mieux dire la vérité. C'est moins fatigant.

— Je savais que tu viendrais un jour, déclara Gogh avec solennité, comme si c'étaient ses dernières paroles. J'imagine que ce n'est pas pour parler.

— Non.

— Ce n'est pas non plus pour pardonner.

— Non plus.

— Tu devrais me laisser t'expliquer…

— Ne perdons pas de temps, palsembleu ! »

Il y eut un silence pendant lequel Gogh chercha les yeux d'Armen qui fuyaient les siens.

« Ça fait longtemps que j'attendais ce moment, finit par dire Armen, et je n'ai jamais douté qu'il viendrait. Nous avons tous un rendez-vous avec le destin, un jour ou l'autre. Quand ce n'est pas au Ciel, c'est ici-bas. Le tien est arrivé.

— Eh bien, fais ce que tu as à faire et qu'on en finisse… »

Armen et Gogh s'enfoncèrent tous les deux par un chemin escarpé, dans des lambeaux de brouée blanche qui pendaient du ciel comme du linge à sécher.

Un moment s'écoula. J'eus beau tendre

l'oreille, je n'entendis pas un bruit. Quand Armen revint, son cimeterre était maculé de sang. Il essuya soigneusement son arme avec des feuilles en arborant l'expression de celui qui a bien fait son travail.

31

Les jouissances sexuelles du paradis islamique

CILICIE, 1250. La nuit fut froide. Après la mort de Gogh, nous avons dormi dans les bras l'un de l'autre avec une sensation de fatigue pour moi et un sentiment du devoir accompli pour lui.

La Cilicie regorge de fontaines, de grottes, de chutes d'eau et de rivières souterraines. Cette eau vive qui coule partout, au-dessus des têtes comme dans les profondeurs de la terre, décuple les effets apaisants des odeurs balsamiques répandues par les cèdres et les pins.

Le matin Armen avait à peine ouvert les yeux que je lui demandai :

« Peux-tu me dire maintenant ce que ce Gogh a fait ? »

Quand il me raconta l'histoire de Gogh, une brume laiteuse amollissait tout, même le son des voix. C'était le genre de journée où on a tout le temps envie de dormir.

Gogh était son parrain et le meilleur ami de son père, prince de la montagne, dont, vingt ans plus tôt, l'aura s'étendait bien au-delà de la région. Ferme, blé, vaches, femme ou enfants, son père réussissait à peu près tout. Il était également devenu la gloire régionale et l'un des symboles de la résistance contre les Turcs, qui considéraient déjà, à l'époque, qu'un bon Arménien était un Arménien mort.

Un jour que les Turcs étaient venus faire une razzia en Cilicie, Gogh les avait amenés dans la propriété du père d'Armen, qui fut égorgé dans la cour, sous les yeux de sa famille, avant que les mahométans emmènent sa mère et les enfants pour les vendre comme esclaves. Armen était sûr d'avoir vu son parrain accepter une bourse des Turcs.

« Avant de le tuer, qu'as-tu dit à Gogh ? demandai-je.

— Que j'étais obligé de venger ma famille.

— Et qu'a-t-il répondu ?

— Qu'il me comprenait.

— Quelle dignité !

— Non, rien n'était plus étranger à Gogh que la dignité. C'était un patte-pelu[1], toujours prêt à s'embrener[2] dans de sales histoires, il cherchait à gagner du temps, il ne croyait jamais un mot de ce qu'il disait. »

Je caressai le visage d'Armen :

« Je suis fière que tu aies vengé ta famille. Avec l'amour, la justice est l'une des rares choses

1. Hypocrite.
2. Couvrir d'excréments.

qui vaillent et elle est trop importante pour être confiée à des flaquadins[1] qui ne cherchent qu'à plaire au prince. »

Je m'arrêtai un moment avant d'ajouter :

« Si l'on veut que justice soit faite, on ne peut laisser son glaive entre les mains des autres. J'approuve d'autant plus ton attitude que, moi aussi, j'ai fait justice moi-même…

— À quelle occasion ? demanda-t-il.

— Je te le dirai un jour. En attendant, je voudrais savoir pourquoi tu ne m'as pas confié ce que tu comptais faire avec Gogh.

— À cause d'une forme de superstition. Je craignais que Dieu ne m'entende et ne m'empêche d'accomplir mon devoir.

— Mais tu ne songeais qu'à te venger, n'est-ce pas ?

— Je me gardais bien d'y songer : même nos pensées les plus profondes n'ont pas de secrets pour Dieu. Je craignais qu'il ne veuille me dissuader. J'ai simplement suivi les pas qui m'ont mené jusqu'à Gogh. »

Un sourire éclaira le visage d'Armen :

« Il fallait que je fasse mon devoir et mon métier de fils. Pour me sentir mieux, débarrassé d'un fardeau…

— Ce fut la même chose pour moi, chaque fois que j'ai vengé les miens. Encore que, contrairement à toi, je n'aie pas fini mon travail.

1. Pleutres.

— Puis-je t'aider, Belle d'amour ? »

Quelque chose m'étrangla les gargamels et je demandai d'une voix affaiblie :

« Où va-t-on maintenant ?

— Rejoindre le roi Louis, si tu en es d'accord. C'est un homme trop vertueux pour gagner. Nous devons l'aider.

— Es-tu sûr de ne pas vouloir rester ici ?

— Non. Depuis que nous l'avons quitté, je me dis que notre place est auprès de ton roi. Mon pays n'a pas besoin de moi. Il est en sécurité avec les Mongols : d'une violence inouïe en temps de guerre, ils sont doux comme des agneaux dès que vient la paix. Tant qu'ils seront dans la région, nous n'aurons rien à craindre.

— Un jour, les mahométans reviendront.

— Mais je ne sais pas quand. Les Turcs brûlent d'effacer la Petite Arménie de la surface de la terre, parce que nous sommes là depuis bien plus longtemps qu'eux. Ils veulent achever le travail commencé il y a des siècles. Nous n'en aurons jamais fini avec eux. Ils sont musulmans et nous sommes chrétiens. Or, si tu regardes l'Histoire, tôt ou tard, ce sont toujours les musulmans qui gagnent. »

Je haussai les épaules en secouant la tête : je n'ai jamais cru à ce genre de discours.

« Les soldats de l'islam ont hâte d'aller au paradis, reprit-il. C'est leur force.

— Nous aussi, Armen, nous avons un paradis.

— Mais, si tu lis le Coran, tu sauras que le paradis des mahométans est bien plus excitant que celui des chrétiens. Les soldats de l'islam sont prêts à tout, y compris à mourir, pour y aller et labourer avec leur vit les champs de vierges d'Allah qui les attendent, les gambettes écartées, au milieu de montagnes de croupions et de forêts de calibristis[1]. »

Je protestai :

« Qu'a-t-il de moins que le leur, le paradis des chrétiens ?

— Le paradis des mahométans est un lieu de plaisirs pour les hommes. Une bordellerie pleine de rigobettes[2] soumises et vertueuses, aussi pures que des enfants. L'Église ne promet rien de tel. Une éternité à attendre la résurrection, comme chez les chrétiens, c'est mortel. L'éternité des mahométans est bien plus excitante. »

1. Sexes féminins.
2. Prostituées.

32

Les vraies preuves de l'amour

SAINT-JEAN-D'ACRE, 1250. Professionnel de la mortification, Louis IX mettait un point d'honneur à garder sur lui les affublements de sa captivité. Quand nous le retrouvâmes à Saint-Jean-d'Acre, on aurait dit un gueux : il incarnait toute la misère de l'ost et du monde.

Nous tombâmes à genoux devant lui. Le souverain s'approcha et posa sa main sur nos têtes comme quand il guérissait les écrouelles[1].

« Merci d'être revenus, dit-il. J'ai tellement besoin de vous. »

Il proposa à Armen de devenir son conseiller en mahométisme et son interprète-traducteur d'arabe, au même titre que le célèbre frère Yves Le Breton, grand connaisseur de la secte des Assassins. Quant à moi, je fus invitée à reprendre

1. Fistules purulentes sur les ganglions du cou, les écrouelles étaient provoquées par une maladie d'origine tuberculeuse. Depuis Clovis, les rois de France étaient réputés les guérir en posant leur main dessus.

mes nombreuses fonctions auprès du monarque : chambrillon[1], oblayère, apothicaire…

À cette époque, le royaume de Jérusalem vivait sous la férule des mahométans et les États latins se réduisaient à une petite bande côtière. Les chrétiens d'Orient savaient qu'ils ne pouvaient pas compter sur le roi et sa petite armée de claquedents pour espérer survivre.

Quand un prince commence à sentir le cadavre, il n'attire plus que la vermine. À Saint-Jean-d'Acre, ce fut le cas de Louis IX, autour duquel tourbillonnait désormais une cour d'azes[2], de saccards[3], de bouffarts et de margoulins.

Il repoussait ces fâcheux avec la même irritation que l'on met à chasser les mouches. Plus grande encore était son aversion pour les obsédés du vit, broqueteurs[4] de l'ost, écumeurs de bordels, qui faisaient frigousse[5] toutes les nuits en foulant aux pieds la morale du Christ.

Le roi en avait tellement après les adultérins qu'un jour, pour l'exemple, il en fit attacher un, à demi nu, à une corde tirée par un cheval qui, en galopant longtemps, le réduisit à un ramas d'os et de chairs. Ça impressionna quelques jours et, ensuite, tout le monde retourna à ses affaires.

1. Servante.
2. Bons à rien.
3. Vantards.
4. Voleurs.
5. Se débauchaient.

Quand je demandai au roi si ce malheureux avait mérité un tel châtiment, il ne répondit pas. Louis IX était un homme seul, incompris, dévasté. À part son fidèle Joinville et quelques autres, rares étaient ceux qui partageaient sa vision christique des croisades ou cet esprit de résignation qui, en l'abaissant, le grandissait tant.

Le sol se dérobait sous ses pieds. Le 13 mai 1250, quand il avait abordé le port de l'ancienne Ptolémaïs, le souverain avait été accueilli comme le Messie par les chrétiens autochtones en liesse. Le 24 mai, dans un discours à l'émir des maronites, à ses patriarches et à ses évêques, il avait déclaré que la nation maronite était « une partie de la nation française ».

En conséquence, avait-il ajouté, « nous promettons de vous donner, à vous et à votre peuple, notre protection spéciale, comme nous la donnons aux Français eux-mêmes ». Le roi restait la seule chance des chrétiens face à la déferlante mahométane. Mais ils déchantèrent vitement.

Les quelques centaines de soldats libérés avec le roi Louis par les mamelouks avaient apporté à Saint-Jean-d'Acre le typhus, qui y fit des ravages. La ville était soudain devenue un vrou[1] permanent. Dans les églises, il y avait plusieurs dizaines d'offices funéraires par jour. Les cimetières étaient débordés.

1. Diarrhée.

Les propres frères du roi, les comtes d'Anjou et de Poitiers, avaient préféré retourner au pays. Les bateaux pour la France étaient pris d'assaut. Mais Louis IX restait imperturbable : il entendait demeurer jusqu'au bout en Terre sainte, pour sauver les meubles.

Peu après qu'il eut débarqué, le roi avait dit à ses barons réunis en conseil, qui l'imploraient presque tous de retourner en France :

> *Si je quitte cette terre arrosée du sang des martyrs, et pour laquelle l'Europe a fait tant de sacrifices, qui, je vous le demande, qui la défendra contre ses ennemis ? Qui osera y rester quand je n'y serai plus ? Voudrait-on qu'étant venu ici pour protéger le royaume de Jérusalem, je m'entendisse un jour reprocher sa ruine ? Je demeure donc pour sauver ce qui nous reste, pour délivrer nos prisonniers et profiter, si c'est possible, de la discorde des sarrasins.*

La discorde était réelle. Les haines aiguisaient les sabres entre le sultan de Syrie et les mamelouks d'Égypte, qui étaient eux-mêmes très divisés après leur coup d'État, au point que le roi peinait, malgré ses efforts, à faire libérer les prisonniers de l'ost. Ils étaient encore des milliers à croupir là-bas, dans des conditions déplorables, mais il n'y avait pas, au Caire, d'autorité capable de faire respecter le traité.

« Que me conseillez-vous ? demanda le roi à Armen.

— Sire, ils vous mentent parce qu'ils vous méprisent. Faites-vous respecter et ils changeront de ton. »

Des contacts furent pris avec le sultan d'Alep et de Damas, qui proposa à Louis IX une alliance contre les mamelouks du Caire, que la Syrie considérait comme des usurpateurs sanguinaires. En échange de son aide contre ces derniers, le roi pourrait espérer récupérer enfin le royaume de Jérusalem. Le rêve…

Mais, parce qu'il avait donné sa parole d'homme aux mamelouks, le roi des Francs rechignait à passer dans leur dos un accord avec la Syrie. C'était plus fort que lui : incapable de se dédire, Louis IX entendait respecter à la lettre un traité qui, pourtant, le bafouait. Sa décision serait ainsi une preuve de sa loyauté. Soit. Mais il était surtout soucieux de ne pas mettre en danger la vie des milliers de soldats chrétiens que l'Égypte retenait en otages au mépris des règles de l'honneur. Le roi se sentait coupable et comptable ; il se serait fait crucifier pour libérer ses hommes.

Après avoir menacé les mamelouks égyptiens d'un renversement d'alliance avec leur ennemi syrien, il obtint, un an et demi après son arrivée à Saint-Jean-d'Acre, la libération de deux cents chevaliers faméliques, dont les membres portaient encore les marques des fers. Il avait demandé la mer aux émirs et ceux-ci lui concédaient une goutte.

Quand des négociateurs envoyés par les

mamelouks d'Égypte s'étaient rendus à leur tour à Saint-Jean-d'Acre pour jeter avec lui les bases d'une alliance militaire contre la Syrie, ce roi sans troupe trouva assez de force en lui pour poser ses conditions. Le préalable à toute discussion était le retour de tous les prisonniers de guerre, des enfants de chrétiens élevés dans la foi musulmane et des têtes de croisés, desséchées et noircies au soleil, qui avaient été exposées pendant des mois aux crachats du peuple, sur les murailles du Caire.

Après avoir accepté les exigences du roi, les mamelouks d'Égypte lui promirent en sus de lui restituer Jérusalem et la plupart des villes de Palestine, à l'exception notable de Gaza. Mais ces gens-là promettaient d'autant plus qu'ils tenaient toujours peu, sinon rien.

Pensant que Louis IX recevrait bientôt des troupes fraîches d'Europe, les Égyptiens avaient voulu se liguer avec lui contre l'ennemi syrien. Les renforts ne venant pas, ils finirent par changer d'avis. Quel intérêt avaient-ils à se lier plus longtemps au roi des Francs ?

Au bord de la Méditerranée, les écrits n'étaient jamais gravés dans le marbre. Ils se perdaient, emportés par l'air émollient qui plongeait les corps, les esprits, les herbes, les arbres dans une rêveuse somnolence.

C'était un climat propice à l'amour.

*

Par la force des choses, quand Armen et moi faisions l'amour, celui-ci restait toujours courtois. Entre nous, il n'était pas question de possession ; nos corps se rendaient hommage de trois manières :

L'art de la langue, meilleure amie du plaisir, qui supplée à tous les instruments de l'amour.

L'art du baiser qu'il est stupide de considérer comme un préambule alors qu'il peut être une fin en soi.

L'art de la caresse qui, mené avec raffinement, peut faire sortir les chairs de leurs gonds, jusqu'au paroxysme de la jouissance.

Un jour, nous annonçâmes au roi notre intention de nous marier, et il fronça les sourcils avec l'expression de quelqu'un qui suce un citron :

« Je ne sais pas si ce mariage serait chrétien. Il faut que j'en parle au légat du pape.

— Le Seigneur tout-puissant aime ce qui est beau et notre amour est beau.

— Pour être parfait, dit le roi, un amour doit être consommé.

— Nous le consommons, Sire.

— Comment est-ce possible ?

— Regardez notre joie : nous portons sur nous la preuve du bonheur d'être ensemble.

— Les seules preuves sont les enfants.

— Les vraies preuves sont les sourires, Sire. »

Au sourire de Louis IX, je songeai que nous finirions par avoir un jour gain de cause.

Que fit le roi pendant les quatre années qu'il passa dans son réduit palestinien ? Des tractations, des enfants, des prières et, pour le reste, pas grand-chose. La vérité oblige à dire que nous étions tous en train de mourir à petit feu.

Nous suivions souvent Louis IX dans ses périples. À plusieurs reprises, il rendit visite à l'Ermite du Liban qui habitait au sommet d'une montagne, dans un château tenu par la secte des Assassins, branche de l'islam chiite. Toujours de bonne humeur, il parlait comme un Dieu et se disait maronite, melkite, nestorien, soufi, alevi, manichéen. Après avoir longtemps séjourné à la bibliothèque Al-Quarayouine, dans la médina de Fès, il incarnait toutes les minorités religieuses qui, prêchant l'amour du prochain, se faisaient massacrer.

« Si la vie ne m'abandonne pas, disait l'ermite, je fonderai une nouvelle religion sans pape, ni clercs, ni textes sacrés. Son nom sera l'amour. »

Souvent, nous accompagnions aussi le roi quand il partait en tournée d'inspection des travaux de renforcement des fortifications à Saint-Jean-d'Acre, Césarée, Jaffa ou Sidon. C'est dans cette dernière ville que vinrent le rejoindre, un jour, le légat du pape, son confesseur et l'archevêque de Tyr. Comme s'il connaissait la nouvelle qu'ils venaient lui annoncer, il leur demanda de les suivre dans une chapelle où il s'agenouilla devant l'autel :

« Parlez maintenant. »

Quand le légat lui annonça la mort de Blanche de Castille, le roi poussa un grand cri avant de fondre en larmes. Un fils qui réagit ainsi à la mort de sa mère ne peut pas être un mauvais homme.

C'est ce jour-là que Louis IX décida de rentrer au royaume de France.

33

Un goût de cadavre dans l'eau du puits

PARIS, 1254. Le 25 avril, jour de l'anniversaire du roi, fut aussi celui de la retraite générale. Il avait fallu trente-huit vaisseaux pour transporter l'ost en Orient ; quatorze suffirent pour en ramener les restes en France. Venue rendre hommage aux survivants de la croisade, la foule des chrétiens locaux les regarda partir, la gorge serrée.

On aurait dit qu'ils assistaient à leur propre enterrement. Louis IX ne faisait pas le mirliflore quand il embarqua sur un navire qui avait à son bord huit cents personnes. L'arrière du bateau royal était réservé à la reine Marguerite et aux trois enfants qu'elle avait donnés au roi en Orient : Jean Tristan, né en 1250, Pierre en 1251, Blanche en 1253.

Le 22 juillet, près de trois mois plus tard, la flotte royale arriva non pas à Aigues-Mortes, port de départ de la croisade, mais à Hyères : la reine Marguerite, qui avait hâte de retrouver la terre de France, réussit à faire revenir Louis IX sur sa décision de ne pas débarquer dans une seigneurie qui n'était pas la sienne ; celle-là appartenait à son frère, comte d'Anjou et de Provence.

Qu'importe si le roi revenait vaincu de sa croisade : il fut accueilli en vainqueur dans son royaume. Dieu sait le sentiment d'imposture que Louis IX éprouva en remontant vers Paris sous les vivats des foules, alors qu'il venait d'abandonner les chrétiens d'Orient aux sabres des mahométans.

Ce ne fut pas un seul jour mais plus d'un mois de gloire, de bravos, d'embrassades. Après s'être arrêté à Aix, où il visita la grotte qu'aurait habitée Marie-Madeleine pendant dix-sept ans, le roi chemina par le Languedoc, l'Auvergne et la Bourgogne, avant de retrouver son havre de Vincennes, le 5 septembre.

Ayant retrouvé des forces dans son château d'été, Louis IX arriva enfin à Paris où, la croix de croisé cousue sur son manteau, il fut célébré, applaudi et encensé par son peuple comme peu de monarques le furent, même après un triomphe militaire. Les manifestations de joie qu'il provoquait sur son passage l'indisposèrent tant qu'il regagna sans tarder la quiétude feuillue de Vincennes.

Rétif à toute forme de griserie, il fut sans doute l'un des rares princes de l'Histoire à n'être pas sensible aux honneurs ni aux apparences. C'était la conscience qui menait sa conduite, non la volonté de puissance. Il coupait son vin avec de l'eau, recevait à sa table les pauvres des hospices, dormait sur un lit de planches et s'interdisait, selon ses propres paroles, de dire ou de faire aucune chose qu'il ne pût avouer.

Qui n'a pas peur de la mort, ni de ses pulsions, ni du regard des autres, n'a peur de rien. Louis IX était une sorte de curiosité dans une société médiévale déjà rongée par le culte du paraître. « Il me disait, rapporte Joinville, que l'on devait vêtir et armer son corps de telle manière que les prud'hommes de ce siècle ne pussent dire qu'on en fit trop, et les jeunes gens qu'on n'en fit pas assez. »

Tel était le roi que j'appris à connaître et à aimer, les années suivantes. Le monarque me plut bien davantage que le chef de guerre, certes digne mais si pusillanime, de la septième croisade.

De retour au royaume, Louis IX savait ce qu'il voulait. Il imposait sa loi et ne cessait de nous surprendre par son obsession de la justice qui, en ce temps-là, était confisquée par les riches, les seigneurs et les prélats. C'était le roi de la menuaille. Une sorte de révolutionnaire à couronne.

Quand le temps s'y prêtait, Louis IX aimait rendre la justice dans son jardin de Paris ou sous un chêne du bois de Vincennes. L'un de ses premiers gestes, à son retour de croisade, fut de publier une ordonnance consacrée au « debvoir de roial puissance ». Il y ouvrait la chasse à la corruption dans les tribunaux, les juges n'étant jamais insensibles à la qualité des présents que leur offraient les deux parties. Il y privait aussi les magistrats du droit de revendre leurs charges à leur famille.

Rien n'est fastidieux comme la vie d'un saint. Beaucoup de messes et des repas à heures fixes. Louis IX déjeunait à neuf heures du matin, comme c'était l'usage en son temps, et soupait à cinq heures du soir. Il mangeait simplement avec un faible pour les potages ou les fèves au lait. Il exécrait la putie[1] et les gaudisseurs[2]. Les festins de rossignols grillés, très peu pour lui. Quant à sa consommation de vin rouge, elle était très loin des deux litres quotidiens bus par la plupart de ses contemporains, qui le coupaient souvent d'eau. Quand on demandait au roi pourquoi, refusant les plaisirs terrestres, il semblait vouloir se punir lui-même, il répondait par une de ces sentences en forme de proverbes qu'affectionnaient les chroniqueurs de son temps :

« Aime mieulx que tels excès soient faicts en l'honneur de Dieu, qu'en luxe ou vaine gloire du monde. »

Louis IX avait la foi souffrante. J'observai ainsi qu'il faisait une cinquantaine de génuflexions par jour, pour le malheur de ses genoux douloureux. Chaque fois qu'il communiait, le roi allait

1. Débauche.
2. Jouisseurs.

à genoux du chœur à l'autel de l'église et, le vendredi saint, marchait la plante nue dans des chaussures sans semelles, s'allongeait sur le ventre les bras en croix et embrassait le sol en pleurant.

Fut-il pour autant parfait ? Indigne de lui fut sa haine des Juifs. Il ne lui vint pas à l'idée d'adoucir le sort des hérétiques ou des blasphémateurs pourchassés partout dans son royaume. Sans parler de sa « justice » qui avait la main si lourde pour les voleurs, qui finissaient pendus après que des aveux leur avaient été « arrachés », au sens propre du mot.

Malgré ça, j'aimais et admirais mon roi qui consentit enfin à ce que nous nous mariions loin de Paris, à Gisors, et en son absence, il va de soi. Mais l'honnêteté m'oblige à dire que je m'ennuyais souvent à son service, que je partageais avec seize chambellans ou soldats de chambre. Armen aussi s'ennuyait, chargé d'étudier les nouvelles en provenance de l'Orient et, avec des hallebardiers, d'assurer la sécurité d'un roi tant aimé que personne, dans son royaume, ne songeait à le mordrir[1].

*

Seize mois après le retour de croisade, un événement étrange se produisit au palais de la Cité

1. Assassiner.

qui trônait sur son île, au milieu de la Seine. Un soir qu'il était venu rendre visite au roi, un chevalier monta dans sa chambre après le souper, prétextant qu'il se sentait fatigué. Le lendemain matin, quand son écuyer ouvrit les rideaux de sa chambre, il observa que la couche de l'invité du monarque était intacte, comme s'il n'y avait pas dormi.

Ce n'était certes pas le premier chevalier à découcher. La nouvelle de sa disparition fut accueillie avec le sourire et on n'y pensa plus jusqu'à ce que sa mère, Mélusine de Lampredune, vienne au palais, deux semaines plus tard. La tête à l'envers, les épaules affaissées, les paupières tombantes, elle avait les jambes si arquées qu'elle semblait sur le point de tomber à chaque pas. Elle était au pire du déconfort[1] et je lui fis ma meilleure chère[2].

C'est au palais que Mélusine de Lampredune avait perdu la trace de Florentin, son fils. Elle était convaincue que son corps se trouvait encore là, dans les murs, les combles ou les jardins. Prévenu, Louis IX accepta que fussent diligentées les recherches mais elles étaient rendues difficiles par la froidure de l'hiver, si rigoureux cette année-là que la Seine charriait des plaques de glace qui, en s'entrechoquant, faisaient un bruit d'enfer. Impossible de retourner la terre, dure comme du granit.

1. Découragement.
2. Accueil.

Quelque temps plus tard, quand la température remonta, les serviteurs du roi observèrent que leur eau avait un goût de mare ou de Seine, qui tourna vite au purin. L'homme qui descendit au fond du puits y découvrit un cadavre. C'était celui de Florentin de Lampredune, qui, bien que gonflé et tuméfié, était assez bien conservé. Quand elle vint le reconnaître, sa mère décida, au vu de sa couleur bleue aux reflets violets, qu'il avait été empoisonné.

« Sapristi ! Cette couleur est une preuve ! » s'écria Mélusine de Lampredune, ignorant qu'en ce bas monde les preuves n'ont jamais prouvé grand-chose.

34

Le mystère de l'écuelle au riz au lait d'amande

PARIS, 1256. Quelques mois plus tard, un autre chevalier, Eudes de Restivel, mourut dans des circonstances qui troublèrent la cour de Louis IX. C'était un petit homme aux traits fins, aussi biau que baut[1], et qui, pour se grandir, semblait toujours marcher sur la pointe des pieds.

Il avait des cheveux hérissés comme des fanes de carotte, légume auquel il ressemblait par la forme et la couleur. On n'arrivait pas à comprendre par quel artifice cet avorton pouvait regarder tout le monde de si haut. C'était son secret. Un pimpernel[2].

Eudes de Restivel était venu à l'occasion d'un souper offert par le roi, au château de Vincennes, en l'honneur de Mabelle et Tiburce de Galletier, un couple qui donnait un peu à l'Église et beaucoup aux pauvres. Ils sortaient souvent à trois et les mauvaises langues murmuraient que le

1. Joyeux.
2. Frimeur.

chevalier était l'amant de la baronne, une jolie garcelette de trente-cinq ans, plus jeune que son mari, dont la foi semblait pourtant dresser des murs infranchissables devant les tentations.

En l'absence du cuisinier habituel, je supervisai le menu, composé de légumes arrosés au miel, puis du plat principal, l'un des favoris de Louis IX : le pavé de brochet sauce verte, celle-ci étant préparée avec des feuilles d'oseille, de la sauge, de la marjolaine, du gingembre et de la mie de pain touillés dans le fumet du poisson. En accompagnement fut servie une purée de blettes aux épices et au fromage de chèvre.

Le souper s'était terminé avec une écuelle de riz au lait d'amande et sa compotée de fraises au safran et au poivre noir. Après quoi, l'un des chambellans m'avait demandé de monter dans la salle à manger pour y recevoir, en présence des invités, les compliments du roi.

Il tint à ce que tous ses invités me fussent présentés. Quand arriva le tour d'Eudes de Restivel, j'eus un choc. Dire que j'avais frissonné était bien en dessous de la réalité. Mais je fis un grand effort pour ne rien laisser paraître de l'émotion qui me trémuait[1].

On aurait dit que j'étais énamourée. Armen était parti, la veille, délivrer un courrier au comte de Provence, il ne reviendrait pas avant des semaines. Le soir, quand tout le monde fut

1. Bouleversait.

couché, j'allai dans la chambre d'Eudes de Restivel. Je portais un plateau avec une bougie, une bouteille de vin blanc au miel et une écuelle de riz au lait d'amande, accompagnée d'une compotée de fraises.

« Il paraît que vous avez apprécié mon dessert », dis-je après qu'il m'eut ouvert.

Ce fut au tour d'Eudes de Restivel d'être tremué.

« Entrez, bredouilla-t-il.

— Je ne sais si je puis.

— Allons, je vous prie, ma mie. »

Il prit ma main et la baisa avec délicatesse.

« Je ne puis rester avec vous, dis-je en baissant la tête. Je suis mariée.

— Nous pouvons au moins parler…

— Tel que je le conçois, le mariage ferme les portes, les bouches, les yeux. »

Il prit le plateau, le posa sur la table et m'invita à entrer dans sa chambre. Je fis quelques pas :

« Je suis mariée depuis peu.

— Et alors ? » demanda-t-il.

Il saisit à nouveau ma main. Je ne lui opposai aucune résistance et, comme au comble de la fruition, poussai des petits soupirs plaintifs avant de me dégager, soudain, et de m'enfuir.

*

Le lendemain, Eudes de Restivel fut découvert raide mort sur sa couche. Le plateau, la bouteille et l'écuelle ayant été retirés pendant la nuit, personne ne sut que je lui avais rendu visite.

De grandes taches rougeâtres s'étalaient sur son corps, laissant supposer qu'il avait été empoisonné, mais Eudes n'avait apparemment pas souffert : son visage était reposé. Il semblait sourire de bonheur.

C'est Mabelle de Galletier qui découvrit le corps, au milieu de la nuit, alors qu'elle rejoignait Eudes pendant que son vieux mari dormait. Elle sortait en sanglotant de la chambre de son amant mort, une bougie à la main, quand elle tomba dans le couloir.

Le fracas de sa chute réveilla un garde qui somnolait à l'étage. Il accourut et secoua avec précaution Mabelle qui reprit vitement ses esprits. S'il avait fallu soupçonner quelqu'un d'avoir tué Eudes, c'eût été elle, mais, le lendemain matin, le roi, consulté, décida qu'elle en était tout à fait incapable. Trop pieuse. Il ajouta que rien n'indiquait avec certitude qu'il s'agissait d'un empoisonnement. N'acceptant pas, au surplus, l'idée qu'un crime pût être commis sous le toit royal, il décida d'étouffer l'affaire :

« Il y a des mystères qu'il vaut mieux ne pas éclaircir. C'est quand on croit les avoir levés qu'on a cessé de les percer. »

35

La prophétie du patriarche maronite

SAINT-JEAN-D'ACRE, 1262. Deux autres morts étranges de chevaliers défrayèrent la chronique royale, en 1259, au palais de la Cité, puis en 1261, au château de Vincennes. Des affaires qui irritèrent le roi au plus haut point, mais furent prestement enterrées, comme les précédentes.

Il est vrai que Louis IX n'avait guère le temps d'y penser. Toujours soucieux de faire respecter l'intérêt général et de traquer le mal, il tentait de refonder l'État et l'administration, tout en agrandissant, à l'amiable, jamais par la force, le royaume de France.

Après d'âpres négociations, le roi avait ainsi fini par signer avec Henri III, le roi d'Angleterre, un traité par lequel il lui abandonnait le Périgord, le Quercy, le Limousin, l'Agenais et une partie de la Saintonge, tout en récupérant définitivement la Normandie, la Touraine et le Poitou.

Il avait toujours une réforme à imposer, un tort à redresser, un contre-pouvoir à instaurer.

En préparant ces « Établissements », il s'attaqua à une tâche herculéenne : placer le droit au-dessus de la force. Réécrivant toutes les lois en vigueur dans son royaume, il veilla notamment à ce que les nobles fussent punis plus sévèrement que les roturiers, les gentilshommes restant rarement condamnés à la peine capitale.

Quand il voulait se changer les idées, le souverain séjournait à l'abbaye de Royaumont, son œuvre, j'allais dire son chef-d'œuvre, l'une des merveilles du royaume, où il servait les moines à table, lavait leurs pieds et soignait tous les malades, fussent-ils lépreux.

Même s'il n'avait jamais le temps de s'ébanoyer[1], Louis IX restait toujours d'humeur égale, plaisantant volontiers avec ses sujets. En le regardant de près, on pouvait cependant observer qu'il avait des absences. Quelque chose le rongeait. Il demeurait triboulé[2] par l'échec humiliant de sa croisade, et ruminait sa revanche.

C'est ainsi qu'à la fin de l'an de grâce 1262, il nous convoqua à la sortie de la messe et nous donna pour mission de nous rendre en Orient. N'ayant guère confiance dans les informations que lui transmettaient les ordres du Temple et de l'Hôpital, il attendait de nous un état des lieux qui ne fût pas pollué par leur cupidité et leurs intrigues. Il nous chargeait aussi de rendre visite au patriarche maronite d'Antioche et de

1. Se divertir.
2. Tourmenté.

transmettre une lettre à son ami l'Ermite du Liban qui avait trouvé refuge auprès de la secte des Assassins.

Après que je lui eus demandé s'il envisageait de repartir en croisade, je crus voir le roi opiner du chef, mais qu'importe, je savais ce qu'il avait en tête.

Trois semaines plus tard, nous embarquâmes sur un vaisseau à Aigues-Mortes, en direction de Saint-Jean-d'Acre.

*

Après la prise de la Ville sainte par les mahométans, Saint-Jean-d'Acre avait été sacrée capitale du royaume chrétien de Jérusalem. C'était la dernière forteresse de l'Occident.

Trônant au nord de la baie d'Haïfa, au milieu d'une campagne riante, Saint-Jean-d'Acre, qui attisait les convoitises, était passée entre toutes les mains. Les Romains, les Byzantins, les Arabes, les Hospitaliers, les Templiers, les Arabes encore, tous avaient cru l'avaler avant qu'elle ne les recrachât, un jour.

Comme tous les ports, Saint-Jean-d'Acre se prêtait mais ne se donnait jamais. Pareille à ses murailles baignées dans la mer ou fouettées par les vagues, selon la saison, la ville semblait figée dans l'éternité, ce qui lui interdisait de se laisser emporter par le maelström des croisades, quand le moindre crétin se proclamait prince et prétendait imposer sa loi.

Pour que les croisés aient un royaume, il aurait fallu qu'ils eussent un roi, un vrai, en Orient. Or, pendant des décennies, ceux qui s'étaient arrogé ce titre n'avaient été que des fantoches ridiculisés par les seigneurs qui n'en faisaient qu'à leur tête. Les uns et les autres formaient un ramassis de greluchons[1], d'estropiats[2] et de baise-culs, qui menait la chrétienté à sa ruine.

Sitôt que vous entriez à Saint-Jean-d'Acre, les effluves de l'Orient vous sautaient à la gorge. Effluves de poisson, bien sûr, mais aussi de pin, miel, thym, safran, sucre cristal, l'une des spécialités locales, avec la mélasse : tout se mélangeait pour former l'un des airs les plus goûteux du monde.

Nous restâmes plusieurs mois à Saint-Jean-d'Acre. De toutes les personnes que nous rencontrâmes au nom de Louis IX, ce fut Siméon, le patriarche maronite d'Antioche, qui nous impressionna le plus. Un saint homme, chef d'une Église fondée en l'an 400, soit deux siècles avant la naissance de l'islam, par un ermite chrétien syriaque du nom de Maron, qui habitait une tente de peau sur une montagne de Syrie.

Pratiquement exterminés lors des premières conquêtes musulmanes, au VIIe siècle, les maronites étaient sortis de terre dès la première croisade. C'étaient des survivants, même si leur patriarche semblait une tête de mort fichée au-

1. Courtisans.
2. Voleurs.

dessus d'une robe de prélat, avec ses yeux enfoncés dans les orbites et ses dents gâtées.

« L'islam, prophétisa-t-il, c'est une épée, et nous autres, chrétiens d'Orient, sommes les reins qu'elle va transpercer. Quel que soit le vainqueur, l'Égyptien ou le Turcoman, ce sera toujours un mahométan qui l'emportera. Je vous renvoie au Coran, qu'il faut lire pour comprendre ce qui va nous arriver. »

Le patriarche inspira profondément comme s'il avait manqué d'air depuis longtemps, puis, les paupières fermées, récita un verset du Coran :

« Ne laisse sur la terre aucun habitant qui soit au nombre des incrédules. »

Une mouche entra. Elle semblait très en colère. Il la chassa de la main.

« Vous autres Européens, reprit-il, vous êtes condamnés à perdre et à nous entraîner dans votre chute, nous, les chrétiens d'Orient, parce que vous pensez que l'islam est une religion comme la nôtre. Or le Coran est obsédé par la mécréance et les supplices qui, dans l'autre monde, seront infligés aux infidèles, tous soumis à la Géhenne. Oyez ce verset : "On versera sur leurs têtes de l'eau bouillante qui brûlera leurs entrailles et leur peau." Oyez cet autre verset : "Leurs tuniques seront faites de goudron ; le feu couvrira leurs visages." Les incroyants passeront ainsi l'éternité à brûler, Allah l'a dit.

— C'est épouvantable, murmurai-je. Mais sans vouloir vous contredire, mon père, il y a des choses semblables dans l'Ancien Testament.

— Pas dans le Nouveau. Les chrétiens ont beau essayer, ils ne feront jamais aussi peur que les mahométans. Dans cette guerre que mène l'islam, depuis son apparition, nous ne sommes pas à égalité. Il nous faudrait un nouveau saint Paul qui arme les bras des chrétiens. C'est ce que j'ai dit à votre roi quand il a écrit sa belle missive à la "nation maronite" qui nous a mis tant de baume au cœur. Il en a tiré les conséquences, il est alors retourné dans son royaume.

— Il reviendra.

— Acceptons-en l'augure. Mais je ne crois pas que la chrétienté pourra s'imposer face à l'islam aussi longtemps qu'elle s'en tiendra aux doux enseignements du Christ. L'amour, l'amour, c'est tout ce que Jésus sait dire. Sur un champ de bataille, alors que l'ennemi fond sur vous, l'amour trouve vite ses limites. S'il s'agit de faire la guerre, mieux vaut s'en tenir aux préceptes de Mahomet qui était, lui, un vrai chef militaire.

— En somme, souffla Armen d'une voix hésitante, il faut islamiser la chrétienté.

— J'allais le dire.

— Mais Louis IX n'est pas la personne idoine, dis-je, il est beaucoup trop gentil.

— L'islam fait peur, pas le christianisme. C'est pourquoi ils ne sont pas à égalité.

— Donc, insista Armen, vous pensez qu'un jour, tous les chrétiens seront chassés d'Orient.

— Quand vous lisez le Coran, je vous le répète, il n'y a aucune chance qu'ils y survivent très longtemps : les chrétiens sont incompatibles avec l'islam.

— Comment voyez-vous l'avenir ?

— Dans l'histoire des hommes, c'est toujours le plus cruel ou le plus déterminé qui gagne et, dans le monde musulman, je crois que le mamelouk Baybars est l'homme de la situation. Il est sans pitié et obsédé par Saint-Jean-d'Acre, le dernier point de résistance chrétienne. En plus, il incarne à lui seul les deux faces de l'islam militaire : le Turc et l'Égyptien. »

Le lendemain, nous partîmes à cheval pour retrouver Baybars. Nous n'eûmes pas à chevaucher bien loin ; il était venu à nous.

C'était le 14 avril 1263 : déployée sur les collines, son armée cernait Saint-Jean-d'Acre.

36

Baybars, le sultan tueur de sultans

SAINT-JEAN-D'ACRE, 1263. « Dites de ma part au roi des Francs que les chrétiens n'ont rien à faire en terre d'islam. Si ces infidèles continuent à souiller notre sol, nous les tuerons tous, jusqu'au dernier. »

C'est par ces mots que Baybars nous accueillit après que nous eûmes été introduits sous sa tente dressée sur le mont Thabor, près de Saint-Jean-d'Acre. Le sultan d'Égypte avait parlé en caressant la lame de son cimeterre.

Ancien esclave comme Armen, mais non castré, c'était un homme grand et fort. Il avait la voix puissante, la peau brune, des yeux bleus et l'une de ses pupilles était tachée de blanc. Il était protégé par deux colosses nubiens, hiératiques comme des statues d'ébène.

« Dites aussi à votre roi que je serai sans pitié, reprit-il. Je plains les femmes et les enfants que je distribuerai à mes soldats. Je plains mêmement tous les hommes de la chrétienté qui seront décapités ou égorgés à la queue leu leu, comme des bêtes de boucherie.

— Nous transmettrons », murmura Armen, la tête basse.

Baybars soupira et observa, avec une moue de mépris, l'homme que j'aimais :

« Tu me dégoûtes, Malek.

— Mon nom, c'est Armen.

— Je devrais te faire couper la tête, espèce d'apostat.

— Je ne me suis pas converti au christianisme, protesta Armen. J'étais déjà chrétien quand j'ai été, comme toi, réduit en esclavage et islamisé de force.

— Qu'es-tu, alors ? Chrétien ou musulman ?

— Un chrétien musulman ou un musulman chrétien, à toi de le dire.

— C'est incompatible ! »

Armen s'agenouilla devant le sultan qui posa sa main sur son crâne et le caressa, comme si c'était un chien de compagnie.

« Le christianisme est une faiblesse de l'âme, dit Baybars. Tu es un faible. »

Même dans cette position humiliante, Armen restait superbe, j'allais dire dominateur. Mais il n'avait pas dans les yeux l'expression de mauvaiseté de Baybars, l'ancien esclave, natif de Crimée, qui semblait en quête d'un butin ou d'une tête à couper.

Partout en Orient, Baybars provoquait un mélange de terreur et de fascination, rapetissant ou affolant tous ceux qu'il regardait. Quand il se promenait dans les rues du Caire, à pied ou à cheval, ses sujets se prosternaient. Il incarnait ce qui fait les grands chefs. La rouerie, la méchanceté, la force brute.

À Mansourah, une quinzaine d'années plus tôt, j'avais vu Baybars à l'œuvre : avec Octaï, c'était lui qui, après avoir déconfit l'armée de Louis IX, avait tué Tûrân Châh, éphémère sultan d'Égypte et dernier descendant de Saladin. Ce fut son crime originel. Il lui avait fallu commettre un second assassinat pour parvenir enfin au sommet du pays.

Après l'arrivée inopinée de Chegger'eddour sur le trône d'Égypte, les autorités mahométanes furent vent debout, rappelant que le Coran édictait à propos des épouses : « Si elles montrent une indocilité, reléguez-les dans des chambres à part et battez-les ! » Pour un peu, cette ribaude[1] aurait été habilitée à battre les hommes.

Chegger'eddour fut finalement priée de laisser la place à Aïbek, qu'elle avait épousé en secondes noces à la mort de son mari, le père de Tûrân Châh, Dieu ait leurs âmes. Pour son malheur, son nouvel époux était un grand amateur de godinettes[2], qui eut la mauvaise idée de tomber amoureux de la fille du prince de Mossoul, un beau parti, dont il décida de faire sa deuxième femme, en attendant sans doute d'en imposer encore deux autres. Mais n'est pas Mahomet qui veut.

Après avoir fait assassiner son mari par ses esclaves, Chegger'eddour fut tuée à son tour et

1. Femme de troupe de mœurs faciles.
2. Jeunes filles dépravées.

un fils d'Aïbek, Nourredine Ali, âgé de quinze ans, accéda au trône. Un adolescent aux affaires quand les menaces s'amoncellent, c'était absurde. Emmenés par Houlagou, petit-fils de Gengis Khan et grand guerrier, les Mongols étaient en train de conquérir tout l'Orient. Rien ne leur résistait, pas même les fortifications de Bagdad, la capitale du califat, qui gouvernait le monde musulman depuis l'an 750 et qui allait être anéantie en 1258.

Un désastre historique, l'effondrement d'une civilisation. Quand la nouvelle arriva au Caire, les émirs et les mamelouks, effrayés, ne songèrent plus qu'à se débarrasser de leur jeune sultan qui fut déposé puis remplacé en 1259 par Koutouz, un militaire de haut vol.

Après l'Irak, la Syrie : d'Alep à Damas, les villes mahométanes tombaient les unes après les autres, dévastées par les Mongols, quand la victoire changea, soudain, de camp grâce à Koutouz qui reprit Gaza. Après avoir envoyé Baybars en reconnaissance avec un corps de troupe et donné l'ordre de battre le tambour, le nouveau sultan avait dû marcher le premier :

« Que celui qui veut combattre me suive », déclara-t-il, avant de menacer des foudres d'Allah tous ceux qui préféreraient rentrer chez eux.

Quand il eut récupéré les villes conquises par les Mongols, le nouveau sultan, tout auréolé de gloire, reprit le chemin de l'Égypte. Mais tout sauveur de l'islam qu'il fût, Koutouz avait un grand défaut : c'était un homme tolérant. Contrairement à Baybars, il n'était pas obsédé par l'idée de tuer du chrétien. Il semblait même s'accommoder de la présence des Francs dans leur réduit palestinien ; il avait conclu une trêve avec les croisés de Saint-Jean-d'Acre.

Or, au même moment, les chrétiens, soupçonnés à juste titre d'avoir été favorables aux Mongols, étaient partout l'objet de persécutions : à Damas, où ils s'étaient amusés à verser du vin dans les mosquées, leurs églises furent détruites et les populations massacrées. En 1260, lui reprochant sa criminelle complaisance envers les croisés, Baybars alla poignarder le sultan alors que celui-ci était à la chasse.

Koutouz aurait pu être un héros de l'histoire de l'Islam, un nouveau Saladin, le digne représentant de l'Envoyé de Dieu sur terre : il fut le second sultan à tomber sous les coups de poignard de Baybars, pour lui avoir refusé le poste de gouverneur de Syrie qu'il convoitait. L'Histoire n'aime pas la sagesse, qu'elle a tôt fait de confondre avec la faiblesse.

Le chroniqueur arabe Alboufédа rapporte qu'après son crime Baybars se rendit aussitôt auprès des mamelouks, réunis à Salehié. Les mains maculées de sang, il leur apprit que le sultan venait d'être tué.

« Par qui ? demanda l'atabek, leur chef.

— Par moi. »

Alors, l'atabek :

« En ce cas, règne donc à sa place. »

Baybars fut aussitôt proclamé sultan d'Égypte et, pour effacer les triomphes de Koutouz, « père de la victoire ». Il discourut beaucoup, modernisa les routes, fit creuser des canaux d'irrigation, mit au point un service postal, instaura une armée permanente, interdit la consommation de vin et ne laissa aucun répit aux chrétiens, immolant les mâles, réduisant les femelles ou les enfants en esclavage. Sans oublier de faire détruire leurs villes ou leurs églises, comme celle de Nazareth. Il alla semer la désolation jusque dans les terres chrétiennes d'Arménie. Si l'on en croit les récits du chroniqueur arabe Makrizi, il ne cessa jamais de piller, brûler, dévaster, massacrer ; entre deux colères, c'était à peu près tout ce qu'il aimait faire.

*

Une semaine plus tard, nous allâmes remettre à l'Ermite du Liban la lettre que Louis IX lui avait adressée. Il nous reçut avec l'un des chefs de la secte des Assassins, Omar, un esthète polyglotte.

La Secte laissait à l'ermite l'usage d'une tourelle au sommet de son château perché au bord d'un précipice. Elle le nourrissait, organisait ses tournées de prêches et lui fournissait des messagers qui lui permettaient d'entretenir une correspondance avec la plupart des grands esprits de son temps.

L'ermite était un petit homme frêle avec une peau écaillée, des dents brunes et de grands yeux bleus qui souriaient. Il arrivait à la hauteur du nombril d'Armen qui, gêné d'être si grand, se tenait accroupi. Je crois qu'il aurait pu être un grand prophète s'il s'était pris au sérieux et n'avait considéré la vie comme une farcerie ; mais tout, pour lui, semblait une marrade.

Il lut la lettre de Louis IX deux fois de suite puis, après une brève hésitation, décida de nous en faire profiter :

« Il y a longtemps, j'ai promis au peuple maronite de le protéger mais je vivais trop loin de lui pour faire respecter cet engagement. Chaque jour qui passe est une nouvelle station de l'interminable chemin de croix des chrétiens d'Orient. Si c'est la seule façon de les sauver, je suis prêt à quitter ma maison pour rejoindre la leur : je suis bien conscient que, dans l'Occident en démolition, l'Église apostolique et romaine est un grand corps mort, rongé par la vermine, qui se désagrège au fil de l'eau. Je suis donc prêt à quitter mon catholicisme pour devenir maronite, melkite, syriaque, chaldéen, nestorien ou tout ce que vous voulez. Je suis votre frère éploré et veux être un martyr du Christ comme vous, car c'est la meilleure façon de se rapprocher de Dieu... »

La voix de l'ermite s'étrangla et il renifla, les yeux humides. Il y eut un silence. Nous attendions la suite.

« Êtes-vous sûr que c'est votre roi qui a écrit ça ? » demanda Omar.

Je me levai pour vérifier l'écriture :

« Apparemment.

— En ce cas, elle vaut beaucoup de besans. »

Ses lèvres luisaient de salive.

37

Des jours à attendre la nuit

SAINT-JEAN-D'ACRE, 1263. Pendant notre séjour, Armen alla souvent à la bibliothèque du palais du grand maître de l'ordre du Temple, au-dessus de la rue Sainte-Anne, pour y lire des ouvrages rares.

J'en profitais pour lire, écrire des chantefables, me promener dans la ville, regarder la mer, me procurer des herbes, acheter des victuailles, cuisiner des plats. J'étais débordée : ça prend toujours beaucoup de temps de ne rien faire.

Armen et moi ne rencontrâmes jamais le grand maître de l'Ordre, Thomas Béraud, notre hôte, qui était retourné en Europe pour quelques mois afin de réveiller les esprits, visiter ses commanderies, amasser des fonds.

Saint-Jean-d'Acre ne tomberait qu'en 1291 aux mains des musulmans, mais le climat y était déjà crépusculaire, notamment à cause des querelles incessantes entre les ordres des Templiers et des Hospitaliers : l'esprit des croisades avait disparu, le début de la fin avait commencé.

Armen rentrait toujours au milieu de l'après-midi. Un jour, il fut très en retard. Je ne m'inquiétais pas, ce n'était pas la première fois. Je m'angoissai seulement quand les trois fils Jean-Bon se présentèrent à moi.

« Mon père est furieux contre toi, dit le premier.

— Nous avons enlevé ton chatron, ajouta l'autre.

— Nous ne te le rendrons que si tu reviens chez nous », déclara le troisième.

À la tête d'une belle fortune, Charles Jean-Bon avait été nommé commandeur itinérant de l'ordre du Temple. Après avoir écumé la Palestine, il venait d'arriver à Saint-Jean-d'Acre. La tunique blanche des Templiers, ornée d'une grande croix rouge, lui allait bien et il me sembla qu'il avait maigri quand je le retrouvai peu après, devant l'église Saint-Jean, dans le quartier nord de la ville, lieu choisi par moi pour notre rendez-vous. J'adorais me promener par là, piétonner en haut des murailles, regarder la Méditerranée et me remplir la poitrine d'air marin.

« Qu'as-tu fait à Armen ? m'écriai-je.

— Rien, ma mie. J'ai raisonné ton eunuque. Et il est d'accord avec moi. Tu es la femme de ma vie, tu dois cesser de me fuir comme tu le fais depuis si longtemps. Je vous propose de vous installer tous les deux avec moi. Tu pourras le voir autant que tu veux et, si tu le souhaites, il pourra même dormir avec nous. Reviens, Tiphanie. Sans toi, ma vie n'a pas de goût, ma mangeaille est fade et je me désentripaille[1].

— Et si je refuse ?

— Je te fais désaffubler[2] en place publique et, quand ils apparaîtront au grand jour, tes diables te mèneront au bûcher. Tu n'as pas le choix. J'ai des hommes partout sur cette place… »

Il leva le bras et cinq chevaliers s'approchèrent, suivis des trois fils Jean-Bon.

« L'expérience m'a appris que tout s'achète, le bien, le mal, la sainteté. Je veux acheter aussi ton amour. Depuis des années, j'ai accumulé des trésors en pillant les mosquées, les maisons, les palais des mahométans. Un jour, je me suis même emparé d'une cargaison destinée à la secte des Assassins. Le bateau venait de Chypre et il avait fait naufrage à quelques lieues d'ici. Je n'ai jamais vu autant de richesses de ma vie. Elles sont toujours à moi, sous bonne garde, dans un sous-sol. Veux-tu jouir de tout cela avec moi ? »

Je sifflai et une vingtaine de chevaliers apparurent. Des hospitaliers, ennemis mortels des templiers, habillés, à l'inverse de ces derniers, d'une tunique rouge avec une croix blanche.

« Maintenant, lui dis-je, c'est toi qui es notre otage, Charles. Tu ne seras relâché qu'après la libération d'Armen. »

Le lendemain, Armen et moi embarquâmes

1. Perds de ma substance.
2. Te débarrasser de tes vêtements.

par le premier bateau à destination du royaume des Francs.

*

Deux mois plus tard, de retour sur la terre de France, nous dressâmes devant Louis IX un portrait aussi précis qu'épouvantable de Baybars, le nouveau maître du monde arabe, qui restera, dans les annales, comme un grand bouffeur de chrétiens. Un assassin de masse qu'un rien afelonnait[1].

En nous écoutant, le roi se sentait de plus en plus coupable d'avoir abandonné les chrétiens d'Orient. Notre exposé terminé, il nous dit que les croisades illustraient le pacte de la France avec la grandeur du monde.

Notre royaume était en première ligne. Certes, rapportent les chroniqueurs français de l'époque, les Flamands ou les Normands de Naples et de Sicile avaient prêté main-forte à la France sans tarder, mais les Germains s'étaient hâtés lentement, moins toutefois que les Anglais, alors que les Italiens, à travers les Génois et les Vénitiens, n'avaient trouvé là qu'une occasion de renforcer leurs activités commerciales.

Quant aux pays de la péninsule Ibérique, ils avaient suffisamment affaire à l'Islam sur leur propre sol pour songer à le bouter hors de Terre

1. Rendait fou.

sainte. Leur priorité était d'abord d'abattre le royaume musulman de Grenade qui ne tomberait qu'en 1492.

Dans cette guerre, les mahométans humiliaient sans cesse la France. Un soir, Louis IX nous convoqua pour nous faire lire une copie de la lettre que le sultan d'Égypte avait envoyée à Bohémond VI de Poitiers, comte de Tripoli et prince d'Antioche.

Il y avait chez Baybars une jouissance de l'horreur. En 1268, après avoir conquis Antioche, il massacra systématiquement ses habitants chrétiens, auxquels il avait pourtant promis la vie sauve. Selon le chroniqueur Makrizi, toujours fâché avec les chiffres, le nombre de morts s'éleva à cent mille.

« Si tu eusses vu, écrivit Baybars au maître déchu d'Antioche, Bohémond VI, les chaires et les croix renversées, les feuilles de l'Évangile dispersées et jetées aux vents, les sépulcres des patriarches profanés ; si tu eusses vu tes ennemis, les musulmans, marchant sur le tabernacle, immolant dans le sanctuaire le moine, le prêtre, le diacre ; si tu eusses vu enfin tes palais livrés aux flammes, les morts dévorés par le feu de ce monde, l'église de Saint-Paul, celle de Saint-Pierre détruites de fond en comble, alors tu te serais écrié : plût au ciel que je fusse devenu poussière ! »

Louis IX avait les larmes aux yeux, mais c'étaient des larmes de rage, chose étrange chez un homme qui avait toujours semblé dépourvu de passion. Ce jour-là, nous sûmes qu'il y aurait une huitième croisade pour réparer la précédente.

Quelque temps plus tard, arriva au palais de la Cité une lettre en provenance de Saint-Jean-d'Acre. L'auteur y prétendait que j'étais une diablesse et que je portais des signes lucifériens sur mon corps. Le roi me convoqua.

« Je suis sûre que c'est signé Jean-Bon, affirmai-je.

— En effet.

— Il y a des années qu'il me persécute.

— Dois-je vérifier ses dires ?

— Faites-le si vous doutez de moi, Sire. »

Louis IX sourit et déchira la lettre devant moi. Le soir même, je présentai au roi ma dernière chanson. Elle lui plut tant qu'elle fut bientôt reprise partout dans le royaume, devenant l'hymne du souverain :

Le monde court à sa perte.
Rien ne sert de pleurer,
Il suffit de se lever.
N'ayons peur de rien,
Ni du tonnerre ni des tempêtes,
Suivons la croix qui se dresse...

Je pouvais certes faire mieux mais, à la faveur de cette chanson, j'accédai à une certaine célébrité. Armen était devenu le conseiller diplomatique de Louis IX. Moi, la troubadour officielle. Nous étions désormais des notables du royaume.

Accompagnée par Armen au duduk, je lisais

ou chantais des poèmes pour le roi quand celui-ci donnait un souper au palais. Souper est un grand mot. En ce temps-là, il arrivait que fussent servis, aux tables des barons, des pâtés remplis de petits oiseaux vivants qui, sitôt envolés, se faisaient rattraper par des faucons ou des éperviers lâchés par leurs maîtres auxquels ils se hâtaient de ramener leur proie. Jamais rien de tel chez Louis IX, que ce genre de divertissement ne baudissait[1] pas.

Le roi avait tout modeste, le bonheur notamment. Moi aussi. Le soir, j'aimais m'abandonner à celui d'embrasser Armen. Qu'est-ce qu'un baiser ? Deux infinis qui se mélangent. Une communion, pendant un instant d'éternité. Quand tombait le soir, nous aimions ne former qu'un seul corps.

C'est pourquoi nous passions les jours à attendre les nuits.

1. Réjouissait, amusait.

38

Conversations avec Tiphanie (3)

MARSEILLE, 2016. Je suis sûr que Tiphanie sourit pendant que j'écris ces lignes. Un des regrets de ma vie restera de n'avoir pas vécu comme elle à l'époque de l'amour courtois.

Où sont passés Dieu, l'amour, le sacré, la transcendance ? Une civilisation qui ne croit plus en rien est une civilisation qui se meurt. Depuis que les gouapes de l'argent, du nihilisme et du nombrilisme ont pris partout le pouvoir, nous courons à notre perte.

Qui passe sa vie à obéir à ces tyrans est un somnambule, un fantôme en puissance. À cause du cynisme, nouvelle idéologie dominante, nous sommes entrés dans une nuit qu'éclairent encore quelques loupiotes, éteintes une à une par une main invisible. Le ciel n'était-il pas plus clair au temps des croisades ?

C'était ma première conférence sur les croisades. La meilleure façon de ne pas s'endormir pendant cet exercice est de le faire soi-même, mais il m'épuise, même quand je me trouve, comme c'était le cas, devant une salle à peu près vide.

Rose, la patronne de La Petite Provence, mon restaurant préféré de Marseille, près de l'Opéra, m'avait invité dans le cadre de son cycle de dîners-débats du jeudi soir. Quarante-trois personnes avaient réservé mais neuf seulement s'étaient présentées.

J'étais humilié mais pas vaincu et, toute la soirée, le vin de Provence aidant, un excellent gigondas, j'avais su trouver les mots pour tenir mon petit auditoire en haleine. Je les avais cependant pesés avec soin : un de mes anciens collègues de la faculté d'Aix-en-Provence était venu m'écouter.

Son visage d'inquisiteur, luisant de fiel, m'interdisait de sortir des clous de la pensée officielle. Il s'appelait Clément Cheminard. C'était une sorte de commissaire politique qui « collaborait », dans tous les sens du mot, à la presse parisienne. Il me détestait.

À la fin de la conférence, Cheminard était venu me féliciter avec un petit ricanement qui contredisait son propos :

« Tout à fait passionnant. J'ai appris des tas de choses. »

Soudain, il baissa la voix :

« Mais ça restait très impressionniste. On dirait que tu n'as pas les outils pour donner un sens à tout ça. Tu flottes, mon vieux.

— Oui, sans doute, dis-je, d'un ton évasif.

— Tu n'es pas suffisamment politique, insista-t-il. Un jour, ça te perdra. Fais attention à toi,

Olivier : j'ai parfois eu l'impression que tu défendais les croisades.

— Et alors ? marmonnai-je.

— Ça pourrait te causer des problèmes, de sérieux problèmes. »

Cheminard me proposa de prendre un verre avec lui. Je refusai : je me méfie de cette engeance à la bouche tordue qui cherche à vous soutirer des informations afin de pouvoir les utiliser contre vous.

« Je ne défends pas les croisades, ai-je fini par répondre. J'essaie simplement de comprendre pourquoi elles ont eu lieu.

— Comprendre, c'est déjà accepter… »

Leila avait assisté au dîner-débat. Alors que je la raccompagnais à son domicile, elle m'a dit que nous menions tous des vies parallèles. L'une, convenue, qui consistait à ressembler aux autres, pour ne pas avoir d'ennuis. L'autre, secrète, en rupture avec le monde.

« Ma vie cachée, dit-elle, c'est la poésie. Elle m'emmène toujours plus loin. Sans elle, je serais morte depuis longtemps. »

Elle me récita des vers de Rimbaud, Aragon, Celan, Adonis. Je me sentais dans cet état de plénitude absolue que procure l'ivresse mélangée à l'amour. En chemin, je lui ai récité le poème fétiche de Tiphanie et j'ai prétendu l'avoir écrit pour elle :

Tu es belle de nuit le jour
Tu es belle de jour la nuit.

On t'appelle Belle d'amour
Parce que tu es belle toujours.

Les femmes adorent la poésie. Jusqu'à présent, pour les séduire, je me contentais de plagier les sonnets de Shakespeare ou des poèmes d'Aragon, mais j'avais toujours peur d'être confondu. Quand j'ai demandé à Leila si elle me permettait de l'appeler « Belle d'amour », elle a dit oui et m'a embrassé.

*

Au réveil, il m'est arrivé quelque chose d'étrange : j'avais en tête le souvenir d'une conversation entre Tiphanie et moi, pendant la nuit. Mais j'aurais été incapable de dire si elle s'était déroulée dans un rêve ou dans la réalité. Pour ne pas l'oublier, je l'ai retranscrite sans attendre.

ELLE : J'ai écouté ta conférence. Tu es fier de toi ?

MOI : Le sujet est déjà assez polémique, je n'ai pas voulu en rajouter.

ELLE : Tu n'es pas courageux.

MOI : Je ne suis pas suicidaire.

ELLE : Je sais que la vérité est difficile, mais tu dois la dire.

MOI : Elle change tout le temps.

ELLE : C'est la raison que donnent les pleutres pour la cacher.

MOI : Je ne la cache pas.

ELLE : Tu as menti par omission. Pourquoi n'as-tu pas osé dire, par exemple, que les mahométans furent, comme nous, des croisés colonisateurs et qu'ils ont asservi des peuples quand ils ne les ont pas exterminés ?

MOI : Je crois en avoir dit assez. J'ai déjà été lynché après mon essai sur l'esclavage en terre d'islam. Je n'ai pas envie de ruiner ma carrière de romancier avant même qu'elle ait commencé.

ELLE : C'est fou ce que tu ressembles à ton époque : cynique et fatigué, toujours à se laver les mains du malheur des autres. Observe comme vous avez laissé tomber les chrétiens d'Orient ou les Juifs qui ont aussi été chassés des pays arabes. Pour un peu, ce qui leur est arrivé serait de leur faute !

MOI : Je n'ai pas peur de dire que nous avons toujours eu du mal à vivre ensemble. Tiens, même en Al-Andalus, au temps de l'Espagne musulmane : pendant cette prétendue ère d'harmonie et de tolérance, la *dhimma*[1] transformait en sous-hommes les chrétiens et les Juifs. Ils portaient des signes distinctifs, étaient écrasés d'impôts, n'avaient pas le droit de monter à cheval, devaient céder le passage aux mahométans qui, de temps en temps, selon leur humeur, les massacraient.

ELLE : Le problème des Arabes, ce n'est pas leur histoire, qui a souvent été glorieuse, mais leur

1. Régime juridique qui, dans le droit islamique, s'applique aux *dhimmis*, autrement dit aux citoyens non musulmans.

religion qui les enferme dans le rejet des autres, la plainte, le ressentiment. En les enclouant sur la terre, elle les empêche de prendre leur envol.

MOI : Le christianisme n'a-t-il pas eu aussi ses heures de folie et de violence ?

ELLE : Ce n'est pas moi qui te dirais le contraire ! Mais ces religions ne sont pas de même nature. N'oublie pas que Mahomet était un guerrier, qui a égorgé des gens de ses propres mains. Jésus, lui, ne s'est jamais servi d'un couteau que pour couper le pain. Quant au judaïsme, c'est encore autre chose : le peuple juif a un seul Dieu mais il n'y croit même pas.

MOI : Ce fut toujours sa faiblesse par rapport aux autres peuples.

ELLE : Pourquoi ne l'as-tu pas dit pendant ta conférence ?

MOI : Excuse-moi, mais j'avais un ennemi dans la salle : l'intellectuel-journaliste.

ELLE : À tour de rôle, tous les pays ou empires de la région sont venus piétiner le peuple juif qui, avant la naissance du Christ, était chez lui sur cette terre, s'étant déjà gouverné lui-même pendant douze siècles. Mais il était trop gentil, pas assez agressif. C'est pourquoi les Arabes, les Turcs, les Perses, les Grecs, les Romains ont occupé ou massacré la Palestine qui, n'en déplaise aux perroquets incultes, restera toujours juive jusqu'à la dernière motte. Les Arabes ont beau se présenter comme des victimes, ils furent des envahisseurs comme les autres.

MOI : Tu n'as pas le droit de dire ça, les Arabes de Palestine sont des victimes !

ELLE : Qu'ils s'en prennent à leurs ancêtres : ce sont les descendants d'envahisseurs !

Sa voix était pleine de colère. Quand je me suis mis à ma table de travail, je n'arrivais plus à retrouver mon fil : fâchée, Tiphanie m'avait abandonné. Les prévisions météorologiques annonçant un temps ensoleillé, j'ai décidé de passer la journée dans les calanques pour me changer les idées.

Je n'ai retrouvé Tiphanie et mon inspiration que le surlendemain.

IV

LA MORT DU ROI
ET CE QUI S'ENSUIVIT

1270-1271

39

Un amour de mouche

TUNIS, 1270. La mouche effectua un petit pas de danse autour de la goutte de sueur qui venait de tomber de mon front pour s'étaler sur mon avant-bras.

Elle y planta ses mandibules. Une fois désaltérée, elle s'essuya la tête avec les plumeaux de ses pattes avant, puis s'envola après avoir croisé mon regard courroucé : les mouches n'aiment pas nous regarder dans les yeux, elles préfèrent s'enfuir.

La mouche se posa peu après sur le nez du personnage qui, sous la tente rouge, gisait à côté, sur un lit couvert de cendres, les mains jointes, comme s'il priait, une croix au-dessus du ventre. On aurait dit un vieil ange déchu. Ç'avait été l'un des hommes les plus magnifiques du royaume de France.

De grande taille, le nez fin, le front haut, il avait encore de beaux restes, à cinquante-cinq ans. Je me levai et m'approchai de lui à pas de loup, comme si je craignais de le réveiller. Je respirais le moins possible, à cause de l'odeur, une odeur de champ de bataille sous un soleil d'été : l'agonisant n'était pas encore mort qu'il empestait déjà le cadavre, un mélange douceâtre de sucre, de purin et de poireau pourri.

Il y a des personnes qui meurent longtemps avant de trépasser et dont le corps commence à se décomposer de leur vivant. L'auguste moribond était dans ce cas, comme les milliers de soldats expirant à petit feu devant les remparts de Tunis, jusqu'aux abords de la lagune. Ils poussaient des râles, murmuraient des choses, chantonnaient des airs à fendre l'âme. De la musique de charnier.

C'était le 25 août 1270, à l'heure où, dit-on, le Christ est mort : en arrivant au chevet de l'homme aux mains jointes, j'observai qu'il ne chassait pas la mouche qui tentait une intrusion dans l'une de ses narines, tandis qu'une autre fouillait ses lèvres et une troisième le bord des paupières. Voulaient-elles becqueter ou cherchaient-elles un terrain propice pour y pondre leurs œufs ? Dans les deux cas, leur empressement était suspect, obscène.

L'immobilité du grabataire n'était pas normale. Mes craintes furent confirmées quand je constatai qu'il ne respirait pas plus qu'il ne bougeait. Louis IX venait de mourir loin de son royaume, de l'autre côté de la Méditerranée. Officiellement de la dysenterie, l'un des fléaux qui mortirent[1] son armée et mirent fin à la

1. Décimèrent.

huitième croisade, souvent considérée comme la dernière.

La veille, Louis IX m'avait donné la croix en or qu'il portait sur lui. J'avais protesté.

« Elle te protégera comme elle m'a protégé, souffla-t-il. Je sens que tu en auras besoin. »

*

Les manuels d'histoire nous racontent que Louis IX serait mort au milieu de sa cour. C'est faux : le roi sentait si mauvais que personne n'arrivait à rester très longtemps auprès de lui, à part son confesseur qui s'était endormi et moi-même dont le flèrement[1], tant éprouvé dans le passé, pouvait supporter toutes les puanteurs de la terre.

À peine le temps de reprendre mes esprits et je poussai un criement à fendre les remparts de Tunis :

« Le roi est mort ! »

Réveillant le confesseur, ce criement fut répété jusqu'au-delà de l'horizon par une cavalcade d'échos :

« Le roi est mort ! »

Quand il passa devant moi, le confesseur s'arrêta et siffla entre ses dents :

« Vous avez longtemps fait la rodomonte. À vous de trouiller[2] maintenant.

1. Odorat.
2. Avoir peur.

— Ai-je une tête à trouiller ?

— En ce cas, vous êtes une sottarde et je vous plains. »

Pendant près de vingt ans, j'avais été l'une des favorites du roi, en tout bien tout honneur. Une féale qui avait distrait, servi et conseillé Louis IX sur les petites comme sur les grandes choses. Même si l'Histoire n'a pas retenu mon nom, je n'ai pas peu contribué à la faire, toujours dans l'ombre. Désormais, mon heure était passée, on me ferait payer ma gloire d'antan.

J'avais eu le temps de me préparer à ce qui m'attendait. Il y avait des mois que Louis IX était l'ombre de lui-même, rongé de l'intérieur par une fatigue existentielle et une pesance[1] métaphysique. Il peinait à porter son armure ou à monter à cheval. Le jugeant trop faible pour mener cette nouvelle croisade qu'il considérait comme une folie, le sire de Joinville, souvent considéré comme son meilleur ami, avait refusé de le suivre.

Sur le bateau qui l'emmenait en Tunisie, on aurait entendu le roi marmonner :

« Dieu ne m'aime plus. Je vais quitter cette vie avant qu'elle me quitte. »

Il a été dit que Louis IX transpira beaucoup pendant la traversée de la Méditerranée. Quand il mit le pied sur le sol tunisien, le roi se vida peu à peu de lui-même, sa peau devint grise, ses orbites se creusèrent. La mort commença à

1. Chagrin.

travailler les tripes royales mais aussi la tête, qu'il tenait souvent baissée, comme un pauvre pécheur avant la confesse.

Qu'est-ce qu'un homme aussi mal en point était venu faire en Tunisie, sous la canicule, à la tête d'une armée qui, d'après certains chroniqueurs, comptait quinze mille hommes ? On a dit qu'avec cette dernière croisade le roi voulait retrouver une aura en effaçant le fiasco de la précédente. C'était sans doute vrai au moment où il avait décidé de la lancer. Plus tard, quand les dents de la mort commencèrent à le mordre, il devint clair qu'il se fichait de prendre sa revanche : il habitait très haut dans son ciel, loin de nous, et la dysenterie l'éloigna définitivement du monde des vivants.

On a prétendu aussi que Louis IX avait commis une erreur en commençant sa croisade par l'Afrique du Nord, si loin de la Terre sainte, au lieu d'attaquer directement l'Égypte et la Syrie. C'était, au contraire, bien pensé. Avant d'embarquer pour la croisade à Aigues-Mortes, il avait longtemps pesé le pour et le contre avec ses barons. Il fallait choisir entre la Palestine, l'Égypte et l'Afrique du Nord guignée par son frère, Charles d'Anjou, roi de Sicile, qui avait prévu de le rejoindre avec son armée.

Va pour l'Afrique. Tunis était un objectif aussi facile que prestigieux : rien de moins que la nouvelle capitale du califat islamique, après qu'en 1258 les Mongols eurent conquis et dévasté Bagdad, centre de la civilisation mahométane pendant cinq siècles. Si le roi avait pu l'effectuer, la conquête de la Tunisie aurait de surcroît empêché les échanges entre, d'un côté, les mamelouks d'Égypte et, de l'autre, les Maures du Maroc ou d'Espagne.

Apparemment, l'opération ne présentait aucun risque. Sur le plan militaire, la Tunisie était le ventre mou de l'Islam, d'où le roi des Francs aurait pu ensuite partir à l'assaut de l'Égypte puis de Jérusalem. N'ayant été conquise par personne depuis des lustres, la capitale regorgeait de richesses qui auraient été bien utiles pour financer la suite de la campagne militaire.

À cela, il faut ajouter que, dans la patrie de saint Augustin, les esprits étaient moins réfractaires au christianisme. Pour preuve, les arabisants qui entouraient Louis IX, Armen en tête, n'excluaient pas une conversion du calife Muley-Mostanka à la religion du Christ, comme ce fut le cas de moult mahométans espagnols.

Avant la croisade, lors de la fête de saint Denis, Louis IX avait reçu des émissaires du calife de Tunis. « Dites de ma part à votre maître, leur déclara-t-il, que je désire tant le salut de son âme que je voudrais être dans les prisons des sarrasins jusqu'à la fin de ma vie, sans plus jamais voir la clarté du jour, pourvu que votre roi et tout son peuple se fissent chrétiens du fond du cœur. » Les mahométans ne l'avaient pas dissuadé.

La crédulité, c'est comme la vertu : on ne s'en guérit jamais. Jusqu'à son dernier souffle, le roi Louis ne se départit ni de l'une ni de l'autre. Sa bonté naturelle ne lui avait cependant pas totalement brouillé la vue : le calife de Tunis était un homme ouvert et tolérant. Tout le contraire de ces maniaques musulmans, assoiffés de sang de croisés, qui souillaient la Terre sainte de leurs crimes. Ce n'était pas pour autant qu'il était prêt à laisser son califat passer sous la férule du roi des Francs.

Quelques semaines après la mort du roi Louis, le calife de Tunis avait au demeurant montré une certaine grandeur d'âme : dans le traité de paix signé avant le départ des croisés français, Muley-Mostanka accorda sans difficulté aux missionnaires chrétiens le droit de prêcher sur son territoire, au grand dam du sultan d'Égypte et de tous les agités du croissant que rendait chèvres la seule vue d'une croix.

Même s'il entendait convertir ou conquérir le califat, rien n'interdit de penser que le roi des Francs était aussi venu en Tunisie pour y mourir en saint et martyr. Louis IX avait le culte du sacrifice et pensait que c'est en renonçant à tout que l'on devient soi-même. C'est ainsi qu'il eut une belle mort, la mort chrétienne de celui qui est heureux de retrouver l'au-delà.

Jusqu'au bout, le roi veilla à faire de sa vie un conte édifiant, enfilant les belles phrases pour la postérité. Quand il sentit les crocs de la maladie dans ses chairs, il convoqua les chefs de son armée et leur déclara :

« Mes amis, j'ai fini ma course ; ne me plaignez pas. Il est naturel, étant votre chef, que je marche le premier. »

Peu après, il reçut tous ses enfants et leur fit part de ses « enseignements » à l'intention de son fils aîné, le futur Philippe III « le Hardi » :

« Biau fils, la première chose que je t'enseigne, c'est que tu mettes ton cœur à aimer Dieu, car, sans cela, nul ne peut être sauvé. Garde-toi de faire chose qui déplaise à Dieu.

« Aie le cœur doux et pitoyable pour les pauvres, les chétifs, les malaisés, insista-t-il aussi. Maintiens les bonnes coutumes du royaume et détruis les mauvaises. Ne convoite pas le bien de ton peuple et ne le surcharge pas d'impôts ni de taille.

« Sois loyal et roide pour tenir justice et droit à tes sujets, déclara-t-il encore, mais aide au droit et soutiens la querelle du pauvre jusqu'à ce que la vérité soit éclaircie. »

Les quatre derniers jours de sa vie, le roi des gueux et des misérables eut l'agonie silencieuse, mais son confesseur lut dans le remuement de ses lèvres qu'il récita toutes sortes de textes pieux comme l'oraison de saint Denis : « Seigneur, accordez-nous de mépriser pour votre amour les biens de ce monde et de ne point redouter ses maux. »

40

Le ragoût royal

TUNIS, 1270. La valetaille se demandait ce qu'elle allait devenir sous le nouveau roi. Souvent, une cour chasse l'autre et le fils a tôt fait de considérer comme des ennemis tous les amis du père. Mais je restai sereine. « La vie, c'est comme une tourte, disais-je. Il faut croquer la croûte pour savoir ce qu'il y a dedans. On n'est jamais à l'abri d'une bonne surprise. »

À quarante ans, l'âge était venu qui avait quelque peu creusé mon visage et tordu ma carcasse. Mais j'avais de beaux restes. Les cheveux fous, les pommettes saillantes, une poitrine avenante, des jambes élancées, je provoquais encore des émois jusque chez les culs-cousus et fendus. Plusieurs expressions luttaient sans cesse sur mon visage et me rendaient, je crois, assez irrésistible.

D'abord, la mélancolie que trahissaient les plis aux commissures de mes lèvres. Ensuite, la joie de vivre qui écarquillait mes paupières et rehaussait mes sourcils. « Ne nous plaignons pas, disais-je après chaque malaventure[1]. Il y a pire que nous. »

La troisième expression était la peur. Parfois, je rentrais ma tête dans les épaules et tombais dans des états de prostration douloureuse.

C'est sans doute cette peur qui avait affouillé mon front et mes joues. Mais, à l'ombre de leurs longs cils, mes grands yeux bleu ciel prenaient toute la lumière. Ils donnaient le vertige.

Mes yeux avaient toujours vingt ans. Bénis soient ceux qui en ont de semblables : ils ne vieillissent pas. L'âge peut toujours les chercher, il ne les trouve jamais. Leurs prunelles sont éternelles, rien ne peut les dévaster. Grâce à eux, je restais joliette[2].

Je portais les habits blancs du deuil : quelques jours plus tôt, j'avais perdu mon époux qui était, entre autres, spécialiste des fourmis, des étoiles ou des civilisations disparues. Un puits de science, l'une des têtes pensantes les plus écoutées du roi, éclectique et polyglotte.

Une mort stupide. Avant de débarquer en Tunisie, Armen était tombé du vaisseau royal en essayant de récupérer son chapeau de paille qu'un coup de vent avait projeté derrière le bastingage. À peine le temps de hurler, il avait coulé à pic : il ne savait pas nager. Depuis ce drame, je jouais de plus en plus souvent du duduk, l'instrument arménien qui nous donne des nouvelles du Royaume des Morts.

1. Malheur, mésaventure.
2. Jolie.

Comment allais-je vivre sans Armen ? Je savais que je ne me remettrais jamais de sa mort et rabattis mon amour sur Louis IX, désormais le seul homme de ma vie. À son service depuis vingt ans, j'avais rempli toutes sortes de rôles auprès de lui. Mais contrairement à une légende répandue par les langues vipérines de la Cour, je n'avais jamais couché avec lui.

Le roi n'était certes pas un pur esprit. Un jour qu'il avait particulièrement apprécié mes choux à la crème, sa main éperdue de gratitude avait effleuré mon postérieur par hasard. Il s'était aussitôt excusé. Avec une grimace signifiant qu'il résisterait à la tentation, il avait murmuré en désignant le ciel :

« Dieu nous regarde.

— Êtes-vous sûr, Majesté, qu'il n'a pas mieux à faire ?

— Dieu m'accompagne tout le temps. Donc, il me voit. En plus, il entend tout. Même ce qu'on se dit en son for intérieur. »

Louis IX fut sans doute le seul roi de France à n'avoir jamais trompé sa femme, la reine Marguerite, qui était souvent en couches.

*

Aussitôt après mon criement devant le cadavre de Louis IX, la noblesse et la servantaille accoururent de partout. Les mouches aussi et il y en eut bientôt tant qu'elles formaient des nuages noirs, vivants et zézéyants, qui cachaient le soleil.

Les mouches étaient dans leur élément, contrairement aux humains qui, pour la plupart, semblaient des somnambules, marchant rarement droit et tout foutimassés[1]. Le soleil les pressait, il ne leur restait plus de moelle.

Du jus, en revanche, ils en avaient partout, comme s'ils sortaient des vapeurs d'une étuve. De l'eau qui coulait sur tous les visages, on n'aurait pu dire si c'était celle des larmes ou des suées mais les deux avaient la même odeur salée, celle de la Camarde.

Philippe, son fils, n'avait guère quitté le chevet de Louis IX. Il était là quand le roi avait reçu les derniers sacrements. Il avait suffi qu'il s'absentât un moment pour que son père trépassât. Il se sentait coupable. À croire que c'était sa seule présence qui, ces dernières heures, avait retenu le roi ici-bas. Agenouillé devant la dépouille mortelle, il fut rapidement rejoint par le frère du monarque défunt, Charles d'Anjou, roi de Sicile, qui venait d'arriver. Ils discutèrent à voix basse des décisions à prendre pour les funérailles, les suites de la croisade ou le rapatriement des reliques royales. Il faisait chaud, il ne fallait pas laisser traînailler le corps.

Le lendemain, des effluves écœurants de ragoût se répandirent autour de la tente royale : le cadavre du roi bouillait dans des chaudrons remplis de vin. Une fois les chairs détachées des os, les premières furent conservées dans de la

1. Fatigués.

poix, les autres dans des coffrets. Les éléments du squelette qui pouvaient supporter un long voyage furent destinés à la basilique de Saint-Denis, la nécropole des rois de France ; les viscères partirent aussitôt pour l'abbaye bénédictine de Monreale, près de Palerme, en Sicile, placée sous la protection de Charles d'Anjou[1].

Favorisée par la chaleur et transmise par les mouches, la dysenterie décima l'armée plus vite que l'Islam. Même si les croisés réussirent à arracher des dommages de guerre au calife de Tunis, leur déconfiture fut telle qu'à son retour en France Philippe III le Hardi avait perdu, outre son père, sa femme (Isabelle d'Aragon), son frère (Jean-Tristan), sa sœur (Isabelle) et son beau-frère (Thibaut V de Champagne et de Navarre). Sans oublier la moitié de son armée.

Le royaume des Francs s'était noyé dans son propre sang.

*

Le lendemain de la mort de Louis IX, Pierre de la Brosse est venu me rendre visite. C'était mon ennemi personnel : après avoir été nommé

1. Après la révolution de Garibaldi qui renversa le royaume de Sicile en 1861, François II, le souverain déchu, emporta les viscères de Louis IX dans ses bagages. Ils réapparurent dans la cathédrale de Carthage en 1890, puis à l'église Sainte-Jeanne-d'Arc de Tunisie en 1965, avant de retourner en France, vingt ans après, d'abord à l'évêché de Saint-Denis, puis à la cathédrale Saint-Louis de Versailles où ils reposent encore.

valet de chambre du roi en 1261, il était devenu chambellan cinq ans plus tard. Une ascension éclair que ce grimpion, artiste de l'intrigue de cour, avait accomplie en léchant tous les fessiers et particulièrement ceux du fils aîné du souverain défunt.

Après son accession au trône, Philippe III le Hardi l'adouberait numéro deux du royaume avant de le donner aux chiens, c'est-à-dire aux nobles qui dénonçaient ses traficotages. En 1278, ils le firent pendre au gibet de Montfaucon, sans autre forme de procès. Il fallait que les rois de France fussent bien naïfs pour lui avoir fait confiance.

Je ne l'avais pas vu arriver sous la tente. Quand Pierre de la Brosse, accompagné du confesseur de Louis IX, s'est planté devant moi, j'essayais de consoler la valetaille royale en jouant du duduk. Une cause perdue : cet instrument n'a jamais consolé personne. Il raconte l'Arménie, terre de souffrances, et les notes du glas qu'il égrène semblent tomber d'un ciel de larmes. Rares étaient ceux qui, autour de moi, n'avaient pas les yeux rougis.

« Perdre en quelques jours son époux puis son roi, dit Pierre de la Brosse avec un air fourbe, ce n'est vraiment pas de chance.

— Dieu m'aidera, répondis-je.

— Vous ne le priez pas assez pour qu'il puisse avoir envie de vous aider.

— Nous sommes très proches, Dieu et moi.

Nous nous comprenons très bien sans nous parler. »

Le confesseur se gaussa et les bourrelets de graisse de son visage se mirent à trembler :

« Ah oui, vous êtes très proche de Dieu… Pardonnez-moi, mais je sais beaucoup de choses sur vous, des choses que ma bouche ne peut pas dire sans se souiller. »

Quand il pointa ses yeux dans les miens, j'y vis scintiller des lames tranchantes :

« Si Dieu vous connaissait, comme vous le prétendez, il vous aurait forcément punie pour les nombreux péchés que vous avez commis. »

Après un petit rire semblable à un toussotement, le confesseur poursuivit :

« J'imagine que vous comprenez à quoi je fais allusion. »

Je secouai la tête avec un regard innocent.

« La croix du roi lui a été volée sur son lit de mort, gémit le confesseur. Nous ne l'avons pas trouvée dans vos affaires. Permettez-moi maintenant de vous fouiller… »

Ses mains velues et replètes entrèrent dans mes vêtures pour en explorer les recoins.

« Vous étiez très proche de Louis IX, reprit Pierre de la Brosse à voix basse, tandis que l'autre cherchait en vain la croix. Je voudrais que vous nous éclairiez sur des aspects inconnus de sa vie, sa fascination pour le manichéisme ou le soufisme islamique, ses doutes sur l'avenir de la chrétienté en Occident. N'a-t-il pas écrit une lettre étrange à l'Ermite du Liban, une lettre que vous êtes allée porter vous-même, avec votre époux, en 1263 ?

— Vous êtes très bien renseigné.

— Il faut à tout prix retrouver cette lettre.

— Pourquoi cela ?

— Il y émet plusieurs critiques contre la religion apostolique et romaine. Son contenu pourrait être un obstacle à la canonisation de Louis IX, à laquelle nous allons œuvrer.

— Ce ne serait que justice, approuvai-je.

— Avant une canonisation, il y a toujours une enquête et un procès. Il faut que vous nous aidiez. Dites-nous les poux que l'Église risque de trouver dans les cheveux de Louis IX, et nous les ferons tous disparaître. C'est la mission que m'a confiée notre nouveau roi, béni soit-il. »

J'ai baissé la tête et feint de réfléchir avant de murmurer :

« S'il est toujours vivant, le Vieux de la montagne peut nous être d'une grande utilité.

— Cet affreux personnage ? demanda Pierre de la Brosse en grimaçant.

— Le Vieux de la montagne avait recueilli l'Ermite du Liban dont il est très proche. Louis IX les a rencontrés ensemble, lors de la précédente croisade.

— Y avait-il des témoins ?

— Oui. Armen et moi.

— Que se sont-ils dit ?

— Moi, j'étais derrière la porte, mais Armen a été leur interprète. Il m'a rapporté qu'ils envisageaient de fonder une nouvelle religion du nom d'amour, notamment avec le patriarche maronite de Saint-Jean-d'Acre, le chef de l'Église syriaque de Malatya et les autorités nestoriennes.

— Mais les nestoriens sont des hérétiques ! s'exclama le confesseur en roulant de gros yeux horrifiés.

— Sans doute, si l'hérésie consiste à proclamer une évidence, à savoir que le Christ est à la fois un homme et le Fils de Dieu. Le roi entendait aussi renforcer cette coalition avec les manichéens qui, comme le leur a enseigné leur prophète Mani, expliquent le monde par la lutte entre le Bien et le Diable, qu'ils considèrent comme une créature en soi, non de Dieu.

— Ce sont encore des hérétiques ! hurla le confesseur.

— Je crois que j'en ai assez entendu pour aujourd'hui », soupira Pierre de la Brosse, qui tourna les talons, suivi par le confesseur écumant.

Je recommençai à jouer du duduk. Un garçon de quatre ans était assis à mes pieds. Un Arabe avec des yeux en amande et des cheveux d'ange, que j'avais trouvé en pleurs, le visage couché sur le ventre de sa mère morte, quand l'armée royale était arrivée devant les remparts de Tunis.

L'enfant s'était jeté dans mes bras et, pendant plusieurs heures, il avait été impossible de l'en arracher. Ému, Louis IX m'avait autorisée à garder l'orphelin. Je l'avais fait baptiser après avoir changé son prénom : François d'Assise au lieu de Mustapha.

« Mais pourquoi François d'Assise et pas François seulement ? avait demandé le roi.

— Parce que c'est mon saint préféré, Sire. »

Après la mort du roi, j'avais confié une mission importante à François d'Assise : mon fils adoptif dissimulait la croix de Louis IX sous ses braies. Il allait la garder pendant des mois.

41

Saint Louis a-t-il été empoisonné ?

TUNIS, 1270. Quelques jours après la mort du roi, frère Eustache vint me trouver. Ami du légat du pape, c'était un petit homme au visage ascétique, comme taillé avec un couteau qui, ensuite, lui aurait été fiché en guise de nez au milieu du visage. Le blanc de ses yeux était jaunasse et sa bouche bleutée. Comme on peut l'observer parfois chez les grands mystiques, tous ses traits trahissaient une sorte d'avarice métaphysique : elle le mangeait vivant.

Membre de l'ordre des Frères prêcheurs, plus connus sous le nom de dominicains, frère Eustache avait été le confesseur du fils de Louis IX, Philippe III le Hardi, nouveau roi de France. Il était du dernier bien avec tous les grands mais c'était un puits d'angoisse. Il s'arrachait les cheveux et les poils des sourcils. Il se rongeait les ongles et se mangeait la peau des doigts jusqu'au sang. Il avait une trentaine d'années mais on lui en aurait donné deux fois plus.

« Plus j'y pense, dit-il, moins je crois à la maladie du roi.

— Il y a quand même longtemps que Sa Majesté n'allait pas bien, objectai-je.

— Combien d'écrouelles le roi a-t-il guéries ?

— Moult.

— Un saint qui guérit les écrouelles ne peut pas tomber malade.

— Permettez-moi de vous dire, mon père, que toute l'armée souffre du même mal de ventre. »

Le dominicain baissa la voix avec un air de conspirateur :

« Que le roi meure d'une chute de cheval ou transpercé par le sabre d'un mahométan, j'aurais compris. Mais qu'il succombe d'une maladie aussi ordinaire que la courante, non, ce n'est pas digne de lui. Et c'est ce qui m'a mis la puce à l'oreille : il y a là quelque chose de totalement anormal. J'en ai eu la confirmation quand j'ai vu sa ventraille : il y avait d'étranges traces violettes dedans. Je suis sûr qu'il a été empoisonné.

— Par qui ?

— Par un seigneur, par un évêque ou par le Vieux de la montagne qui a des complicités dans la chrétienté. Il travaille dans l'ombre où il a des relais partout, il me fait très peur. Le chambellan m'a dit que vous le connaissiez. »

Le rouge me monta aux joues et je lui dis sur un ton indigné :

« Fichtre ! Êtes-vous en train de m'accuser ?

— Non, je veux simplement savoir la vérité. Vous passiez beaucoup de temps avec le roi et on m'a dit qu'il vous faisait des confidences. Un saint, ça donne des leçons, ça embête tout le monde, notre regretté Louis IX avait forcément beaucoup d'ennemis et j'imagine qu'il en redoutait certains plus que d'autres.

— Il ne craignait pas le Vieux de la montagne, encore moins l'Ermite du Liban qui était son ami.

— Vous allez venir avec moi en Syrie pour reprendre et détruire la lettre que Louis IX a écrite à l'ermite.

— Mais j'avais prévu de rentrer en France ! » protestai-je.

Il approcha son visage et son haleine de chaise percée me fit trembler de peur quand il murmura :

« Il n'en est pas question ! Je n'ose penser à ce qui vous arriverait si vous refusiez de m'accompagner. »

Je rentrai les épaules puis les haussai brutalement.

« J'ai besoin d'un guide en Syrie, dit-il. Un pays qui, d'après mes informations, est l'un des plus dangereux du monde. »

Je reculai d'un pas, les yeux baissés :

« Vous pouvez compter sur moi, mon père. Je ne vous demande qu'une chose. C'est de pouvoir emmener avec moi mon fils François d'Assise que feu notre roi Louis IX, dans sa grande bonté, m'a donné l'autorisation d'adopter.

— D'Assise ? Pourquoi d'Assise ? François d'Assise était un hérétique !

— Il a été canonisé, mon père, et feu notre roi avait accepté que je l'appelle ainsi.

— Certes.

— Je ne peux pas le laisser ici.

— Demande accordée en mémoire de Louis IX. À condition que votre prétendu fils accepte d'embrasser la croix devant moi.

— Il l'a déjà fait.

— Je veux le voir de mes yeux. Je dois être sûr que c'est un bon chrétien. Je ne voyage pas avec les mécréants. »

Le religieux n'avait jamais confiance en personne et voyait le mal partout. C'était même son métier. Natif de Brive-la-Gaillarde, il avait fait ses études au couvent dominicain de Limoges d'où sortirait plus tard Bernard Gui qui deviendrait le prince des inquisiteurs, terreur des cathares et des vaudois.

Frère Eustache avait, comme il disait, la « question » dans le sang, et rien ne l'arrêtait jamais dans la quête de la vérité. Le nouveau roi, Philippe III le Hardi, lui avait demandé de vérifier si les soupçons d'empoisonnement de son père étaient fondés. Le légat du pape, lui, souhaitait avoir la confirmation de traficotages auxquels se serait livré Louis IX pendant son avant-dernière croisade et qui auraient pu empêcher son éventuelle canonisation.

Il était prévu que j'accompagnerais le dominicain qui partirait dès le lendemain mener ses enquêtes en Terre sainte : j'étais comme un poisson dans l'eau chez les mahométans et ferais office de servante, d'interprète, de garde du corps, de beaucoup d'autres choses encore.

De ma première croisade avec Louis IX, j'avais gardé une passion pour la Syrie, terre hospitalière qui respirait la culture, la tolérance et l'intelligence. Mais je n'ignorais pas que, dans ce pays, la mort peut frapper à tout moment les naïfs, les insouciants et, à plus forte raison, les mécréants.

Je n'en avais cure : ce voyage me changerait les idées, après la mort du roi et de mon mari. J'eus néanmoins un sombre pressentiment quand, le premier jour de la traversée, frère Eustache m'arracha des mains mon duduk alors que je jouais un air pour François d'Assise.

« Je ne veux pas de ça ici, dit-il.

— C'est la voix de Dieu, objectai-je.

— Non, c'est la voix du diable. Je la reconnais. »

Le religieux m'annonça qu'il confisquait le duduk.

« De grâce, suppliai-je, ne le jetez pas, mon père. J'ai besoin de mon duduk pour faire venir à moi Armen, mes parents et tous les morts de ma vie. Dès que j'en joue, ils accourent de partout. J'ai besoin de les avoir tous en moi pour me sentir bien.

— Eh bien, comme ça, vous aurez plus de place pour accueillir Dieu. »

42

Le nid d'aigle du Vieux de la montagne

SYRIE, 1270. Partis de Tunisie en bateau avec deux chevaux et une mule, nous accostâmes dans le port syrien de Baniyas, près de Lattaquié, une ville fortifiée que les chevaliers de l'ordre des Hospitaliers tenaient depuis près d'un siècle.

Vu de la mer, le port semblait un ramas d'ossements dorés, entassés entre ciel et terre. Le soleil écrasait tout sous ses coups de fouet. D'où la mollesse qui régnait à Baniyas que les croisés appelaient Valénie. C'est à partir de là que les choses se sont gâtées.

Pendant notre périple, j'avais observé les regards lourds que le dominicain posait sur moi. Il était sous mon charmement mais ça ne m'avait pas inquiétée outre mesure : je n'étais plus une bachelette[1], il s'en fallait. Je me tenais à distance.

Avec deux marins francs à bord du bateau, le

1. Jeune fille non mariée.

religieux ne pouvait me biscoter larrecineusement[1] : tout le royaume eût été au courant. Mais il semblait en proie à un débat intérieur qui creusait deux rides verticales entre ses sourcils. Parfois, il parlait seul, comme s'il ruminait une colère contre lui-même.

« *Miserere* », s'écriait-il en tombant à genoux, avant de se cogner la tête sur le bois du pont.

Quand nous débarquâmes, j'acceptai que François d'Assise attende notre retour dans le bateau, avec les marins. Si nous avions emmené mon fils adoptif, il nous aurait retardés. En outre, fit valoir frère Eustache, nous n'étions pas à l'abri de mauvaises rencontres. Mieux valait qu'il restât.

Au bout de quelques lieues, alors que nous étions en pleine campagne, frère Eustache arrêta son cheval, en descendit et, avec un air sombre, me demanda de le suivre. Après avoir attaché les bêtes à un tronc d'olivier, il m'emmena par la main dans un bosquet où, soudain, il se jeta sur moi et me culbuta.

D'abord, je le repoussai et me débattis en demandant grâce :

« Merci ! Merci ! »

Mon veuvage venait à peine de commencer, je n'étais pas dans de bonnes dispositions.

« Armen ! m'écriai-je.

— Armen est mort, idiote ! »

1. Furtivement.

Je craignais qu'il ne me déshabillât et vît les tatouages diaboliques qui souillaient mon corps, mais frère Eustache était trop pressé. Il plaqua mes mains contre le sol, entra au-dedans de moi et m'emmena dans la chevauchée de la bête à deux dos, une chevauchée qui commença bien mais qui, après une embardée, tourna court.

À peine m'eut-il abreuvée qu'il s'arracha de mon ventre et se rhabilla en m'injuriant d'une voix de fausset, qui n'était plus la sienne :

« Tu m'as conchié et compissé, salaude de bordelière !

— Je n'ai rien fait de tout cela, mon père.

— Tu as fait pire : tu m'as tenté, vuiseuse[1], donzelle, merdière, impie, tortillette[2] !

— Pardonnez-moi, dis-je, mais je n'étais pas consentante.

— Qu'est-ce que ç'aurait été si tu l'avais été, petite truie ? »

Il me souffleta et s'écria :

« Tu m'as débauché, ribaude, godinette, gouge, dévergoigneuse !

— Je suis une femme honnête, insistai-je.

— Honnête ! Comment peux-tu dire ça ? À cause de toi, j'ai péché. Je sais qui tu es, je t'ai percée le premier jour : une sorceresse, une rigobette, une affolée du fessard, une fille de Satan, une insulte permanente au Tout-Puissant ! »

Je frémis : dans une autre vie, j'avais déjà

1. Vicieuse.
2. Prostituée.

entendu de telles accusations proférées par un dominicain, et ç'avait été le début d'un long calvaire pour les prétendus hérétiques.

« Mais quelle est ma faute ? demandai-je.

— Après tous les péchés que tu as commis dans le passé, tu viens de me tenter. Comme le diable, comme toutes les femmes. Et j'ai cédé, misérable que je suis ! »

Il me gifla de nouveau. Comprenant qu'il ne fallait pas contredire frère Eustache, je m'agenouillai, baissai la tête, puis marmonnai :

« Pardonnez-moi, mon père. Je ferai tout ce que vous voudrez.

— Au nom du Père et du Fils et du Saint-Esprit, dit le religieux, je te pardonne les péchés que tu viens de commettre. Mais fais attention : ma patience et ma miséricorde ont des limites. »

Au cours du périple qui nous mena au château d'al-Kahf, frère Eustache me besogna au moins une fois par jour, n'importe où, quand l'envie le prenait, sur des couches herbeuses, caillouteuses ou tissées d'aiguilles de pin, qui salissaient ma cotte blanche de veuvage.

Sitôt la chosette terminée, pendant que nous nous rhabillions, le même rituel grotesque recommençait : j'avais droit à un flot d'injures, qui cessait comme par miracle dès que je m'agenouillais pour implorer son pardon.

Il ne me l'accorda pas toujours de bonne grâce. Il arriva qu'il soupirât ou crachât, comme si ma conduite le dégoûtait sincèrement : il m'en voulait de ne pouvoir résister à la fruition que je provoquais chez lui. Une fois, il me battit même jusqu'au sang avec une branche de pin. Quand j'éclatai en sanglots, il me sermonna :

« Bon, allez, ça va pour cette fois, mais ne recommence pas. Un jour, je serai obligé de t'infliger une pénitence dont tu ne sortiras pas vivante. »

Quand nous arrivâmes au pied de la colline que surplombait le monumental château d'al-Kahf, dans le djebel Bahra, nous descendîmes de nos montures pour prendre un chemin qui grimpait à pic et en colimaçon. C'était là qu'habitait le Vieux de la montagne, grand maître de la secte des Assassins. Une épée dressée au milieu d'un paradis luxuriant, percé de falaises, de vallées, de rivières. Une forteresse imprenable, taillée dans la roche, plongée dans le ciel.

*

C'est la secte des Assassins qui a inventé le terrorisme. Mais elle le pratiquait avec perversité et raffinement, en évitant toujours de faire couler les flots de sang que répandirent ses disciples, au XXe siècle et après, quand l'industrialisation et la massification gagnèrent tous les domaines.

À l'époque, les Assassins étaient de petits artisans cultivés, maîtres chanteurs d'arrière-cour, qui ne tuaient qu'une seule personne à la fois. Mais ils ne reculaient devant rien quand leurs demandes pécuniaires n'étaient pas satisfaites.

D'après eux, plus grande était la terreur, meilleur en était le rapport.

Au temps de sa splendeur, la secte des Assassins possédait d'autres châteaux de ce type, notamment à Alamut, en Iran, et, non loin d'al-Kahf, à Quadmus ou à Masyaf. Elle roulait sur l'or en faisant cracher les puissants au bassinet : s'ils ne mettaient pas la main à la bourse, ils risquaient d'être égorgés à tout moment. Tous trouillaient devant elle, même ce rodomont de Saladin qui, comme à peu près tout le monde, avait versé son obole.

Du sultan de Mossoul Aksonkor au calife égyptien Abou Ali Mansour, longue est la liste des personnalités tuées sur l'ordre des grands maîtres qui se succédèrent à la tête de la Secte. Peu nombreux mais bien organisés, les Assassins semblaient tenir le monde à la pointe de leurs poignards.

L'archevêque Guillaume de Tyr, chroniqueur du Moyen Âge, raconte : « Dans le château d'Alamut, on élève de jeunes garçons au milieu de tout ce que le luxe asiatique peut imaginer de plus riche et de plus séduisant ; on leur apprend plusieurs langues, on les arme d'un poignard, puis on les jette dans le monde, afin d'assassiner, sans distinction, les chrétiens et les sarrasins. »

Les « fedavi », comme on appelait ces jouvenceaux, étaient des automates. Jamais ils n'hésitaient quand, pour impressionner leurs visiteurs, les grands maîtres de la Secte leur demandaient de se jeter du haut d'une tour. Un claquement de doigts suffisait.

Les Mongols avaient sonné le glas de cette secte en reprenant une à une ses forteresses, que leur ravirent ensuite les mamelouks égyptiens. Les anciens prédateurs étaient devenus du gibier, leur histoire touchait à sa fin.

En l'an de grâce 1270, la Secte s'était repliée derrière les fortifications du château d'al-Kahf où elle tentait de survivre en poursuivant ses lucratives activités. Après la mort de son dernier grand maître, Rachid ad-Din Sinan, qui avait repris le pseudonyme du fondateur, « le Vieux de la montagne », elle était dirigée par un obscur nizârite qui se faisait appeler pareillement.

Comme al-Hakîm, le tyran de Jérusalem, persécuteur des chrétiens, auquel nous devons les premières croisades, les nizârites étaient des adeptes de l'ismaélisme, courant minoritaire du chiisme. Cultivés, ils privilégiaient une lecture ésotérique du Coran, y recherchaient le sens caché des mots et méprisaient la plupart des prescriptions rituelles de l'islam vulgaire, comme la sunna. Des mystiques sophistiqués à l'instar des soufistes, mais avec un poignard.

Les Assassins détestaient la guerre. Plutôt que de massacrer les populations qui n'en pouvaient mais, ils préféraient frapper à la gorge les mauvais payeurs ou les coupables de voleries, tel Conrad de Montferrat, roi de Jérusalem, tué en 1192 pour avoir pillé un navire bourré de marchandises à eux destinées. Soucieux de marquer les esprits, ils tenaient en respect leurs innombrables ennemis avec un principe tout simple : « Nous tuons un homme, nous en terrorisons cent mille. »

Contrairement au terrorisme des islamistes des XXe et XXIe siècles, celui de la secte des Assassins était propre, si j'ose dire : ses adeptes ne tuaient pas à tort et à travers ; ils ne s'attaquaient qu'aux puissants, jamais aux innocents, aux femmes ou aux enfants. Avec eux, il n'y avait pas de victimes collatérales. De plus, quand on compare la classe de ses chefs de l'époque et l'inculture des bouffons d'aujourd'hui, il apparaît que l'Histoire a fait de grands pas à reculons.

Ces gens-là habitaient au-dessus d'eux-mêmes, ils ne semblaient pas de ce monde. Le leur était celui d'Ali Baba, ils aimaient la vie et menaient grand train, comme s'ils étaient assis sur des montagnes d'or. Ils n'avaient peur de rien et manipulaient tout le monde. Leur credo : « Rien n'est vrai, tout est permis. »

*

La cinquantaine rondouillarde, l'imam Muhammad, le nouveau Vieux de la montagne, n'avait ni dents ni cheveux, mais l'œil vif et le sourcil nerveux. Quand je lui annonçai dans sa langue la mort du roi des Francs, il se rembrunit puis, après un silence, laissa tomber :

« Je sais qu'il était très populaire dans votre

royaume, mais je ne comprends pas bien pourquoi vous avez fait tout ce chemin pour m'annoncer cette triste nouvelle.

— Notre nouveau roi vous soupçonne d'être responsable de la mort de Louis IX, son père, répondis-je.

— A-t-il été poignardé ?

— Non, empoisonné.

— Nous empoisonnons aussi nos victimes, ça nous arrive. Mais je peux vous certifier que nous ne sommes pour rien dans la mort de Louis IX. Renseignez-vous, nos ennemis resserrent l'étau sur nous ces temps-ci, nous n'avons pas le loisir ni l'humeur de nous lancer dans ce genre d'aventures. Quand nous voulons soutirer de l'argent, nous privilégions les proies inoffensives, celles dont on n'a pas à craindre les représailles. Nous ne sommes plus que de petits intimidateurs. »

Un jeune homme à longs cils, d'une beauté rayonnante, vint nous présenter un plateau de gâteaux dont le frère Eustache et moi-même nous gavâmes.

« Cette accusation est d'autant plus stupide, reprit le Vieux de la montagne, que nous avons toujours eu un grand respect pour le roi Louis : c'est le seul monarque à nous avoir toujours tenu tête, mais sans haine et même avec générosité. »

Ayant appris depuis longtemps qu'il fallait toujours terminer par les choses importantes, je me lançai :

« Nous sommes venus pour recouvrer la lettre que Louis IX a écrite, il y a quelques années, à l'Ermite du Liban.

— Ah oui, murmura-t-il, l'ermite… Ses nombreux dieux ont fini par le rappeler à eux. Il avait en sa possession cette lettre incroyable de Louis IX, une sorte d'apostasie…

— Vous exagérez un peu, Louis IX restait dans la maison du Christ.

— Pas vraiment. En tout cas, je suis désolé, nous venons de vendre cette lettre.

— À qui ?

— À des représentants de l'ordre du Temple qui, si j'ai bien compris, veulent la revendre au roi de France. Nous nous entendons bien et, quand ils ont appris que ce document était en notre possession, ils nous en ont proposé une grosse somme. Nous avons fait affaire.

— Où est cette lettre ?

— Pas loin. Ils sont partis hier. Mais ils vont revenir. J'ai demandé à mes hommes de les ramener. Après réflexion, j'ai décidé de négocier à nouveau le prix de la lettre : ils seront là dans quelque temps. »

Le Vieux de la montagne se leva :

« En attendant, dit-il, je vous invite à visiter le jardin d'Éden. »

43

Le Jardin des délices

SYRIE, 1270. Comme la plupart des prophètes, Mahomet a dit beaucoup de choses étranges. Par exemple, que le parfum du paradis était si puissant qu'on pouvait le sentir à une distance de cent années, formule absconse comme il les affectionnait. Au château d'al-Kahf, les senteurs vous explosaient à la figure avant même que soit franchie la porte de son jardin d'Éden, et le vent les emportait loin au-delà de l'horizon.

Si elles coûtèrent cher en vies humaines, les croisades ont apporté beaucoup à la chrétienté. Grâces soient rendues aux Arabes ou aux Perses d'avoir introduit ou développé dans la chrétienté le goût de la propreté et des parfums. Sur ce plan comme sur d'autres, ils étaient en avance sur les peuples d'Europe.

Contrairement à ce que prétend la légende, Mahomet était avant tout un jouisseur qui aimait la vie. Avec une prédilection pour les femmes et les parfums.

À cet égard, les visiteurs avaient l'embarras du

choix dans le jardin du château, où s'affrontaient, au milieu des jeunes filles offertes, des parfums de musc, de santal ou d'ambre et des fragrances de rose, de lavande ou de jasmin. Un festival pour les narines et les yeux.

Partout dans ce paradis fleuri, sous les palmiers et les grenadiers, chantaient des fontaines et des ruisseaux. Le moindre des délices du lieu n'était pas l'innocence ni la beauté des jeunes filles : sous les ombrages, elles se prélassaient sans vergonde[1], en petite tenue de soie, les tétins[2] souvent à l'air, la bouche entrouverte sur d'irrésistibles caresses de la langue.

Tournant la tête dans tous les sens, frère Eustache était à la fois séduit, affolé et révolté.

« Les mahométans ont quand même de la chance », disait-il avec effroi et ravissement.

C'était là que la secte des Assassins fanatisait ses tueurs qu'elle ne sélectionnait pas, bien sûr en fonction de leur intelligence. Elle leur faisait croire que ce jardin était le Paradis des Croyants, celui dont parle Mahomet dans le Coran, et qu'il les attendait après leur mort. Drogués avec un breuvage au haschich, ils y étaient régulièrement introduits et traités mieux que des princes.

Au royaume céleste des jeunes filles à prendre, les futurs assassins passaient plusieurs jours à s'enivrer de tous les délices, l'un des principaux consistant, comme il est écrit dans le

1. Pudeur.
2. Tétons.

Coran, à déflorer des vierges. Des « houris aux regards chastes que nul parmi les hommes ni les djinns n'avait encore touchées, des créatures somptueuses, de bonne éducation ».

Mahomet n'avait peur de rien, pas même du ridicule. Quand, chevauchant son Bouraq, une sorte d'âne ailé, il était allé visiter l'au-delà, il observa que l'enfer était surtout peuplé de femmes coupables d'avoir dénigré leur époux. Des râleuses, des drôlesses, des ingrates. C'est pourquoi il n'y en avait pas beaucoup au paradis où pullulait, en revanche, une infinité de vierges célestes, toujours soumises aux volontés de leurs mâles fornicateurs, et qui, sitôt déflorées, retrouvaient leur pucelage.

Là-haut, en plus des vierges à foison, les Élus avaient droit, toujours selon le Coran, à « toutes sortes de fruits et de nourritures succulents ». Sans oublier des « fleuves de vin exquis pour ceux qui le boivent ». Ici-bas, au château d'al-Kahf, c'était à peu près la même vie de pacha pour les candidats à la malemort de la secte des Assassins.

Quand, après avoir été drogués à nouveau au haschich, les jeunes gens étaient ramenés dans le monde réel, ils tombaient de haut et ne songeaient plus qu'à retourner au Jardin des délices. Au moins y avaient-ils goûté, contrairement aux terroristes islamistes d'aujourd'hui.

Au temps des Assassins, la mort était si belle qu'ils l'appelaient de leurs vœux. Qu'importait le trépas, pourvu qu'ils retrouvassent vite les vierges du paradis. Ils n'avaient plus peur de rien et rataient rarement les prestigieuses cibles qui leur étaient assignées, avant d'être exécutés par les gardes, pour leur plus grand bonheur.

Quand je demandai à l'imam Muhammad s'il n'était pas gêné de duper ainsi ces jouvenceaux, il réfléchit un instant avant de répondre :

« Non. Ils ont tous l'intelligence d'une crotte de mouton. On prend les plus bêtes et les plus méchants, on a l'embarras du choix. C'est pourquoi je n'ai aucune pitié pour eux. »

Un sourire chattemite traversa son visage :

« Ce sont des guêpes. S'ils sont assez stupides pour se laisser berner, ils méritent leur sort. Franchement, leur mort nous soulage tous : ce n'est pas une perte pour notre peuple, nous avons trouvé une façon utile de nous en débarrasser. En plus, si nous trichons avec eux, ce n'est qu'à moitié : en tant que musulman, je suis sûr que le vrai paradis, tel qu'il a été décrit par le Prophète, ressemble à ce que nous venons de voir. Nous avons veillé à suivre de très près la description du Coran. »

L'imam Muhammad pointa son index en direction de plusieurs ruisseaux qui coulaient dans la rocaille :

« Regardez. Il y a même les fleuves d'eau, de vin et de miel pur dont parle Mahomet. Il ne manque que les fleuves de lait.

— Pourquoi ?

— On a essayé de les reproduire, mais le lait

caillait et le paradis sentait le fromage pourri, rigola-t-il. Ce n'est pas une odeur qui lui sied. »

Je traduisais ses propos pour frère Eustache qui n'avait d'yeux que pour les trois damoiselles vers lesquelles se dirigeait le Vieux de la montagne : la peau ointe d'huile, elles prenaient le soleil dans cette position d'abandon si particulière aux grandes amoureuses après qu'elles ont eu leur content.

Quand ils les saluèrent, elles leur répondirent par de grands sourires, les yeux papillotants, prêtes à se donner sans crainte ni pudeur.

« Ont-elles été droguées aussi ? demandai-je.

— Forcément, dit le Vieux de la montagne. Nous les gavons de champignons : c'est ce qui leur donne cet air bête et réjoui. Sinon, les malheureuses seraient angoissées. C'est leur première fois, vous comprenez. »

Le Vieux posa sa main sur les cheveux d'une jeune fille qui, avec son visage ovale, aurait pu passer pour la mère de Dieu :

« Voyez comme elles ont l'air heureuses. Ce sont des vierges, comme les “houris” du Coran. Mais celles-là ne servent qu'une fois. Après, elles sont renvoyées dans leur famille.

— Une fois déflorées, ne risquent-elles pas d'être rejetées par leurs parents ?

— Ça ne nous regarde pas. Elles auront au moins vécu quelques heures de bonheur. »

Frère Eustache roulait maintenant de grands yeux vers une damoiselle un peu plus âgée, assise derrière les trois jeunes filles, sur un lit d'apparat, au milieu de gros coussins verts. Elle était très brune, avec des taches de rousseur sur les pommettes. Tout son être exprimait une ironie qui rendait irrésistible son sourire aux dents nacrées.

« Elle, on l'appelle la Comédienne, reprit le Vieux de la montagne. Je ne connais personne qui fasse mieux l'amour. De ce point de vue, c'est une immense artiste, très inventive. Elle est chargée d'initier nos "houris" aux plaisirs et de les mettre en confiance. Quand on les amène aux mâles, je vous jure qu'elles sont devenues des bêtes d'amour. »

Il cligna de l'œil et dit à l'intention de frère Eustache :

« Si vous restez à dormir, je peux vous la prêter pour la nuitée. Vous ne serez pas déçu : sa chair de miel vous enflammera. »

Après que j'eus traduit la proposition, le dominicain hocha la tête, l'air contrit.

« Elle a beaucoup servi, reprit le Vieux de la montagne, mais vous pouvez l'utiliser en toute sécurité : elle n'a pas de maladies. Nous y veillons. Nous la purifions chaque jour avec toutes sortes de plantes. »

Poursuivant son chemin, le Vieux de la montagne s'arrêta devant un jouvenceau qui somnolait sous une sorte de tonnelle. Ivre et satisfait, il semblait faire de beaux rêves.

« Lui, c'est l'un de nos futurs poignardeurs. Je pourrais lui demander de se tuer, il le ferait sans hésiter, tant il est pressé de mourir pour accéder à la vie éternelle. Mais je ne vais pas le lui demander : il doit partir demain pour une mission de la plus haute importance. »

Le Vieux baissa la voix :

« Il a été chargé de tuer un prince tartare, massacreur de croyants. »

Il s'éloigna en murmurant :

« Je préfère qu'il ne me voie pas. Sinon, il va croire que je suis mort et ne comprendra plus rien quand il me retrouvera après avoir quitté son "ciel". Il a beau être stupide, il risque de découvrir la supercherie. »

Alors que nous quittions le Jardin des délices, frère Eustache siffla entre ses dents, dans mon oreille :

« Si j'ai accepté sa proposition de recevoir la Comédienne dans ma chambre ce soir, c'est par pure politesse ! Ces gens-là sont tellement susceptibles ! En tout cas, sur cette secte des Assassins, ma religion est faite : ce sont des tartufes, des galipots[1], des barbares sanguinaires.

— Moins que les rois ou les sultans, objectai-je. La Secte ne tue jamais qu'une seule personne à la fois, toujours un puissant. Soit parce qu'il refuse de payer son tribut. Soit parce qu'il a des intentions belliqueuses. Chez nous autres, ce sont des peuples entiers qui sont sans cesse envoyés à la malemort, on en fait de la viande de bataille. »

Frère Eustache eut un rire grimaçant :

1. Matières fécales.

« Ne me dites pas que vous préférez le système de ces barbares.

— La Secte tue beaucoup moins que nos monarchies, elle ne fait pas couler des fleuves de sang. »

Frère Eustache s'arrêta, prit mon poignet, le broya, puis me dit :

« Je vous ai beaucoup observée pendant la visite. Vous étiez pitable[1], tellement vous sembliez fascinée par le discours de ce personnage ridicule. On dirait que vous partagez la même religion.

— Je fais de mon mieux pour suivre le message du Christ. Je suis une bonne chrétienne.

— Oui, comme moi je suis pape. Laissez-moi rire ! Je sais tellement de choses sur vous que j'en tremble quand j'y pense… »

Un frisson me traversa de haut en bas. Plus tard, je faillis défaillir quand, en retournant dans l'enceinte du château, j'aperçus un commandeur des Templiers, son chevalier et les quatre Jean-Bon.

1. Pitoyable.

44

Le jour où Saint Louis dompta la secte des Assassins

SYRIE, 1270. Le soir, sur la terrasse du château, le Vieux de la montagne donna un dîner en l'honneur des commandeurs de l'ordre du Temple, Charles Jean-Bon et Alphonse de Mallemort, du chevalier de ce dernier et des trois fils Jean-Bon. Sans oublier frère Eustache et moi-même.

D'abord, je fus dans un grand émeuvement[1], tant je craignais que Charles Jean-Bon ne me demande de m'esnuer[2] pour mettre au jour mes quatre diables et me traiter d'hérétique. Au lieu de quoi, il tenta de faire de moi une alliée dans la renégociation qui s'ouvrait autour de la lettre de Louis IX.

« Je suis sûr que nos amis français m'approuveront, dit Charles Jean-Bon. Nous ne pouvons pas accepter qu'un accord soit remis en question sitôt qu'il est passé. Ça veut dire qu'il n'y a plus de parole, plus d'honneur, plus rien : c'est intolérable.

1. Émotion.
2. Me mettre nue.

— Nous souscrivons, dis-je.

— Nous restons sur notre offre, déclara Mallemort. Je ne discute pas sous la menace. »

Le commandeur de l'ordre du Temple était un personnage nonchalant, aux épaules fuyantes, avec une bouche en forme de fondement et un goitre qui lui mangeait le menton. Il semblait très content de lui, contrairement au chevalier, un bel homme avec les cheveux coiffés en arrière, longs et bouclés, affligé de plusieurs verrues.

« J'ai été envoyé ici par le roi Philippe III en personne, dit frère Eustache. Il m'a mis en garde : qui nous dit que cette lettre attribuée à Louis IX n'est pas un faux ? J'aimerais bien la voir de près, si seulement elle existe. »

Mallemort la lui remit. Le dominicain se leva et s'approcha d'une bougie pour pouvoir la lire, avant de la déchirer, soudain, en plusieurs morceaux qui prirent feu dès qu'il les tendit vers la flamme.

« Vous voyez bien que nous avons raison, nous autres Arabes, de ne pas vous faire confiance, commenta le Vieux de la montagne au milieu de la confusion provoquée par le religieux.

— Je propose que vous gardiez l'argent des Templiers, dit frère Eustache. Ce n'est pas vous que j'ai lésé, c'est l'ordre du Temple. Je suis prêt à lui rendre des comptes s'il m'en demande.

— C'est inutile, répondit Mallemort.

— J'étais sûr que vous n'oseriez pas. Il fallait que cette lettre fût détruite un jour ou l'autre. Pour l'Histoire, pour la mémoire du roi et des morts en croisade. C'est mieux pour tout le monde.

— L'incident est clos », conclut le Vieux de la montagne en levant son verre de vin.

*

Refusant de croire que Mahomet aurait interdit ici-bas le vin qu'il autorisait sous forme de « fleuve » au Paradis des Croyants, le Vieux de la montagne, tout musulman qu'il fût, était un grand buveur d'alcool. Avec ça, amateur de bonne chère, notamment de saucisse à l'ail ou aux épices.

Le vin coula à flots pendant le repas : tout le monde parlait haut et fort. La conversation entre frère Eustache, d'un côté, le commandeur et Charles Jean-Bon, de l'autre, était très animée. Entre deux échanges avec l'imam Muhammad, je pourpensais[1], pour ma part, aux moyens de prendre le large.

L'attitude de frère Eustache me préoccupait. S'il me soupçonnait vraiment d'être une hérétique, il n'en resterait pas là : c'était le genre de cagot à ne jamais lâcher le morceau de barbaque dans lequel il avait planté ses crocs.

Que pouvais-je faire ? Le tuer sur le chemin du retour n'était pas la solution. Je redoutais que les marins qui nous attendaient à Baniyas

1. Imaginais.

ne refusassent de me ramener au port d'Aigues-Mortes, et il n'était pas question pour moi de rester quelques mois de plus en Terre sainte.

J'avais trop envie de retourner en France et de finir mes jours là où je les avais commencés, au bord du lac des Ferricres, où étaient restés mes amis d'enfance : les arbres, la brume, le silence, l'eau, les oiseaux, la nature qui pense, le ciel qui murmure, la forêt qui frissonne.

Je répugnais aussi à tuer le religieux pour des intentions que je lui prêtais mais qui n'étaient pas prouvées. La vie m'avait appris que les personnages entiers sont souvent moins à craindre que l'engeance des chatemites[1], toujours le sourire par-devant et le poignard par-derrière. De plus, ce n'était pas parce qu'il me traitait de tous les noms, après la chosette, qu'il me détestait : le contraire était même probable.

*

Au dessert, le Vieux de la montagne demanda à frère Eustache s'il pensait que Philippe III le Hardi serait prêt à payer un tribut en échange de la protection de la secte des Assassins. Selon lui, c'était un système très avantageux qui assurait au roi la vie sauve, « du moins, s'amusa-t-il, jusqu'à sa mort ». Quand j'eus traduit, le dominicain dodelina de la tête un moment, puis déclara :

1. Hypocrites, aimables par ruse.

« Ça m'étonnerait : les rois français ne payent pas, ils ont des hérissons dans les cassettes. »

Pour échapper à la vindicte de la secte des Assassins, tous les grands de ce monde lui avaient souvent versé une grosse rétribution, qui pouvait être annuelle. Les tyrans ou les potentats n'étaient pas seulement mis à contribution dans son aire d'influence, de la Perse au Liban en passant par l'Égypte. En Europe, la Secte s'attaqua aussi à l'empereur d'Allemagne et au roi de Hongrie, qui ne furent pas les derniers à verser leur obole.

On aurait pu penser que le futur Saint Louis, réputé si conciliant, suivrait le mouvement. Erreur. Il n'avait jamais cédé sur rien. Quand, lors de sa première croisade, il avait été l'objet d'une tentative d'intimidation, il l'avait traitée de haut, avec une sorte d'indulgence dédaigneuse.

Nous étions là, Armen et moi, quand trois hommes abordèrent Louis IX, au sortir de la messe à Saint-Jean-d'Acre. Des messagers de la Secte. À l'époque, elle était encore au faîte de sa gloire : il valait mieux ne pas plaisanter avec elle.

Le premier messager de la Secte, richement habillé, était un émir. Le deuxième figurait l'assassin, avec à la main trois couteaux fichés les uns dans les autres, pour signifier au roi qu'en cas de refus trois tueurs lui seraient envoyés pour exécuter l'arrêt de mort. Le dernier larron portait un linceul au bras pour finir d'impressionner la victime désignée. Trois chevaliers de l'Apocalypse.

Mais pour qui se prenaient-ils, ceux-là ? Louis IX les envoya au diable et leur demanda de revenir plus tard. Le lendemain, il leur adressa une humiliante fin de non-recevoir par l'entremise des grands maîtres des Templiers et des Hospitaliers. En son nom, ces derniers osèrent même réclamer aux messagers « avant quinze jours lettres et gages d'amitié tels que le roi se considère comme satisfait et qu'il vous en sache bon gré ».

Dans les délais fixés, le Vieux de la montagne envoya un déluge de cadeaux à Louis IX : un anneau d'or pour lui indiquer qu'il était désormais à sa dévotion, uni à lui pour le meilleur et pour le pire, des girafes et des éléphants en cristal, beaucoup d'autres choses encore. Heureux de cet acte de soumission, le roi lui offrit en retour des coupes d'or, des mors d'argent et des brassées de présents. Plus jamais la Secte ne l'importuna.

De cette histoire, on aurait pu tirer une morale qui résume bellement l'action de Louis IX : il avait su montrer que la grâce n'empêche pas d'être coillu[1].

1. Entre femmes, nous nous comprendrons.

45

Sus aux sodomites !

SYRIE, 1270. Après le dîner, nous nous retrouvâmes sur la terrasse la plus haute du château où nous gargotâmes sous les rayons d'une lune qui se prenait pour le soleil. C'était une de ces nuits où il fait jour.

J'avais bu beaucoup de vin. J'étais en pleine béatitude quand la voix d'Alphonse de Mallemort, le commandeur de l'ordre du Temple, me dit à l'oreille, sur un ton d'indignation contenue :

« J'ai ordonné au dominicain que vous accompagnez de rentrer en France au plus vite. Je ne veux plus jamais le revoir. C'est un étron et un bouffart[1]… »

Je lui demandai ce qui s'était passé. Le moine-soldat trembla de tout son corps :

« Il m'a dit des choses révoltantes sur mon ordre. En plus, ce capon m'a menacé du fagot, corne de bouc !

1. Personnage vaniteux.

— Mon père, pardonnez-lui. Frère Eustache ne sait pas ce qu'il fait. Ni ce qu'il dit. »

Le templier tapa du pied, qui pivota ensuite sur le sol comme s'il essayait d'écraser quelque chose :

« Il voit des boulgres[1] partout.

— À qui le dites-vous, sapristi !

— Il a prétendu que tous les templiers étaient des fots-en-cul[2], des suppôts de Satan, des adorateurs de broquelet[3], des ramoneurs de tripaille, des barboteurs de ventraille, des bouffeurs de sainte crème, et qu'ils méritaient le bûcher. Quel trifouillon[4], saperlotte ! Je l'ai prévenu : s'il est encore là dans une semaine, je le ferai exécuter par la secte des Assassins.

— Ah bon, ces gens-là sont vos amis ? » m'étonnai-je.

Alphonse de Mallemort dit à voix basse :

« Oui, je n'ai pas peur de le dire. Ici, tout est compliqué, il n'y a pas d'un côté le bien et de l'autre le mal, les alliances changent tout le temps et cette secte est, en fait, bien meilleure qu'on le croit. Meilleure et pire… »

Quand les invités commencèrent à se disperser pour aller dormir, je m'approchai de l'imam Muhammad.

« Il y a une dizaine d'années, murmurai-je,

1. Hérétiques.
2. Homosexuels. Le mot fot signifie sperme.
3. Sexe masculin.
4. Fouineur.

vous avez perdu un grand trésor qui était sur un bateau en provenance du royaume de Chypre.

— Oh ! oui, je me souviens. Il s'agissait d'une rançon payée par le doge de Venise, Reniero Zeno, et d'une autre par Alphonse X, roi de Castille. On a dit que le navire avait fait naufrage près de Saint-Jean-d'Acre.

— Sachez que la cargaison a été volée par Charles Jean-Bon, commandeur des Templiers, ici présent.

— Merci de me le dire. Je vais garder ses enfants en otages. S'il ne me rend pas notre trésor d'ici à un mois, ils mourront dans d'atroces souffrances. »

Le Vieux de la montagne avait émis un gloussement joyeux.

*

Frère Eustache et moi partîmes de tôt matin. Le dominicain semblait de fort méchante humeur et je le suivis avec inquiétude, sans mot dire. Quand le chemin rocailleux reliant le château à la terre nous eut amenés en bas, le dominicain fit signe de descendre de cheval. Après m'avoir entraînée dans la forêt qui bourdonnait d'insectes, il m'arapa[1] puis me batacula[2] dans un fossé coiffé d'herbes brunes qui sentaient le miel brûlé.

Comme d'ordinaire, le religieux ne chercha pas

1. Me saisit avec force.
2. Me renversa, me culbuta.

à me déshabiller. Après m'avoir besognée promptement, il recommença à m'injurier, comme il en avait l'habitude :

« Tu es la honte de la chrétienté, bagasse, gratte-cul, paillasse de bistoquettes ! Tu me donnes envie de dégobiller, tellement tu me dégoûtes ! »

Le dominicain continua un moment à proférer ses insanités puis, quand il se fut calmé, je pris et baisai sa main qu'il leva ensuite pour me gifler.

« Si tu crois que tu peux me berner, tu l'auras dans le ciel[1] ! »

Quelques larmes coulèrent de mes yeux rougis et il bredouilla des excuses :

« Désolé mais je prends tout trop à cœur. Cette région n'est pas faite pour moi. Terre sainte, tu parles ! C'est un pays de menteries, de maraudes et de mauvaises rencontres.

— Je vous comprends, mon père. J'éprouve le même sentiment de gâchis. »

Il était en position de faiblesse. Comprenant que c'était le moment ou jamais de faire un pas vers lui, je poursuivis :

« Je me pose les mêmes questions que vous. Qu'avons-nous fait des croisades ? De notre foi ? Des commandements de la sainte Église ? L'humanité salit tout, elle ne respecte rien, même les plus grandes causes. »

Frère Eustache hocha la tête, l'air effondré.

« La croisade est une juste guerre, repris-je.

1. Expression qui signifie : « Tu peux toujours rêver ! »

Nous avions le devoir de porter secours à nos frères chrétiens persécutés et massacrés par les infidèles.

— Si nous ne l'avions pas fait, les mahométans auraient transformé nos églises en mosquées et, pour ne pas mourir égorgés, les chrétiens auraient été réduits à réciter des sourates en se tortillant le derrière comme des femelles en chaleur sur des tapis de prière.

— L'Orient ne nous réussit pas, mon père. L'islam non plus… »

Il y eut un silence. Frère Eustache prit ma tête à deux mains, la rapprocha de la sienne, puis commença à la caresser avec tendresse. Il avait les yeux humides et brillants.

« Quand ma bouche t'insulte ou que mes mains te frappent, dit-il, sache que ce n'est pas moi qui agis mais ma colère. Ma colère contre mes tentations, mes péchés de fornication ou les mensonges des templiers. Avec les hospitaliers, ils sont censés être les meilleurs alliés de la chrétienté. Quand ils entrent dans leur ordre, ils font vœu de pauvreté, de chasteté et d'obéissance. Eh bien, ils n'en respectent aucun. Ce sont des moines-guerriers cupides et lubriques, qui se ventrouillent avec ostentation dans les femmes, les jouvenceaux ou les richesses qu'ils ont volées aux sarrasins. »

Alors que nous retournions à nos montures, je murmurai :

« Mon père, il ne faudra pas musarder en chemin. Vous avez beaucoup choqué le commandeur des Templiers et il m'a annoncé qu'il nous ferait tuer si nous tardons à rentrer en France. Comment l'avez-vous mis dans cet état ?

— En lui disant la vérité. Les gens ne peuvent jamais la supporter.

— Quelle vérité ?

— Je viens de vous la dire : l'ordre du Temple est un repaire de sodomites. Quand ses moines bougironnent[1], c'est avec des infidèles qui ont les mêmes goûts gomorrhesques et qui sont parfois des adeptes de la secte des Assassins. Ils forniquent souvent en groupe et passent de l'un à l'autre, comme les animaux quand ils ont leurs chaleurs.

— Qu'est-ce qui vous permet de porter de telles accusations contre les templiers ?

— Avant le dîner, en retournant à ma chambre, j'ai surpris dans le couloir le chevalier de l'ordre du Temple en train d'embrasser l'un de nos hôtes, le beau sarrasin à cils longs qui nous avait offert des gâteaux. J'ai poussé un cri d'horreur qui a fait fuir ces deux bestiasses. »

Il poussa de nouveau ce cri d'horreur. Des oiseaux s'envolèrent et j'eus la certitude que frère Eustache était un fol, de cette engeance qui a toujours besoin d'un ennemi à exécrer pour pouvoir vivre, respirer, manger, dormir. Il resta là un moment, la bouche ouverte, comme s'il rassemblait ses pensées.

1. Pratiquent la sodomie.

46

Le complot des fots-en-cul

SYRIE, 1270. Remonté sur son cheval, frère Eustache garda la bouche ouverte un moment comme s'il allait faire une déclaration importante, puis murmura, l'air pénétré :

« Si j'avais été bougiron[1], je crois que j'aurais fait une grande carrière. Au moins cardinal, peut-être pape. Ces gens-là se serrent les coudes. Mais j'ai eu le grand tort de n'être attiré que par les femmes. »

Il se frappa la tête, d'un coup si fort qu'il aurait pu s'assommer.

« Je sais que les femmes sont des péchés vivants pour nous autres, serviteurs de Dieu, et crois bien que ça me malmente[2], mais les femmes ne sont jamais des péchés capitaux comme les hommes que les moines embrochent, quand ce n'est pas le contraire. »

1. Homosexuel. Vient du mot bougie qui signifie sexe de l'homme.

2. Tourmente.

Contrairement à la légende, le Moyen Âge n'a pas toujours persécuté les homosexuels. Chaque génération voulant toujours enterrer les précédentes sous des pelletées de terre, cette période de l'histoire de l'Occident est souvent présentée, malgré les efforts des connaisseurs, comme la préhistoire de la tolérance, voire de l'intelligence. Calembredaines !

Au cours du premier millénaire après Jésus-Christ, l'homosexualité sortit des catacombes grâce à l'urbanisation et au développement des ordres monastiques. Inquiet de ce qui ressemblait à une épidémie, saint Benoît lutta contre les tentations en prescrivant que les moines dormissent ensemble dans une seule pièce éclairée toute la nuit par une bougie. Pour la même raison, il recommandait aussi que, dans les dortoirs, les plus jeunes fussent toujours mélangés avec les anciens.

Longtemps, l'Église eut tendance à fermer les yeux sur ce qu'elle considérait comme une perversion des âmes et des corps. Frère Eustache jugeait cette complaisance ignoble et coupable. À l'en croire, les chevaliers de la manchette formaient une sorte de confrérie protégée par des personnages très haut placés, qui en étaient aussi. Le pape Léon IX ne fut-il pas un sodomite, qui se trahit en refusant d'exclure les homosexuels de l'Église ?

Le dominicain ne doutait pas, il en aurait mis sa main à couper, que le pape Urbain II appartenait à la même engeance que Léon IX :

malgré toutes les mises en garde, ce souverain pontife avait promu Jean, une « folle » surnommée « Lora », amant quasi officiel de l'archevêque de Tours qu'il pelotait en public. Nommé évêque d'Orléans, ce prélat efféminé devait faire un sacré effet quand il remontait la nef, le petit doigt en l'air, en se déhanchant comme une pimpernelle.

Certes, rappela frère Eustache, au concile de Naplouse de 1120, en Terre sainte, l'Église avait condamné la sodomie qui, à l'époque, comprenait aussi la fellation, la masturbation et toutes les pratiques qui empêchaient la procréation. Mais c'était la moindre des choses, le Livre du Lévitique appelant, dans la Bible, à punir de mort les homosexuels : « Leur sang doit retomber sur eux. » Quand les croisades échouèrent les unes après les autres et que les Turcs commencèrent à conquérir l'Europe, ravagée régulièrement par des épidémies de peste, il fallut trouver des responsables : les regards se tournèrent naturellement vers les sodomites et les hérétiques, confondus dans le même opprobre, les uns étant appelés « bougres », les autres « boulgres ». Nuance.

*

« On a été trop lâche et trop clément, soupira frère Eustache, alors que, sur le coup de midi, nous nous étions arrêtés en chemin pour manger des gâteaux de figue et d'amande donnés par le Vieux de la montagne. On n'aurait pas dû fermer les yeux mais, au contraire, tuer le mal dans l'œuf. »

Nous étions au bord d'une forêt. L'air était comme une soupe au lait et au miel et je me laissai emporter par mes rêveries. Mais frère Eustache n'oubliait pas le sujet qui le tourmentait :

« Nous autres chrétiens sommes trop insouciants. Il paraît qu'il y a beaucoup plus de fots-en-cul chez les sarrasins que chez nous. C'est à cause de leur nature et aussi de la chaleur qui règne dans leurs pays, tellement propice à la fornication. Mais ils luttent contre cette abomination et la châtient comme il se doit : sans pitié. Nous, il faut toujours qu'on trouve des excuses aux amoureux du flaquada. À force de pardonner, je vous le dis, nous perdrons notre âme. »

Une expression d'horreur défigurait le visage du religieux. Soucieuse de lui plaire, j'abondai dans son sens, les yeux baissés, sur un ton de grande humilité :

« Vous avez raison, mon père : les mahométans ne s'embarrassent pas de subtilités. Quand il voit un homme en pinocher un autre, il paraît que leur dieu entre dans une colère si grande que les cieux s'écrouleraient sur nous si les anges ne les retenaient pas. Après ça, le sodomite sort à jamais du champ de l'humanité : Allah ne regarde plus, dit le hadith, un homme qui a eu un rapport avec un homme ou avec une femme par son derrière. De plus, s'il ne se repent pas, le coupable est condamné à être transformé en porc dans son tombeau. Auparavant, bien sûr, il aura été lapidé.

— Voilà qui est clair, approuva frère Eustache. Ça, c'est de la religion, bouffre ! Elle ne se cache pas derrière son petit doigt, comme la nôtre.

— Vous parlez comme un savant, mon père. C'est vrai : tous ceux qui l'ont étudié disent que le Coran ne craint rien et qu'il aborde tous les sujets de front. La preuve, il est très cru. C'est ainsi qu'il regorge de sperme, ce qui est quand même étrange, vous en conviendrez, pour un texte sacré. Dans le Coran, la sainte crème est citée ou célébrée dans quinze sourates, j'ai pu le vérifier moi-même. »

Le religieux saisit ma main et l'amena sous ma robe, là où il aimait.

« La grande force de l'islam par rapport au christianisme, dit-il, c'est de savoir oser. Les sarrasins ne foutinent[1] pas comme nous, ils avancent, le sabre en l'air, ils n'ont pas peur de remettre les choses à leur place.

— C'est vrai, approuvai-je. Les choses et puis aussi les femmes. "Les femmes sont pour vous un champ de labour, dit le Coran. Cultivez-le comme vous l'entendez." J'aime beaucoup l'expression "comme vous l'entendez". Elle me fait rêver… »

Soupçonnant quelque ironie de ma part, frère Eustache se raidit.

1. Paressent.

« Votre connaissance de l'islam m'impressionne, dit-il avec un sourire fourbe. C'est une religion qui vous passionne, n'est-ce pas ? »

Je compris tout de suite où il voulait m'emmener :

« En aucune façon, mon père. Je la honnis, notamment pour tous les crimes qu'elle a commis contre la chrétienté. Mais je l'étudie pour mieux la comprendre.

— Comprendre, c'est le mot des faibles.

— Des forts aussi, mon père. Il faut toujours comprendre pour frapper là où ça fait mal. »

En guise de réponse, frère Eustache mit son index dans ma bouche et je le suçai comme un bonbon. Quand il y fourra le majeur en sus, je mordillai les deux doigts avec une avidité feinte, en poussant des petits râles exquis.

« Si l'on excepte le Cantique des cantiques, dit-il, la Bible ne parle pas d'amour. En revanche, le Coran en dégouline. Le christianisme nous élève au-dessus de nous-mêmes : c'est la religion du ciel et de l'âme. L'islam, lui, nous rabaisse : c'est la religion de la terre, de la chair et du foutre, il nous encloue dans notre condition et se complaît dans les parties génitales. »

Il rit, heureux de sa formule, et reprit :

« Mais on peut dire aussi que l'islam, c'est la vie. Rien que d'y penser, j'ai envie de fotre[1], de te défoncer et de fertiliser. »

1. Copuler.

Le religieux rit, toussa et rit à nouveau :
« J'aurais dû être musulman, c'est tellement plus facile, je ne serais pas rongé par les scrupules comme par des vers. »

Le religieux me demanda d'enlever le bas, souleva sa robe de bure et se jeta sur moi, le pendeloche[1] en avant. Il mit plus de cœur que d'ordinaire à l'ouvrage. Sa besogne accomplie, nous reprîmes la route sans mot dire.

Contrairement à son habitude, le dominicain ne m'avait pas insultée ni frappée après la chosette. L'islam a quand même du bon, songeai-je. Il aime le sexe, vénère la copulation, célèbre le sperme et la jouissance de l'homme. Il ne l'enfonce pas dans sa culpabilité d'animal humain.

Sur son cheval, frère Eustache semblait apaisé, mais il se livra quand même à son activité préférée qui consistait à se ronger le bout des doigts jusqu'à l'os. Il avait du sang sur les lèvres, ce qui lui donnait une expression démoniaque.

1. Sexe masculin.

47

Comme un oiseau en cage

SYRIE, 1270. Une haine chassant l'autre, frère Eustache enrageait désormais contre l'ordre des Templiers et ses pratiques « vomitives », mais il ne me battait plus ni ne m'adjectivait[1] chaque fois qu'il m'avait barattée.

M'aimait-il ? Après avoir longtemps lutté, il semblait s'abandonner de bonne grâce à la mer qui montait en lui. Il était amoureux, à en juger par les baisers qu'il déposait sur mon front avant de se coucher ou par les petits regards qu'il me jetait dans la journée. De son comportement, j'avais conclu que je ne craignais plus rien à suivre le dominicain jusqu'en France.

Pour achever sa conquête, je lui avais proposé, peu de temps avant d'arriver au port, de devenir sa servante quand nous serions rentrés au pays : nuit et jour, je serais à ses petits soins, au lit comme aux fourneaux. Une esclave à sa

1. Insultait.

dévotion. Je continuerais à le vouvoyer tandis qu'il me tutoierait. Je ne vivrais plus que pour lui et l'appellerais « Mon Seigneur ».

« Ce serait un honneur pour moi. »

Le dominicain avait dit ça avec une expression de contentement que contredisaient des lueurs de soupçon au fond de son regard cuivré et des frémissements de mauvaiseté dans son sourire.

« Malepeste ! corrigea-t-il peu après. Ce serait un honneur mais aussi un hontage[1]. Je ne peux pas faire ça au Christ qui a donné sa vie pour nous ! »

Je tombai de haut quand, après que le bateau eut quitté le port de Baniyas, frère Eustache demanda aux marins de se saisir de moi et de me mettre aux fers dans la cale, un bien grand mot pour le placard humide qui en tenait lieu.

Dans la foulée, craignant que mon fils adoptif ne me vienne en aide, le dominicain fit attacher François d'Assise à une chaîne sur le pont. Pendant toute la traversée, celui-ci resta recroquevillé comme un œuf, mangeant à peine, sous une cahute semblable à une niche de chien, qui le protégeait du froid et du soleil.

« Ton saint patron aime les bêtes, me dit-il en ricanant. Eh bien, il t'aimera encore plus parce que tu vas en devenir une. »

Le bateau avait atteint la pleine mer quand le dominicain vint me voir.

1. Déshonneur.

« Pourquoi avez-vous fait ça, mon Seigneur ? » demandai-je, consternée.

Après m'avoir aspergée d'eau bénite, le dominicain répondit :

« Tu me caches des choses. Je suis sûr que tu penses, pour l'avoir fréquenté, que Louis IX a perdu la foi pendant les croisades. Je veux que tu me parles de ses errances religieuses.

— Je vous ai tout dit.

— Réfléchis. Tu ne dois rien me cacher, ni sur lui ni sur toi…

— Allons, vous savez tout sur moi, mon Seigneur.

— Non, j'ignore ta vie d'avant, celle où tu te ventrouillais nuit et jour avec les boulgres.

— Si on vous a dit ça, mon Seigneur, ce sont des fableries, des farceries ! »

Frère Eustache approcha sa main de mon visage. Je détournai la tête.

« Ne crois pas, dit-il, que je vais te bouttre[1], tête de fion. Tu n'es rien qu'une godinette, une gore pissouse[2], une putie juste bonne à culeter[3]. Pendant des jours, tu as tout fait pour me corrompre, malepeste ! Eh bien, je te ramène en France pour que tu rendes des comptes à Dieu, à l'Église et à moi-même. En attendant, je vais te transformer en guenillon, en pouacre, en pouilleuse, en épouvantail d'amour !

— Je ne comprends pas, mon Seigneur,

1. Te bousculer, te faire l'amour.
2. Truie pisseuse.
3. Mettre, au sens sexuel.

bredouillai-je. Je croyais que nous commencions enfin à nous apprécier, j'allais dire à nous aimer.

— C'est ce que je voulais te faire croire, drôlesse ! J'avais trop peur que tu échappes au châtiment, je voulais tellement te ramener au royaume pour t'arracher des aveux et savoir quel était le démon qui t'a adressée au monde pour le damner. N'as-tu pas essayé de me lober[1] en me faisant accroire que tu avais le béguin pour moi ? Pour qui me prenais-tu, malefille ? Tu ne savais pas à qui tu avais affaire ! »

Il m'arrosa encore d'eau bénite et sortit.

*

Quand le bateau eut accosté au port d'Aigues-Mortes, frère Eustache se mit à la recherche d'un moyen de rejoindre Paris, avec mon fils adoptif et moi, sa prisonnière. La solution fut vitement trouvée : elle était sur le quai, à côté.

En signe de réconciliation, le calife de Tunis, vainqueur de la dernière croisade, avait affrété un navire gorgé de cadeaux pour le roi Philippe III le Hardi : des bijoux, des plats d'argent, une panthère et deux singes. Tiré par deux chevaux, le chariot qui emmenait les bêtes était prêt à partir.

Les cages étaient accrochées par une grosse chaîne à une poutre de fer, suspendue entre deux grands poteaux cloués à l'avant et à l'arrière du chariot, lequel n'avait pas de fond afin que les

1. Tromper.

bêtes débondent directement sur la route et que le convoi ne se transforme pas en élevage de mouches à merde. C'est en cette compagnie que j'allais faire le voyage pour Paris.

Au large dans leur cage individuelle, les deux singes furent réunis dans la même et la seconde me fut affectée, me contraignant à rester accroupie, les pieds ramenés vers les cuisses, sur une planche, derrière des barreaux de fer.

Comme c'était l'hiver et qu'il n'était pas question que je prisse froid, frère Eustache m'affubla de peaux de chèvres et de chiens. On aurait dit une grosse bête des forêts à la fourrure abondante, avec une tête et des membres très maigres.

Pendant les premières heures du périple, je me sentis comme un oiseau dansant dans le ciel mais, très vite, j'éprouvai un mal de mer qu'il conviendrait d'appeler un mal de vent. Je chantais des choses sans queue ni tête pour essayer de soulager mon pauvre corps :

Tourmentez-moi,
vous n'aurez pas ma joïance.
Piétinez-moi,
Je vous rendrai ma grevance.
Tant que vous ne me l'aurez pas retirée de la bouche,
Je boiserai[1] *la vie*
Jusqu'à la dernière goutte.

1. Boirai.

J'avais été placée à côté de la panthère qui me regardait mauvaisement, des filets de bave lui coulant de la gueule. Se balançant au gré des chemins, nos deux cages se heurtaient parfois dans les dénivellations. Tous crocs dehors, le fauve passait alors un bout de patte griffue entre les barreaux pour essayer d'attraper un de mes bras ou un pied. Sans succès.

Au début, je hurlai de peur à chacune de ses vaines tentatives, avant de m'habituer. Malgré les apparences, la panthère avait sûrement compris qu'elle ne pourrait jamais arriver à ses fins, mais elle refusait de s'avouer vaincue : chaque jour est un nouveau jour.

C'était une philosophie que je partageais : tant que notre cœur bat, un miracle est possible, il faut le mériter. La vie est un pommier et les jours en sont les fruits. Aucun n'est pareil, il y en a toujours un pour rattraper l'autre. Un coup, il est parfait, une fois véreux, ou bien acide, farineux, blet, juteux, pourri. C'est pourquoi je gardais le moral, derrière les barreaux de ma cage volante.

François d'Assise eut droit à un bout de banc, à côté du cocher et de frère Eustache. Ne comprenant pas ce qui se passait, il ne sortit pas de son mutisme. La nuit, quand le convoi s'arrêtait, le dominicain l'attachait pour l'empêcher de me porter secours.

Une fois, François d'Assise me fit comprendre, par un signe de la main, qu'il avait toujours la croix de Louis IX sur lui. Je poussai un cri de joie qui l'enchanta.

Nous étions en décembre, le soleil fatiguait et les arbres avaient perdu leur fondaison. Le jour, il faisait frais, mais les nuits n'étaient pas encore froides. Au-dessus de Lyon, il neigea quelques plumes blanches et le cocher recouvrit les cages d'un petit toit.

Ce que je supportai le moins pendant le voyage, ce furent les pierres que me jetaient les enfants et qui, par chance, ricochaient souvent sur les barreaux. Ils s'en prenaient rarement à la panthère et aux singes. Sans doute parce que j'étais la plus animale des quatre.

Je ne supportais pas non plus d'être nourrie et abreuvée une seule fois par jour, le soir, en même temps que les bêtes. La panthère se sustentait de morceaux de lapins ou de poulets morts ; parfois, elle avait droit à une queue de veau, à un pied de cochon ou à un morceau de tête de chèvre. Les singes étaient soumis à un régime unique : pommes et miches de pain.

Sous prétexte que je ne mangeais pas de viande, j'étais condamnée au même menu que les singes.

« C'est normal, plaisanta frère Eustache, ma guenillon est une guenon !

— Non, une chienne », corrigeai-je.

Et j'aboyai.

48

De l'utilité de l'Inquisition

PARIS, 1271. Bénie soit l'eau de la Seine. J'arrive à la fin de mon histoire, les images défilent de plus en plus vite, elles devraient m'étourdir mais je me sens en paix.

Quand je retrouve les effluves douceâtres du fleuve, je m'en emplis si fort les poumons que j'ai l'impression de devenir soûle. Il y a dedans une odeur de vieux vin qui me grise.

Logis du roi dressé au milieu du fleuve, le palais de la Cité fait face, sur l'île du même nom, à Notre-Dame de Paris. Le bâtiment royal occupe l'emplacement où trôneront plus tard la Conciergerie et le Palais de justice.

Notre étrange convoi s'est arrêté au pied de la tour Bonbec, à l'extrémité ouest du palais. Les singes, la panthère et moi restons là, dans nos cages, une demi-journée, avant mon transfert dans ma prison.

Quand je sors de ma cage, je ne peux plus marcher, sauf à quatre pattes, il faut me porter jusqu'à ma geôle. Je me sens molle, comme si je n'avais ni os ni nerfs. J'ai l'énergie d'une flaque d'eau.

En entrant dans ma cellule, j'éprouve un immense soulagement. Sitôt que les gardes s'en vont, j'étire mes bras puis mes jambes, j'essaie de marcher avant de m'allonger sur ma couche de paille, qui sent le vieux pain. Je dors quinze heures d'affilée.

Ça tombe bien : le lendemain, je ne reçois aucune visite, les justices du roi et de l'évêché étant occupées à se disputer le privilège de me soumettre à la question.

S'agit-il d'une affaire religieuse qui relève de l'évêché ou d'une affaire criminelle qui est du ressort du roi des Francs ? Telle est, si j'ose dire, la question.

En fin de journée, les deux justices se mettent d'accord : l'interrogatoire serait mené par les dominicains, sous la surveillance d'un représentant personnel de Philippe III le Hardi, le baron de Champagnolles, un grand échalas fatigué.

Après quoi, je suis transférée, disons traînée, jusqu'à la prison du Châtelet, labyrinthe humide de geôles, de grottes et de souterrains, d'où monte un brouhaha de gémissements, de beuglements, de grincements de gonds. Ils proviennent notamment des oubliettes, de la fin d'aise, un cachot plein d'ordures, quand ce n'est de la fosse, où les prisonniers, descendus à l'aide d'une poulie, se retrouvent les pieds dans l'eau sans pouvoir se tenir ni debout ni couchés, avant de mourir rapidement.

J'ai droit à une cellule pour moi seule, et un dîner substantiel m'est servi : du pain, du fromage et des noix, avec un pichet de vin. Je considère l'attitude des autorités comme un mauvais présage : quand elles vous traitent bien, c'est qu'elles préparent un coup fourré. Pendant la nuit, je me réveille à plusieurs reprises, grelottante et en sueur.

Le matin suivant, l'articulation d'un index cogne plusieurs fois sur mon front, comme s'il frappait à une porte. Je tarde à ouvrir les yeux. C'est le doigt de frère Eustache. Accroupi près de moi et accompagné de deux autres dominicains, il semble inquiet :

« Mais que faites-vous à dormir à cette heure ? Il est midi et vous n'êtes pas levée ! Je ne sais pas si vous êtes au courant, mais nous allons avoir une rude journée de travail. »

Il me vouvoie, maintenant. Je ne le lui fais pas observer et je continue à l'appeler comme avant :

« Qu'avez-vous fait de François d'Assise, mon Seigneur ?

— Votre fils est entre de bonnes mains. Dans le couvent Saint-Jacques où je réside. »

Il me tend une blouse propre puis, sorties de sous une étoffe dans un panier, trois darioles tièdes à la crème d'amande, qu'il vient d'acheter sur le Petit Pont de Paris.

« Ça vous rappellera des souvenirs », dit le religieux.

J'engloutis si vite les trois darioles que la dernière manque de m'étouffer.

« Je dois aussi vous rendre votre bien », dit frère Eustache en me remettant mon duduk.

Que lui est-il arrivé ? N'étaient son haleine cruelle, le jaune de ses yeux et les croûtes saignantes sur ses doigts, je n'aurais pas reconnu frère Eustache : désormais capable de grands émeuvements, c'est un autre homme.

Tout le reste de la journée, frère Eustache se comporte comme un ange gardien aux petits soins. Je songe qu'il doit être rassuré par ma nouvelle condition de prisonnière : ça l'empêche de céder à la tentation. À moins qu'il ne se sente coupable de m'avoir menée dans ce piège dont les dents vont bientôt se refermer sur moi.

Avec un autre dominicain, frère Eustache me soutient par les aisselles jusqu'à la salle des aveux où, pendant l'interrogatoire, il s'inquiète régulièrement de mon état ou de mes désirs, me servant de l'eau et des morceaux de pain. Sans parler des regards qu'il me coule : de cet homme rabougri comme une source tarie sortent désormais des grands fleuves de compassion.

Après avoir vu mon visage dans une flaque d'eau croupie, j'ai imaginé une autre explication à son changement d'attitude : je n'incarne plus cette tentation diabolique à laquelle il n'a que trop succombé. La jolie jeune femme que j'étais s'est transformée en une sorte de salisson qui sent le cul de mouton. Une gueusarde qu'aucune personne, même ivre, ne consentirait à biscoter.

J'ai été son péché ; je serai désormais son remords. Dire que ça me rassure serait très exagéré mais, au fil du temps, je reprends confiance et me laisse aller à quelques confidences qui ont l'heur de plaire aux dominicains. L'inquisiteur, qui est le plus vieux des trois religieux, m'écoute avec bienveillance, en opinant souvent du chef.

Il s'appelle Robert de Montcrassonne. Un ancien cathare qui, à vingt ans, est revenu dans le droit chemin, celui de Notre Sainte Mère l'Église. Grand, les cheveux blancs, la peau sur les os, il a la main qui tremble, des dents brunes, de grosses verrues, des touffes de poils dans les oreilles, des sourcils broussailleux qui, comme des poils de chien de berger, couvrent en partie ses yeux globuleux.

Il m'observe avec dégoût, le cœur sur les lèvres :

« Louis IX tenait un carnet qu'il a commencé pendant sa première croisade et dans lequel il notait toutes ses réflexions sur la religion. En avez-vous lu des extraits ?

— Non, mais je sais où est ce carnet : derrière une pierre du mur de sa chambre du palais. Feu le roi le cachait.

— S'il le cachait, dit Montcrassonne, ça signifie qu'il redoutait d'être démasqué. Vous étiez très proches, Louis IX et vous. On m'a dit que vous parliez beaucoup de religion ensemble. Est-il vrai qu'il était fasciné par le soufisme ?

— En effet. Les soufistes sont convaincus, comme les vrais chrétiens, que tout est amour. »

L'inquisiteur semblait accablé, au bord de la suffocation, son regard était celui d'un noyé :

« Mais les soufistes sont des musulmans ! Savez-vous si le regretté roi a laissé ailleurs que dans cette lettre ou ce carnet des preuves de ses déviances religieuses ? Il faut me répondre par oui ou par non. Sa canonisation en dépend !

— Non. »

L'inquisiteur se tourne vers frère Eustache et le baron de Champagnolles :

« Quand nous aurons détruit le carnet, rien ne pourra plus s'opposer à ce que Louis IX entre dans le Royaume des Saints, il faut prévenir Philippe III le Hardi de cette bonne nouvelle. »

*

Robert de Montcrassonne semble soulagé : la sanctification de Louis IX est assurée. Il me toise de nouveau en se caressant les mains.

« Il paraît que vous ne mangez pas de viande, murmure-t-il de sa voix caverneuse, avec l'air de penser à autre chose.

— Est-ce un péché ?

— Les cathares ne mangent pas de viande, ni de lait, ni d'œuf, ni de graisse animale. C'est même à ça qu'on les reconnaît. »

Au mot cathare, je veille à ne rien laisser paraître de mon trouble, mais l'inquisiteur le décèle tout de même, à en juger par son ton suave quand il reprend :

« Dans le Midi, quand les hérétiques se convertissent, la première chose qu'ils font, c'est de manger de la viande : elle est consubstantielle au christianisme.

— Je n'ai pas vos connaissances mais moi, figurez-vous, c'est le Christ qui m'a convaincue de ne plus manger de plaies saignantes. J'aime les faibles, les innocents, les riens, comme le Fils de Dieu nous l'a demandé, et je ne tue ni ne mange ceux que j'aime. »

Après un silence, Robert de Montcrassonne observe :

« C'est bien répondu mais c'est à peu près ce que disent les cathares. Comment faites-vous pour rester vaillante en ne mangeant que du pain, des légumes et des racines ?

— Je bois beaucoup de vin, c'est-à-dire le sang du Christ : de là vient ma force d'âme.

— Félicitations pour votre humour. Mangez-vous du fromage ?

— Je n'aime pas le fromage : ça puit.

— Les cathares n'en mangent pas non plus. Ils interdisent tout ce qui est mêlé de près ou de loin à l'idée de génération et de fornication.

— Mais je mange des œufs, contrairement aux cathares.

— Eh bien, nous allons vous en donner à manger et on verra si vous dites vrai. Tuez-vous des souris, des fourmis, des mouches, des cancrelats et toutes ces bestioles qui pourrissent la vie des humains ? »

Je laisse passer un temps, puis :

« Non, pour les raisons que j'ai déjà dites.

— N'est-ce pas là un comportement de cathare ?

— Non, de bon chrétien. Mon père, je ne veux pas vous contredire mais le christianisme ne nous oblige pas à manger de la viande. L'Épître aux Romains nous invite même à y toucher seulement si, en la refusant, on risque de scandaliser les autres. Quant à l'Ancien Testament, il nous ordonne clairement : "Tu ne tueras point." Or, n'avez-vous pas employé le mot tuer à propos des animaux ? »

L'inquisiteur émet un sifflement qui semble d'admiration.

« Apparemment, vous connaissez bien la Bible, finit-il par murmurer.

— Je l'ai tellement lue que je peux en réciter des passages.

— Il paraît que vous connaissez aussi très bien le Coran.

— C'est le roi Louis IX qui m'avait demandé de l'étudier.

— Évitez de faire parler les morts. »

Robert de Montcrassonne pousse un soupir, puis se redresse sur son séant en levant son index pour signifier que sa question est importante :

« À vos yeux, quelle est la grande différence entre notre religion et celle des mahométans ?

— L'islam entre dans les détails de la vie et prétend tout savoir sur tout.

— Voulez-vous dire que l'islam est supérieur au christianisme ?

— Pour moi, c'est tout le contraire : il y a dans l'islam un péché d'orgueil et d'arrogance. Il est figé dans la pierre, il ne pourra jamais s'adapter. C'est pourquoi il disparaîtra assez rapidement de la surface de la terre. »

Je n'en crois pas un mot, mais je cherche d'abord à complaire aux inquisiteurs. Effet garanti. Ils sont au comble du contentement quand je compare l'islam à une montagne et le christianisme à un océan. L'un serait peu à peu rongé par l'érosion, l'usure du temps ; l'autre est éternel.

« Ça tombe bien, dit le baron de Champagnolles, je déteste la montagne.

— Moi aussi, approuve Robert de Montcrassonne. Elle m'angoisse alors que la mer me rassure.

— Même quand elle est démontée ? » demande frère Eustache sur un ton ironique.

Cette remarque agace Montcrassonne qui, d'un geste brutal, lui fait signe de se taire, avant de m'inviter à poursuivre mon exposé sur l'islam. Je ferme les yeux pour me concentrer : ma vie se joue sur un fil, un pas de travers, une réflexion mal placée.

Je leur dis que l'islam s'élève très haut au-dessus des nuages, régentant tout depuis son promontoire, les lois, les habits, la cuisine, la société, la science, au point que ses connaisseurs se font appeler « savants ». Le christianisme s'étale bien au-delà de l'horizon jusque dans l'autre monde, mais se préoccupe surtout des rapports entre

Dieu et ses sujets, lesquels, contrairement aux mahométans, gardent la charge de la plupart des affaires terrestres.

« Pour résumer, dit l'inquisiteur, le christianisme respecte plus ses fidèles que l'islam, il fait davantage appel à leur intelligence, il les laisse vivre au lieu de penser à leur place, c'est bien ça ? »

Je hoche la tête. Malgré toutes leurs dissemblances, dis-je, l'Église et l'islam ont en commun de trouiller leurs ouailles qu'ils menacent des pires foudres s'ils s'écartent du droit chemin : grâces soient rendues sur ce plan à saint Paul, à ses épîtres et à ses colères qui ont tant fait pour le christianisme.

La magnanimité du Christ peut être interprétée comme de la faiblesse. Il lui fallait un glaive et ce glaive fut saint Paul. Sans celui-ci, il est permis de se demander ce qu'il serait advenu de la religion de Jésus.

« Le Christ ne s'est jamais sali les mains, observe Robert de Montcrassonne. Il a veillé à ce qu'elles restassent pures jusqu'à sa mort. On ne peut en dire autant de Mahomet qui fut à la fois prophète, égorgeur et chef de guerre, un mélange des genres, signe de la barbarie de sa religion, alors que la nôtre a toujours été pacifique… »

Attendant que j'abonde dans son sens, l'inquisiteur ménage un silence et je flaire un piège. « Si le christianisme veut reprendre du terrain à l'islam, dis-je, il ne peut pas se contenter de tendre une joue à celui qui vient de souffleter l'autre. Il faut qu'il rende coup pour coup.

« Que serait l'Église sans ses soldats et la peur des supplices ou de l'enfer ? Un ramas de mouscouillousses[1] récitant de belles paroles et appelés à disparaître dans les dépotoirs de l'Histoire, comme les manichéens, les cathares, les soufistes, les maronites et tant d'autres. »

1. Moins que rien.

49

La peur de la coquecigrue

PARIS, 1271. Ma bouche est sèche, sableuse. Souvent, ma langue colle aux parois de mon palais dont il faut l'arracher au prix d'efforts qui se traduisent par une grimace simiesque, quasi comique.

Ce n'est pas la soif ni l'amour, mais la peur et l'épuisement. Le bout de mes doigts étant saisi de tremblements, j'ai posé mes mains sur mes genoux, en les appuyant fort, mais je parviens à peine à contrôler les frissons qui parcourent mon dos. Dieu merci, ils sont à peine perceptibles sous ma blouse trop large.

Les trois religieux sont trop amènes. Tout indique qu'ils cherchent à me rassurer pour mieux me faire trébucher. À la longue, devant tant d'affabilité, je finirai par lâcher une coquecigrue[1] et mon compte sera bon. C'est pourquoi, malgré la fatigue, je suis sur le qui-vive. Mon sang bat du tambour. J'ai peur.

1. Bêtise.

Les religions peuvent-elles survivre si elles n'inspirent pas la peur ? Chez les mahométans, la charia a toujours eu pour fonction de sidérer et elle y a réussi à coups de sabre tranchant en public les têtes des apostats. Chez les chrétiens, le même rôle a longtemps été dévolu aux bûchers de l'Inquisition.

Dans un premier temps, l'Inquisition fut, d'une certaine manière, laïque et sauvage. À partir du XIIIe siècle, la papauté tenta de la reprendre en main, non sans difficulté. Suspendu par le souverain pontife, révolté par ses excès, Robert le Bougre fut ainsi récupéré comme « inquisiteur général du royaume de France » : cet homme avait la particularité d'envoyer au bûcher toutes les têtes qui ne lui revenaient pas.

Chaque fois qu'elle était sous la férule des seules autorités seigneuriales ou épiscopales, voire royales, l'Inquisition donnait lieu à toutes sortes d'abus et d'exactions : en confisquant les terres et les châteaux de prétendus hérétiques, une truandaille armée de sabres et de grands principes assouvissait sa cupidité sanguinaire.

Dans *Excommunicamus*, acte fondateur de l'Inquisition papale, publié en 1231, le pape Grégoire IX codifia les peines : bûcher pour ceux qui persistaient dans l'hérésie ; prison, jeûne ou pèlerinage pour tous les autres. Voilà ce qui attendait les cathares.

En 1253, une bulle du pape Innocent IV autorisa la torture pour arracher des aveux, mais dans des conditions assez strictes. C'est ainsi qu'une très faible proportion[1] des procédures engagées aboutissait au bûcher.

*

La nuit est tombée depuis longtemps quand, luttant contre le sommeil, je mets ma tête entre mes mains et dit avec un air buté en regardant Robert de Montcrassonne droit dans les yeux :

« Je sais ce que vous voulez et je crains que vous n'arriviez à vos fins en jouant avec moi au chat et à la souris. Mais ne vous méprenez pas, jamais je n'avouerai que je suis une hérétique. Même sous la torture.

— Vous nous lancez un défi ? demande frère Eustache.

— Ne vous surestimez pas, ajoute Montcrassonne. Nous avons contre vous un dossier accablant : le vol de la croix de Louis IX sur son lit de mort, votre passion pour le diable ou les délires manichéens que vous avez tenté de faire partager à feu notre souverain, et puis toutes ces mauvaises fréquentations…

— Si je suis hérétique, dis-je, c'est à mon insu, sans le faire exprès. Vous ne prouverez jamais rien contre moi. C'est pourquoi nous pourrions adopter une autre méthode. Je vous propose un marché.

1. En ce qui concerne l'Inquisition papale, le pourcentage est de 2 %.

— La justice de Dieu n'est pas un marché », assure frère Eustache.

Soudain, Montcrassonne a l'expression chafouine du chasseur à l'espère qui vient d'entendre des bruits de fouissage de sangliers à l'orée d'un bois :

« Que proposez-vous ?

— Voilà, mon père. Je vous raconte ma vie sans rien vous cacher comme si c'était une confession, vous me posez toutes les questions que vous voulez et, à la fin, vous faites le point, vérifiez la véracité de mes dires et décidez si je suis coupable.

— Il faut que nous réfléchissions. »

L'inquisiteur et ses collaborateurs se retirent un moment avec le baron de Champagnolles. Quand ils reviennent peu après dans la salle des aveux, Robert de Montcrassonne déclare qu'ils acceptent ma proposition.

Ensuite, je leur raconte, à grands traits, mon histoire, celle que vous venez de lire, depuis mon arrivée dans la capitale jusqu'à nos jours en passant par les croisades. Quand j'ai fini, Montcrassonne déclare :

« Vous nous laissez sur notre faim. J'aimerais que vous nous parliez de vos parents.

— Je ne sais pas si je pourrais en parler. Mes morts ont tellement souffert que je préfère ne pas les déranger et les laisser reposer où ils sont. Et puis j'ai peur de vous choquer, c'est de cette croisade contre les nôtres qu'est née ma furie.

— Nous pouvons tout entendre, nous sommes aussi des confesseurs…

— Donnez-moi la nuit pour rassembler mes pensées. »

Le lendemain matin, je tiens à peine debout mais je garde un sourire grimaçant aux lèvres, le sourire caractéristique de l'hérétique, comme me l'a dit frère Eustache. Le froid s'est insinué comme un serpent glacé à l'intérieur de mes chairs. Je grelotte de peur, de chagrin et de colère.

Nous sommes au deuxième jour de mon interrogatoire par les frères dominicains. Je me suis réveillée chafouine et du pied gauche. Amenée devant le tribunal, j'ai annoncé qu'après réflexion je ne parlerais ni du roi, ni de mon enfance, ni de mes parents. Pour me faire changer d'avis, ils ont décidé de passer au stade des « instruments de la vérité ».

Frère Eustache me demande de tendre mes mains dans sa direction. Je m'exécute et il les noue avec une corde reliée à une poulie, qu'il tire lentement. Je pends désormais comme un jambon, disons un os de jambon, et le moine m'interpelle suavement, avec une feinte compassion :

« J'imagine ce que vous ressentez. Un aveu, c'est comme un saut dans le vide, mais c'est aussi une libération. Nous ne voulons plus vous voir souffrir. Nous sommes là pour vous libérer, Tiphanie. De vos péchés, de vos remords, de vos mensonges. De tout.

— Je veux voir mon fils François d'Assise, dis-je d'une voix que la souffrance fait trembler.

— Je vous le répète : nous l'avons placé dans notre couvent, rappelle frère Eustache avec agacement. Vous pourrez retrouver votre enfant dès que vous nous aurez dit la vérité. Je vous conjure aussi de ne plus l'appeler François d'Assise devant nous, c'est très désagréable.

— Mais c'est son vrai nom !

— Ça reste une insulte pour notre ordre, qui est infiniment plus près de Dieu que celui des Franciscains. Voulez-vous revoir votre enfant ? »

Je hoche la tête.

« Vous savez ce qu'il faut faire », dit frère Eustache.

À la pensée de serrer François d'Assise dans mes bras et de retrouver la croix de Louis IX qui nous protégera tous les deux jusqu'à la fin de nos jours, je soupire de contentement. Un feulement douloureux qui finit en toux sèche.

« Dis-moi que tu es une hérétique, dit Montcrassonne qui me tutoie désormais, et dès que tu auras abjuré, je te laisserai vivre avec ton fils.

— Sinon, enchaîne frère Eustache, nous l'abandonnerons sous un porche, et advienne que pourra.

— Vous n'en avez pas le droit.

— Dieu nous donne tous les droits, pourvu que nous fassions le Bien ! »

Montcrassonne a l'expression d'un chien devant un os, il vient de découvrir mon point faible :

« Tu dois penser à cet enfant et avoir pitié de lui. »

*

Dans la geôle, des gouttes d'eau égrènent sans cesse, derrière les murs de pierre, une sorte de glas mouillé. Ça sent la mare, à la saison des pluies. Le soir du deuxième jour, je ne suis donc pas surprise de découvrir à mes pieds un gros crapaud marron et luisant.

Je sais que cet animal peut vivre jusqu'à trente-cinq ans, et qu'il est le meilleur ami des salades, car il se nourrit de leurs ennemis : les limaces, les vers, les fourmis, les cloportes. Je n'ignore pas non plus qu'une substance pleine de mauvaiseté suinte de la peau des crapauds quand ils se sentent agressés. C'est pourquoi ils ne redoutent guère les prédateurs, hormis le hérisson, toujours prêt à avaler n'importe quoi.

Sans ce crapaud tombé dans ma cellule humide, j'aurais fini par devenir folle : son regard est si doux, il me redonne force et courage. C'est à lui que je raconte mes dernières épreuves et demande des conseils pour la séance du lendemain. C'est lui aussi qui me convainc d'avouer la vérité aux inquisiteurs pour retrouver François d'Assise.

Le troisième jour, frère Eustache s'apprête à attacher de nouveau mes mains à la corde qu'il tirera à la manière d'un marin sur son rafiot jusqu'à ce que je m'élève dans la pièce et me balance comme un sac. Montcrassonne commence par m'interroger sur la foi de feu Armen :

« Pour avoir les responsabilités qu'il avait auprès des sultans d'Égypte, ton époux était forcément mahométan. »

Je persiste à le vouvoyer :

« Je vous ai déjà dit qu'Armen avait été baptisé dans la religion du Christ.

— L'un n'empêche pas l'autre. Peux-tu certifier, insiste le religieux, que tu n'as jamais fréquenté d'autres mahométans, d'autres hérétiques ? »

Un long silence et je dis sur un ton enfantin, les yeux baissés, en haletant un peu :

« Si… Mes parents étaient hérétiques.

— Tes parents, répète Montcrassonne, l'air affligé.

— Des parfaits. »

À ce mot, les inquisiteurs se regardent avec soulagement : leur travail peut enfin commencer. En bons spécialistes de l'interrogatoire, ils se gardent de tirer tout de suite le fil, ce qui risquerait d'alerter la proie. Pour l'attraper, mieux vaut la laisser venir et attendre qu'elle soit ferrée en lui disant des brimborions[1].

Pour faire diversion avant de me ramener au sujet qui l'intéresse, Montcrassonne se lance d'une voix douce dans un long exposé sur les hérésies. Tandis que l'islam est divisé en quelques grandes branches, l'Église, dit-il, est rongée par une

1. Des choses sans intérêt.

multitude de sectes comme par des puces. Si elles prolifèrent, c'est parce que la chrétienté a perdu ses repères. Sous prétexte que rien ne doit troubler sa digestion, elle laisse surgir sans cesse de nouvelles déviances. Elle est prête à s'amâtiner[1] avec tous les foutriquets de la terre, pourvu qu'ils soient riches et puissants. Elle a perdu le sens des réalités, il est urgent qu'elle se reprenne.

Il n'y a pas si longtemps, étaient apparus les Pastoureaux. Quand le petit peuple des villes et des campagnes apprit que le roi des Francs était prisonnier du sultan d'Égypte, il se souleva et s'arma de bâtons, de fourches, de faux et de faucilles. Accusant l'Église d'avoir abandonné la Terre sainte aux mahométans, il maudissait le souverain pontife, massacrait les prêtres et saccageait tout sur son passage. Les « pèlerins de l'agneau », ce symbole de paix cousu sur leurs bannières, furent bientôt cent mille qui, sous la houlette de Jacob, leur « grand maître de Hongrie », prétendaient rejoindre la croisade en perdition. Mais comme tant de révoltes populaires, le mouvement des Pastoureaux finit par se noyer dans les flots de sang qu'il versait sans discernement, avec une rage prétendument purificatrice.

Montcrassonne égrène le chapelet des hérésies qui sont venues troubler la chrétienté au cours des décennies ou des siècles précédents. L'arianisme pour qui Jésus, le Fils, n'est pas consubstantiel

1. Faire l'amour.

mais subordonné au Tout-Puissant, le Père. Le nestorianisme pour qui deux personnes coexistent en Jésus : la personne humaine et la personne divine du Fils de Dieu. Le donatisme pour qui la validité des sacrements dépend de la sainteté ou non du clergé. Le valdéisme des pauvres de Lyon qui a envoyé valdinguer tous les fondements de l'Église apostolique et romaine, à commencer par la messe, le purgatoire, l'eucharistie, le culte des saints ou le mariage, aisément dissous par l'adultère.

De toutes les hérésies qui ont proliféré comme des bubons purulents sur le dos de l'Église, la moindre, selon Montcrassonne, n'est pas le catharisme, peste satanique qui a ravagé l'Occitanie. Le dominicain s'emballe, fait de grands gestes, sa voix monte dans les aigus.

Les propos de Montcrassonne ne méritent pas d'être rapportés. Ils sont absurdes. Avec sa rigueur et son éthique, l'hérésie cathare était une insulte au clergé catholique qui se ventrouillait dans l'or et les trésors déversés sur lui par des ouailles désireuses de s'assurer le paradis. Elle plaidait pour un retour aux sources du christianisme et une pratique plus simple, moins idolâtrique. Comme les manichéens jadis, les cathares croyaient à la lutte du Bien et du Mal ou, si l'on préfère, de Dieu et du Néant. Refusant le féodalisme, ils étaient comme des poissons dans l'eau dans leur pays d'oc, terreau de tolérance où régnaient l'insolence des troubadours, l'ouverture d'esprit des commerçants voyageurs et une certaine idée de la démocratie : élisant leurs consuls, les habitants ne s'en laissaient pas conter par les seigneurs.

« Je voudrais que tu me parles de tes parents, murmure Robert de Montcrassonne sur un ton velouté, avec un œil qui frise. Tu les aimes beaucoup, j'imagine.

— J'ai parlé d'eux à l'imparfait, mon père, ça veut dire qu'ils sont morts.

— Tu m'as dit que c'étaient des cathares, murmure le religieux. T'ont-ils initiée au catharisme ?

— Ils ont essayé mais n'ont pas réussi. J'aime trop la vie.

— Si tu veux la retrouver, il ne tient qu'à toi.

— Je veux être sûre que vous me rendiez mon fils.

— Tu as notre parole de chrétiens. »

Soudain, je tombe, épuisée, sur mon banc en faisant un bruit d'osselets.

50

La liste des chevaliers de Montségur

Paris, 1271. Pendant que frère Eustache me tapote les joues, je me sens revenir à la surface et récite intérieurement le début d'une prière cathare que j'ai dite tant de fois jadis :

Père saint, Dieu juste des bons esprits, toi qui jamais ne te trompes, ni ne mens, ni ne doutes — de peur d'éprouver la mort dans le monde du dieu étranger, puisque nous ne sommes pas du monde et que le monde n'est pas de nous — donne-nous à connaître ce que tu connais et à aimer ce que tu aimes.

Il a suffi du regard des inquisiteurs, qui fouille mes chairs, pour que je me sente de nouveau cathare comme jamais. Certes, je serais peut-être encore une adepte du catharisme, si ce culte avait survécu aux persécutions.

Mais il n'y a plus aucun moyen de le pratiquer : quelques années auparavant, il a été anéanti par une croisade intérieure qui, au nom de la croix du Christ, a effacé sur le sol du royaume les dernières traces de cette religion, l'une des plus belles de l'histoire de l'humanité.

Qu'est-ce que le catharisme ? Un christianisme originel, à l'os, sans complaisance. Un credo, une morale et une philosophie panthéiste. Convaincus que les âmes des humains erraient de corps en corps, y compris celui des bêtes, les cathares s'interdisaient de tuer ou de manger toute créature « ayant du sang ». Ils ne mangeaient que des noix, des légumes et du pain.

N'ayant recours qu'au Nouveau Testament qu'ils avaient traduit en langue d'oc, au grand dam du pape Innocent III, les cathares récusaient l'Ancien, trop violent pour eux, et refusaient tous les sacrements sauf un : le *consolamentum*, administré par imposition des mains sur la tête du croyant et servant à la fois pour le baptême, l'ordination et l'extrême-onction.

Tenu à la chasteté et à l'ascétisme, le clergé cathare veillait à rester toujours en contact avec la population : contrairement aux prêtres catholiques, il s'astreignait ainsi au travail manuel, par exemple dans des ateliers de tissage ouverts aux jeunes qu'il formait. Hostile à la propriété individuelle, il avait un comportement exemplaire, aux limites de la sainteté, aussi rétif à la fornication qu'à la prévarication, péchés dont l'Église se rendait coupable ou complice, en plus du reste, à travers le commerce lucratif des « indulgences[1] ».

En somme, le catharisme est mort de trop de vertu. La religion est comme la vie : celui qui l'emporte est toujours le plus fort, le plus dentu, le plus violent.

*

Frère Eustache est allé chercher une marmite de ragoût de porc qui, apparemment, a cuit pendant des jours. Coupée en petits morceaux, la viande est noire comme du charbon et sent le vin, l'agonie, la mort. Il la pose par terre devant moi, qui suis accroupie comme une chienne.

« Je croyais que vous me donneriez des œufs à manger, dis-je tristement. Je hais la viande. Elle me tord la tripaille.

— Nous avons changé d'avis. Si vous refusez de manger de la viande, ce sera la preuve que vous êtes cathare.

— Eh bien, je mangerai de la viande, rien que pour vous montrer que je ne suis pas cathare !

— Voyons ça », dit Robert de Montcrassonne avec un sourire de défi.

Je tire la marmite entre mes cuisses étiques et pioche dans le ragoût avec mes doigts pour en

1. Pratique qui remonte au IIIe siècle, l'indulgence permet aux fidèles d'obtenir de Dieu la suppression de plusieurs années de purgatoire en échange d'actions méritoires ou de dons sonnants et trébuchants.

sortir des morceaux que j'avale très vite, le nez pincé, la respiration coupée, comme s'il s'agissait de galipots.

Après avoir englouti près d'un quart de la marmite, je m'arrête et commence à essuyer mes doigts graisseux sur la dalle glacée. Je respire très fort comme si je venais d'accomplir un gros effort.

« Il faudra finir votre ragoût, insiste frère Eustache.

— Ça ne rentre plus dans mon stomac[1], dis-je avec une expression de poisson à l'agonie. Ma langue baigne dans le ragoût.

— Je suis sûr qu'il y a encore de la place, plaisante Montcrassonne. Vous pouvez monter jusqu'au nez ! »

Soudain, mes paupières papillotent, mes jambes tremblotent. Je crois que je vais de nouveau tourner de l'œil.

« Je te préviens, menace Montcrassonne, il n'est pas question de rendre une goutte de sauce. Un vomissement vaudrait aveu et condamnation. »

Je plante mes yeux sur lui et marmonne, la bouche pleine :

« Vous perdez votre temps, mon père. Je ne suis pas cathare. Je l'ai été, dans le passé, pour faire plaisir à mes parents. Mais c'est une religion morte et je n'ai pas vocation à aller prier dans les catacombes où se terraient les premiers

1. Estomac.

chrétiens et où crèveront bientôt les derniers quand ils s'y réfugieront pour fuir les mahométans.

— Et Louis IX ? Avait-il des faiblesses pour les cathares ?

— Louis IX était bon, donc faible. Il écoutait toujours les victimes.

— Tu comprends que ton catharisme d'antan risque d'empêcher la canonisation de feu notre roi. »

Ça sonne comme un verdict. Il y a un silence de mort et tout le monde se regarde. Après avoir dégluti, je tousse, puis, d'une voix cassante :

« Si vous étiez de meilleurs inquisiteurs, vous sauriez déjà que j'ai commis tant de crimes que je ne saurais les compter.

— Qui as-tu tué ? me demande Montcrassonne.

— Une longue histoire.

— Tu es sur la bonne voie, reprend l'inquisiteur. La confession entraîne la purification qui conduit au pardon, lequel nous amène tout droit au paradis, loué soit Notre-Seigneur. Mais, avant toute chose, il faut que tu abjures.

— J'ai déjà abjuré et je peux abjurer autant de fois que vous voudrez.

— Abjure en pensant à Louis IX. C'est ce que tu peux faire de mieux pour lui. Tu lui ouvriras la porte du Paradis des Anges. »

*

Qui n'est jamais monté au ciel, à Montségur, ne comprendra jamais la grandeur, j'allais dire la sainteté, dont les humains sont capables quand ils vivent au milieu des nuages. Chaque fois que je me suis rendue dans ce château qui trône sur sa montagne ariégeoise, je fus ému aux larmes par ce que m'ont raconté le vent, les pierres ou les papillons.

C'est le château de toutes les souffrances, la forteresse déchue des derniers cathares, un poing levé à la face de Dieu contre la bêtise, la haine et la cupidité du monde. Si vous visitez l'enceinte, je vous mets au défi de ne pas ressentir la présence des parfaites et des parfaits qui tinrent si longtemps tête aux soldats du roi, avant que ces derniers les brûlassent.

Même quand souffle la tramontane, que huit le milan royal ou que piaillent les touristes sur les sentiers tortus, il règne à Montségur une gravité et un recueillement dont rien ne peut nous distraire, comme dans tous les lieux de la planète où ont été massacrés des innocents. J'étais là, le 16 mars 1244, quand furent portés les derniers coups contre cette hérésie qui, pendant près d'un siècle, avait élevé au-dessus d'eux-mêmes le Languedoc et, entre autres, les évêchés cathares de Toulouse, Albi, Agen, Carcassonne.

Après l'assassinat de son légat dans la région, le pape Innocent III décréta une guerre sainte contre les cathares et, en 1209, trois cent mille croisés descendirent la vallée du Rhône pour aller massacrer les hérétiques, confisquer leurs biens, piller l'une des régions les plus riches d'Europe et permettre *in fine* au royaume des Francs de s'approprier le Languedoc, par lui guigné depuis si longtemps.

Outragée, martyrisée, dévastée, comme à Béziers ou à Carcassonne, l'Occitanie a vaillamment résisté, à l'instar du château de Montségur où s'étaient réfugiés quatre cents cathares et qui, un an durant, mit en échec les dix mille soldats engagés dans son siège. Manquant d'eau, soumis à un tir permanent d'arbalètes et de catapultes, les hérétiques n'ont jamais cessé de réparer et de riposter.

Mes parents faisaient partie des assiégés. Mon père, Adhémar Marvejols, apothicaire, soignait les blessés. Ma mère, Bruna, travaillait aux cuisines où elle était plus particulièrement affectée à la préparation des fèves, devenues le plat unique des cathares pendant les semaines qui précédèrent la reddition de Montségur. Quant à moi, leur dernier enfant, je jouais volontiers au troubadour et, après le souper, récitais ou chantais, accompagnée au luth, pour distraire la galerie :

> *Quelle folle suis-je d'avoir attendu si longtemps pour connaître l'amour ? Il m'a ouvert les yeux et l'esprit. Je le trouve plus délicieux encore que l'air que je respire : le souffle de Dieu me couvre de baisers, le vent du Bien me gonfle la poitrine, la parole du Christ me ardre*[1].

1. Me brûle.

Parfois, je reprenais des textes de mon idole, le Toulousain Pierre Vidal. Un infatigable amoureux qui, au XIIe siècle, aimait tant persifler contre l'Église ou le roi Philippe Auguste :

Enseignez-moi, d'où naît et de quoi vit l'amour qui est plus chaud que braise ; comment il s'allume et s'enflamme ; comment il s'insinue par de doux semblants ; comment il fait veiller en dormant ; comment il peut brûler dans l'eau, noyer dans le feu, lier sans aucune chaîne, blesser sans faire aucune peine.

Ce genre de prose n'aurait pas plu aux cathares de Montségur si je ne leur avais fait croire que Pierre Vidal parlait, dans son texte, de l'amour de Dieu et du Bien.

À la fin de l'hiver, les cathares finirent par se rendre à l'ennemi et, le 16 mars, deux cent onze d'entre eux, qui avaient refusé d'abjurer leur hérésie, furent entassés dans un enclos rempli de bois et de branchages auquel fut mis le feu. Parmi eux se trouvaient mes parents, Adhémar et Bruna Marvejols, que je n'ai pas réussi à convaincre d'abandonner leur religion.

Après leur brûlement, je restai plusieurs jours à traînailler autour du château de Montségur en me faisant passer pour une bergère. Sous prétexte de rechercher un proche engagé dans la croisade, je demandais aux soldats les noms des chevaliers qui avaient mis le bûcher en place.

Aujourd'hui, devant les inquisiteurs, je crache leurs noms que j'ai si longtemps ruminés :

Amaury des Arcis
Foulque de Roquevert
Geoffroi de Trepinvel
Florentin de Lampredune
Eudes de Restivel
Jean de Sombreval
Archambaud de Gontherie
Maudits soient-ils !

Je ferme les paupières en dodelinant de la tête, puis déclare d'une voix blanche :

« J'étais là quand mes parents ont été brûlés derrière des palissades en pieux qui avaient été dressées sur une pente, au pied du château. Jusqu'au dernier moment, je les ai suppliés d'abjurer, comme je l'avais fait moi-même. J'ai essayé tous les arguments. Dieu ne vaut pas la peine que l'on meure pour lui, leur ai-je crié. Mais ils n'ont rien voulu entendre.

— Après ça, résume Montcrassonne, tu as assassiné tous les chevaliers qui avaient procédé au brûlement des hérétiques.

— Non, pas tous, hélas. Il en reste. Par exemple, Tancrède des Essarts et Guillaume de Glaron qui ont traîné les malades et les blessés jusqu'à leur fagot. Ces gens n'ont fait preuve d'aucune pitié.

— Toi non plus. Rappelle-nous la méthode que tu as utilisée pour occire les chevaliers…

— J'ai empoisonné tous ces chiénins[1]. Mon père, qui connaissait les herbes, m'avait appris les rudiments du métier. Je les ai endormis et tués en même temps, ce qui a permis d'éviter ces agonies spectaculaires où le moribond se roule par terre en se tortillant, en bavant sa mousse et en conchiant du sang. Ils n'ont pas souffert…

— Quelles herbes as-tu utilisées ? demande Montcrassonne.

— Pour endormir mes victimes, je leur donnais des extraits de valériane, houblon et passiflore que je mélangeais à leurs mets, toujours très épicés, pour en masquer le goût. Puis, pendant leur sommeil, j'introduisais dans leur bouche un liquide composé de ciguë et de colchique. La mortitude venait toujours vitement.

— Je ne comprends pas, dit frère Eustache en roulant de grands yeux effarés. Qu'aviez-vous besoin d'égorger vos victimes après ça ?

— Les premières victimes, celles que j'ai tuées pendant la première croisade du roi Louis, ont en effet été égorgées. C'était une idée d'Enguerrand, mon mari de l'époque, Dieu ait son âme, quand je lui ai fait part de mon intention d'assassiner le plus connu d'entre eux : Amaury des Arcis, un babo[2], neveu du célèbre Hugues qui avait commandé l'armée pendant le siège de Montségur. Mon époux prétendait que cette

1. Pervers.
2. Sot.

façon de faire permettrait de mettre mes crimes sur le dos des mahométans. Ça a failli marcher. Inutile de vous dire que ce n'est pas moi qui ai tenu le couteau. J'ai détourné les yeux, je ne voulais pas voir ça.

— Ton second mari a-t-il aussi été ton complice ?

— Non, mais Armen savait tout. Nous n'avions pas de secrets l'un pour l'autre. »

Quand l'interrogatoire est terminé et que je rentre dans ma cellule, soutenue par frère Eustache, je le supplie d'une voix d'outre-tombe :

« Promettez-moi de vous occuper de François d'Assise après ma mort.

— Vous n'allez pas mourir.

— Après ce que j'ai fait, je sais que je serai condamnée à la hart, à la roue ou la hache…

— Vous avez ému le baron de Champagnolles, le représentant du roi. Il nous a dit qu'il vous considérait comme innocente, que tout ça était de l'histoire ancienne et qu'il ne servait à rien de pleurer sur lait renversé. »

Frère Eustache jette un regard circulaire, puis murmure comme un secret :

« Je suis sûr que Philippe III le Hardi a demandé à Champagnolles d'enterrer l'affaire. Le catharisme de votre jeunesse, passe encore. Mais s'il s'avérait qu'une des personnes les plus proches de son père avait occis une tripotée de chevaliers, ça compromettrait la canonisation de Louis IX que prépare son confesseur et qui, après la disparition de quelques documents, semble très bien engagée. »

Je hoche la tête et frère Eustache m'adresse un grand sourire :

« Votre chance, c'est que les deux justices, celle du roi et celle du pape, ne se parlent pas et même ne s'aiment pas.

— Que voulez-vous dire ?

— Vous verrez bien. Mais sachez que je suis heureux que vous ayez abjuré à Montségur. Vous me l'auriez dit tout de suite, lors de notre première rencontre, vous n'auriez pas eu tous ces ennuis. Je traque les hérétiques, pas les assassins. »

Trois semaines plus tard, frère Eustache entre dans ma cellule et m'annonce avec un grand sourire que je peux sortir de prison. Il est venu avec une brouette et me pose délicatement dedans. Je tiens dans mes mains une boîte où est enfermé mon crapaud.

Le religieux m'emmène au couvent dominicain de la rue Saint-Jacques[1] où m'attend le petit François d'Assise.

Mon fils adoptif se jette dans mes bras et me serre très fort, comme s'il craignait que je ne lui sois arrachée de nouveau. Nous pleurons longtemps, l'un contre l'autre, sous le regard humide de frère Eustache.

Après m'avoir montré ma chambre qui jouxte celle de François d'Assise, dans une dépendance

1. Supprimé en 1790, pendant la Révolution française, puis démoli ensuite, il se situait au niveau de l'actuel 158 de la rue Saint-Jacques. D'où le surnom de jacobins qui fut donné aux dominicains.

éloignée des cellules des dominicains, frère Eustache fait son mea culpa.

« Je suis désolé, dit-il. Tout est ma faute. Vous m'avez fait perdre la tête. Je m'excuse d'avoir eu tant de désirance pour vous.

— Ne vous excusez pas, mon Seigneur. Grâce à vous, j'ai compris qu'il faut avoir manqué de perdre la vie pour commencer à l'aimer vraiment et ne plus jamais la gâcher.

— Sachez que je me suis guéri. La chosette est la crucifixion de l'homme et je suis descendu de ma croix. »

Il montre fièrement ses mains :

« Regardez. Je ne me mange même plus les doigts. »

Le soir, quand je viens embrasser mon fils acouchié avant qu'il s'endorme, il se love contre moi. Il y a un plein bon Dieu de pureté dans ses yeux bruns. Il me fait penser à Armen.

Je n'ai pas eu à la lui demander. Soudain, il se redresse, retire sa cotte et me rend la croix de Louis IX qu'il gardait cachée dessous. Je dépose une pluie de baisers dessus, la mets autour de mon cou et la range sous mes vêtures. Avec un tel viatique, il m'est permis de croire que je vivrai encore très longtemps.

Le lendemain, frère Eustache part pour le Midi d'où il ne me donnera plus jamais signe de vie. Au couvent Saint-Jacques, je mettrai longtemps à reprendre des forces. Je suis moche, l'ombre de moi-même, vivant à petit feu mais heureuse, loin des afistolures[1] et des cacasseries[2] du monde des prétendus vivants.

Je me sens apaisée depuis qu'un dominicain, qui a vécu longtemps à Saint-Jean-d'Acre, m'a appris que le père Jean-Bon était mort de chagrin après avoir rendu le trésor volé à la secte des Assassins en échange de la libération de ses trois enfants ; ils ont été tués par des brigands sur le chemin du retour.

Je me sens accomplie aussi après m'être consacrée à l'éducation de François d'Assise qui, pour mon bonheur, est devenu franciscain. Jusqu'à mon dernier souffle, je m'occuperai du manger, du potager et du jardin du couvent. Un jardin dans lequel je serai enterrée, le jour venu, auprès de mon crapaud, au milieu d'un massif de pivoines rouges, mes fleurs préférées. Dans mes dernières volontés, j'ai demandé à être mise en terre dans mes habits, sans qu'ils soient changés, afin que personne ne puisse voir mes tatouages de diablerie.

Sur ma petite pierre tombale, visible aussi longtemps que le couvent Saint-Jacques existera, j'ai demandé que soit écrit :

Tout change ici-bas mais non Dieu ni l'amour.

1. Railleries.
2. Bavardages.

ÉPILOGUE

MARSEILLE, 2016. À trois heures de l'après-midi, quand je suis allé me baigner au Cercle des nageurs de Marseille, aux Catalans, les nuages étaient tombés par terre : rentrée sous des draps blancs et des oreillers de peluche, la Méditerranée semblait dormir d'un sommeil éternel.

Pas un bruit de vague, ni même un léger clapotis : la mer était morte. Un spectacle de fin du monde que les membres du cercle observaient avec un mélange de fatalisme et d'émerveillement. « On n'a jamais vu ça », disaient-ils. C'eût été l'Apocalypse, ils auraient sans doute fait preuve de la même placidité fascinée.

La piscine d'eau de mer était si bleue que j'eus le sentiment de nager dans le ciel. Traversé par le vent, le sel, la lumière et l'harmonie du monde, je me sentais une âme errante, un poisson volant, un oiseau ivre, trois conditions qui ne doivent pas être très différentes. Arraché à la pesanteur de la terre, détaché de mon enveloppe corporelle et m'élevant toujours plus haut dans les flots, je me suis rempli d'un infini qui était encore en moi sur le chemin du retour.

Alors que je passais devant la basilique Saint-Victor, quelque chose m'a appelé. Une force trop puissante pour que je lui résistasse. Édifiée au ve siècle à proximité des tombes des martyrs chrétiens de Marseille, cette ancienne abbaye m'a toujours fasciné. C'est une survivante qui a résisté à tout, aux pillages des envahisseurs sarrasins comme aux dévastations de la Révolution française. Au cours des siècles, elle n'a jamais cessé de renaître de ses décombres.

Après être entré dans la basilique, j'ai trempé ma main dans l'eau du bénitier et je me suis signé avant de descendre au sous-sol me recueillir dans la crypte, devant la statue de Notre-Dame de la Confession, la Vierge noire. Une sculpture du XIIIe siècle en bois de noyer où, pour une fois, Marie n'a pas le visage penché et une expression souffrante. Elle se tient bien droite et porte fièrement sur ses genoux le Fils de Dieu, un enfant-roi dominateur, habillé d'or, représenté en maître de l'univers, un globe dans la main. Ils ont tous deux des airs de vainqueurs dans leur décor de catacombes.

Je ne veux pas raconter la suite. Elle est indicible. Qu'il se manifeste par des apparitions ou des illuminations, le mysticisme provoque toujours les narquoiseries des culs-cousus et des petites frappes du nihilisme contemporain, dont j'ai fait si longtemps partie. Ça m'escagasse, pour rester poli : il n'y a rien à attendre d'un monde où la foi est devenue quelque chose de comique ou d'obscène, c'est un ancien agnostique qui vous le dit.

Quand j'ai retrouvé mes esprits, j'étais tombé sur les genoux. Je me suis relevé pour partir, en boitant, à la recherche de l'abbé : je voulais être baptisé de toute urgence. Le bedeau m'a dit qu'il n'était pas là et qu'il faudrait revenir le lendemain.

Le lendemain, l'abbé de la basilique Saint-Victor m'accueillit chaleureusement. Mais je ne pus cacher ma contrariété quand il m'apprit qu'avant le baptême je devrais passer par la phase du catéchuménat qui durerait des mois. Je tenais à me convertir ici et maintenant.

« Mais pourquoi est-ce aussi long ? m'indignai-je.

— Vous comprendrez, j'espère, qu'il faille plus de temps pour entrer dans l'Église de Dieu que pour ouvrir un compte en banque.

— N'y a-t-il pas moyen de faire une filière courte ? »

Croyant que je plaisantais, il a souri, un sourire qu'éclairaient de belles dents d'acteur.

« En tout cas, repris-je, c'est beaucoup plus rapide de se convertir à l'islam. Dix secondes au maximum. Il suffit de réciter les deux phrases de la chahada et puis c'est bon. À moins que l'imam ne vous demande de prendre un bain auparavant et de vous épiler le pubis et les aisselles.

— Pardonnez à l'Église d'être exigeante », ironisa le curé.

Après avoir pris rendez-vous en fin de semaine pour commencer, avec d'autres adultes, mon long chemin vers le baptême, j'emportai avec moi le programme des messes du mois à Saint-Victor : j'étais décidé à devenir, avant même le baptême, l'un des piliers de la basilique.

Je me demandais comment j'allais annoncer ma conversion à Leila, que je devais épouser la semaine suivante. Depuis qu'elle m'avait donné à lire le recueil de poèmes qu'elle était en train d'écrire, mon amour pour elle avait encore grandi. Quelques-uns de ses vers ou métaphores me tournaient la tête, je sentais en elle une folie prometteuse.

L'un de ses poèmes s'intitulait : *Est-ce que ce sera comme ça jusqu'à notre mort ?* Un autre : *Un jour, je mangerai la lune.* Elle savait trouver des formules ébouriffantes du genre : « La nuit, je me sens comme une reine sous sa couronne d'étoiles. » Ou bien : « Laisse-moi boire la lumière de tes yeux. »

C'était l'enfant de Jacques Prévert et de Maurice Carême. J'étais dans les affres de l'amour quand, à peine arrivé chez moi, je reçus la visite de mon voisin, Léon Zimmermann, qui m'apprit qu'il quittait la France la semaine suivante pour s'installer chez sa fille, à Chicago.

Quand je lui demandai pourquoi il partait vivre aux États-Unis, lui, le communiste, Léon Zimmermann me répondit en détournant les yeux :

« Parce que ma fille est ma seule famille et que j'en ai assez d'avoir peur.

— Peur de quoi ?

— Peur d'un attentat… Quand je fais les courses ou que je vais au musée, au concert, à la plage, à la synagogue, je ne me sens plus à l'aise, il y a quelque chose de lourd ici…

— Tout finit toujours par s'arranger, Léon. Pas toujours bien, je vous l'accorde. Mais ça s'arrange.

— Vous croyez vraiment ce que vous dites ? »

Il avait les yeux humides. Je lui ai proposé une bière. Nous étions en train de parler des derniers attentats sous le parasol de ma terrasse quand Samir la Souris est arrivé. Il avait la tête de quelqu'un qui détient des informations importantes mais il attendit que Léon Zimmermann ait pris congé pour me les donner :

« Pour Leila, tu ne dois plus t'en faire, *wallah.* Plus je creuse, plus j'ai la confirmation que c'est une fille bien. Elle a rompu avec Moussa, son type de l'État islamique, dès qu'elle a eu connaissance de ses activités. J'ai récupéré ses textos. Elle n'est pas du tout celle que je croyais. Et quand je suis entré chez elle…

— Quoi ? Tu as fait ça ? m'étranglai-je.

— J'ai bien fait ! Il y avait de la bière dans le réfrigérateur et pas mal de vin dans son porte-bouteilles. De très bons crus, en plus.

— Quelqu'un qui aime le vin ne peut pas être une mauvaise personne », dis-je.

Samir la Souris a tiré un papier de sa poche. C'était un texte attribué à saint Augustin qu'il m'invita à méditer :

À force de tout voir, on finit par tout supporter…
À force de tout supporter, on finit par tout tolérer…
À force de tout tolérer, on finit par tout accepter…
À force de tout accepter, on finit par tout approuver…

Après avoir observé que saint Augustin, berbère comme lui, avait écrit ça bien avant la naissance de Mahomet, Samir la Souris est reparti précipitamment : il avait un rendez-vous. J'ai commencé la soirée avec un vieil armagnac avant de la confier aux bons soins de M. Paul Ricard et de son célèbre pastis aux vertus dépuratives. En me couchant, je me suis dit qu'il y avait longtemps que je ne m'étais senti aussi heureux.

*

À deux heures et demie du matin, la sonnette de la porte d'entrée m'a réveillé. Avant d'ouvrir, j'ai voulu identifier par le judas le fâcheux qui était venu me déranger en pleine nuit. Mais il n'y avait pas de lumière sur le palier. J'étais beaucoup trop marseillais pour me laisser attaquer et dépouiller en pleine nuit, la bouche en cœur.

« Qui est-ce ? demandai-je.

— Sonia, la mère de Samir ! »

Je reconnus sa voix :

« Je n'arrive pas à te voir, Sonia. Pourquoi la lumière est-elle éteinte ?

— Je la rallume. »

Quand elle est entrée, Sonia Moussdoune a failli tomber en se prenant les pieds dans sa grande robe orientale, une sorte de drap mortuaire en acrylique noir qui traînait jusqu'au sol comme une tenue de mariée.

« Ça fait vingt minutes que je frappe à ta porte », se plaignit-elle en soufflant.

Je n'en crus rien. À près de cinquante ans, Sonia Moussdoune aurait eu toutes les qualités de la terre si elle n'avait été affligée, comme son fils, d'une tendance à l'exagération qui relève de la pathologie. Je ne fus donc pas surpris en observant que son visage était tuméfié et couvert de larmes. Un carreau cassé ou une robe tachée pouvaient la mettre dans cet état.

« C'est affreux ce que c'est affreux, gémit-elle. Notre Samir… »

Un sanglot étrangla sa gorge. Elle rajusta son foulard qui était de travers.

« Oui, notre Samir, répétai-je avec impatience. Qu'est-ce qu'il a ?

— Il a été tué.

— Tué ! m'écriai-je. Comment ça ?

— Égorgé en pleine rue, m'a dit la police. Par deux barbus qui ont crié "Allah akbar".

— C'est une blague !

— Non, Olivier, c'est bien ce qui s'est passé. Je suis venue te voir tout de suite parce que, comme tu sais, à part Samir, je n'ai personne dans la vie et que tu étais un peu son grand frère. »

Je décidai qu'il fallait me recueillir devant la dépouille de Samir.

Sonia m'en dissuada vivement.

« Ils m'ont demandé de reconnaître le corps, on aurait dit une pièce de boucherie.

— Pourquoi ne m'as-tu pas appelé ?

— Je n'arrivais pas à parler. »

Désormais, dit-elle, le corps de Samir était entre les mains de la police scientifique qui le charcuterait pour identifier les assassins, lesquels, hélas, couraient toujours.

J'ai pleuré et bu encore un pastis avec la mère de Samir. Quand elle est partie, j'étais couvert de sueur et j'avais plein d'envies de meurtre. Je me suis rendormi en écoutant le *Requiem* de Brahms.

La nuit fut difficile : quelques herbes de sommeil au milieu d'une forêt de mauvaises pensées. Tiphanie n'a pas daigné se manifester. J'ai compris qu'elle m'avait définitivement abandonné, même s'il m'a semblé entendre, au moins en rêve, quelques notes de son duduk.

Le matin, je me suis précipité chez mon ami Jacky qui, après une vie de caïd marseillais, coule ses vieux jours à la tête du Café de l'Amitié, un bar très fréquenté, sur le Vieux-Port. Je lui ai demandé de me trouver, par l'entremise de ses relations, les identités et les adresses des deux barbus, ainsi qu'un Glock calibre 9 mm à dix-sept coups.

« T'auras tout ça demain », m'a assuré Jacky.

Après quoi, j'ai appelé Leila qui a éclaté en sanglots quand je lui ai annoncé la nouvelle. Marseille ne parlait que de ça, mais elle ignorait que Samir Moussdoune était comme un petit frère pour moi. Elle a proposé de me rejoindre dès qu'elle le pourrait. Je lui ai répondu que j'avais des choses à régler et que je la verrais après.

Le lendemain matin, j'avais mon Glock mais pas les noms des tueurs. « La vermine islamiste, s'est excusé Jacky, on a toujours du mal à mettre des noms dessus, mais t'en fais pas, Olivier, tu seras vengé : elle se mange elle-même. »

Je sortais du Café de l'Amitié quand la police a annoncé que les deux coupables avaient été arrêtés. Je me suis dit que j'irais les attendre dans quelque temps, avec mon Glock, quand ils sortiraient de prison.

*

Samir la Souris a été enterré dans le carré musulman du cimetière Saint-Pierre de Marseille, au milieu des parfums de résineux et de fauchaison, non loin de l'endroit où reposent mes parents. Bienheureux les macchabées qui ont la chance de passer leur mort ici : ils sont au paradis.

Sonia Moussdoune m'avait demandé de rester à ses côtés pendant la cérémonie. De temps en temps, elle enfouissait son visage dans mon polo ou me serrait le bras très fort, et l'on pouvait se demander si je n'étais pas le père, jusqu'à présent inconnu, de Samir. Je suis sûr que l'imam l'a cru parce qu'il m'a embrassé avec effusion après la mise en terre.

C'est à ce moment qu'un homme d'une soixantaine d'années, blazer, cravate jaune, chemise bleue, teint hâlé et traits marqués, s'est approché de moi. Il a sorti sa carte :

« Bonjour, monsieur. Éric Bratz. Police nationale. »

Il avait le visage empreint de cette mélancolie métaphysique qui ronge souvent les grands policiers.

« Samir vous aimait beaucoup, dit-il.

— Comment le savez-vous ?

— On se voyait souvent. C'était un de nos principaux informateurs. Un hacker qui était en même temps notre honorable correspondant dans les réseaux islamistes. Au cours de ma carrière, j'ai rencontré très peu de personnes aussi intelligentes. Il a fait beaucoup pour nous, pour la République française. Sans jamais demander un centime, je tiens à le préciser. Mais il prenait trop de risques et il allait trop vite, vous comprenez. J'ai toujours pensé que ça finirait mal… »

Il s'approcha de moi et baissa la voix :

« Il faut que vous sachiez qu'il nous a permis de déjouer plusieurs attentats.

— Quel genre ?

— Je ne peux pas vous en dire plus, c'est confidentiel. »

Il se gratta la gorge :

« Saviez-vous qu'il était très religieux ?

— Pas vraiment.

— Il m'a parlé de sa foi lors de notre dernière rencontre. Je le voyais comme une sorte de soufi, il m'a dit qu'il était alevi[1]. Il disait qu'il fallait repenser l'islam. Très intéressant.

— En effet. »

Au milieu d'une allée latérale, j'ai vu un écureuil. Dressé sur ses pattes arrière, il nous regardait passer en mâchant quelque chose, avec l'air de se moquer du monde. Soudain, j'ai pensé que Samir était revenu parmi nous et mes yeux se sont emplis de larmes.

Le policier et moi sommes sortis ensemble du cimetière Saint-Pierre. Leila, Sonia et l'imam marchaient derrière nous. Alors que le commissaire me parlait de la montée de l'islamisme radical, j'avais beau essayer de l'écouter, mes pensées se portaient vers la femme de ma vie.

J'étais allé trop loin pour reculer, sur le mariage aussi bien que sur ma conversion au christianisme. J'étais comme un piéton sur une ligne jaune, au milieu d'une route départementale, entre deux camions qui roulent à toute allure en sens inverse.

1. Issus du chiisme, les alevis sont partisans de la séparation des pouvoirs temporel et spirituel. Ils récusent le voile, boivent de l'alcool et s'opposent à toute forme de discrimination : dans leurs lieux de culte, les hommes et les femmes prient ensemble. Très présents en Turquie, ils ont été persécutés par le régime de Recep Tayyip Erdogan.

J'envisageais d'annoncer à Leila ma conversion, lors de notre prochain dîner fixé au lendemain. Comment réagirait-elle ? Je n'imaginais pas ma vie sans voir son visage tous les matins au réveil, ni sans assumer au grand jour ma foi de catéchumène. Les deux étaient-ils conciliables ?

Le soir, j'ai parlé de tout cela à Sonia, que j'avais invitée à la pizzeria du Cercle des nageurs, mon restaurant marseillais préféré. Elle m'a conseillé de laisser venir le destin, en citant Samir, qui lui avait dit un jour :

« La vie, tu ne te trompes jamais quand tu la laisses décider pour toi. »

C'était ce que j'avais envie d'entendre. Mais après avoir pensé à Tiphanie, j'ai ajouté :

« Mais quand la vie ne se décide pas, c'est à toi d'aller la chercher. »

II

LE SANG DES DIEUX 1248-1249

III

D'AMOUR ET D'EAU FRAÎCHE 1250-1269

DU MÊME AUTEUR

Aux Éditions Gallimard

LE VIEIL HOMME ET LA MORT, 1996 (Folio nº 2972).

MORT D'UN BERGER, 2002 (Folio nº 3978).

L'ABATTEUR, 2003 (« La Noire » ; Folio Policier nº 410).

L'AMÉRICAIN, 2004 (Folio nº 4343).

LE HUITIÈME PROPHÈTE OU LES AVENTURES EXTRAORDINAIRES D'AMROS LE CELTE, 2008 (Folio nº 4985).

UN TRÈS GRAND AMOUR, 2010 (Folio nº 5221).

DIEU, MA MÈRE ET MOI, 2012 (Folio nº 5624).

LA CUISINIÈRE D'HIMMLER, 2013 (Folio nº 5854). Prix Épicure.

L'ARRACHEUSE DE DENTS, 2016 (Folio nº 6434). Prix des écrivains du Sud, prix Récamier du roman et prix Charette.

BELLE D'AMOUR, 2017 (Folio nº 6660). Prix européen du roman médiéval, Terres des Templiers.

LA DERNIÈRE FOIS QUE J'AI RENCONTRÉ DIEU, 2018.

LE SCHMOCK, 2019.

Aux Éditions Grasset

L'AFFREUX, 1992 (Folio nº 4753). Grand Prix du roman de l'Académie française.

LA SOUILLE, 1995 (Folio nº 4682). Prix Interallié.

LE SIEUR DIEU, 1998 (Folio nº 4527).

Aux Éditions du Seuil

MONSIEUR ADRIEN, 1982.

JACQUES CHIRAC, 1987.

LE PRÉSIDENT, 1990.

LA FIN D'UNE ÉPOQUE, 1993 (Fayard-Seuil).

FRANÇOIS MITTERRAND, UNE VIE, 1996.

FRANÇOIS MITTERRAND OU LA TENTATION DE L'HISTOIRE, 1997.

Aux Éditions Flammarion

LA TRAGÉDIE DU PRÉSIDENT, 2006.

L'IMMORTEL. 22 BALLES POUR UN SEUL HOMME, 2007. Grand Prix littéraire de Provence.

LE LESSIVEUR, 2009.

M. LE PRÉSIDENT, 2011.

L'AMOUR EST ÉTERNEL TANT QU'IL DURE, 2014.

CHIRAC, UNE VIE, 2016.

Aux Éditions Fayard

L'ANIMAL EST UNE PERSONNE, 2016.

Aux Éditions Autrement

MANIFESTE POUR LES ANIMAUX (avec des contributions de Boris Cyrulnik, Élisabeth de Fontenay, Michel Onfray, etc.), 2014.

Aux Éditions du Cherche-Midi

LE DICTIONNAIRE D'ANTI-CITATIONS, 2013.

Aux Éditions J'ai Lu

LE JOUR DE GLOIRE EST ARRIVÉ, avec Éric Jourdan, 2007.

Aux Éditions Albin Michel

LE THÉÂTRE DES INCAPABLES, 2017.

Composition IGS-CP à L'Isle-d'Espagnac (16)
Impression Maury Imprimeur
45330 Malesherbes
le 22 mai 2019
Dépôt légal : mai 2019
1er dépôt légal dans la collection : avril 2019
Numéro d'imprimeur : 237251

ISBN 978-2-07-282513-2 / Imprimé en France.

359067